十省高考状元名录

★宋　婷　江西省文科状元　　　　现就读于北大

★幸　婧　重庆市文科状元　　　　现就读于北大

★许　峥　辽宁省文科状元　　　　现就读于人大

★王微微　福建省文科状元　　　　现就读于北大

★王海桐　四川省理科状元　　　　现就读于北大

★孟涓涓　云南省文科状元　　　　现就读于北大

★陈恕胜　山东省理科状元　　　　现就读于清华

★慈颜谊　山东省文科状元　　　　现就读于北大

★谭　彦　湖南省文科状元　　　　现就读于北大

★赵　竞　上海市理科状元　　　　现就读于清华

★柏　青　陕西省文科状元　　　　现就读于北大

★潘伟明　黑龙江省文科状元　　　现就读于北大

★匡伟佳　内蒙古自治区文科状元　现就读于人大

点评主编

张斌贤　北京师范大学教育学院院长

点评人

王东华　华东交通大学母亲教育研究所所长

赵如云　北京四中特级教师

李　磊　北京市兴涛学校高级教师

请你这样

清华 北大 人大十省高考状元向家长老师呼吁

教育我

人民文学出版社

（京）新登字 002 号

图书在版编目（CIP）数据

请你这样教育我：清华北大人大十省高考状元向家长老师
呼吁/多人著 . - 北京：人民文学出版社，2004.6 重印
ISBN 7 - 02 - 003721 - 6

Ⅰ. 请… Ⅱ. 中学生 - 学习方法 - 高中 Ⅳ.G632.46

中国版本图书馆 CIP 数据核字（2001）第 097144 号

策　　划：闻树国
责任编辑：陈阳春　常雪莲
责任印制：张文芳

请你这样教育我

Qing Ni Zhe Yang Jiao Yu Wo

人 民 文 学 出 版 社 出 版
http://www. rw - cn. com
北京市朝内大街 166 号　　邮编：100705
北京新魏印刷厂印刷　　新华书店经销
字数 230 千字　开本 850×1168 毫米　1/32　印张 11.25　插页 2
2002 年 1 月北京第 1 版　　　2004 年 6 月第 4 次印刷
印数 28001 - 33000
ISBN 7 - 02 - 003721 - 6/Ⅰ·2845
定价　19.80 元

序

北京师范大学教育学院院长

张斌贤

　　这是一本由全国十省市 2001 年度高考状元写作的书。在书中，他们对自己的成长经历进行了回忆和审视，尽管还略显稚嫩，但具体、亲切、真实。由于本书作者是清华、北大、人大的新生，其文章内容就不仅仅是对人生经历和学习经验的总结，而且具有了某种反思的意味。这种反思不仅对正在中学就读的学生有利，对我们老师和家长也同样有用，如果你能把自己真正摆在与自己的学生或子女平等的地位上静心阅读的话。

　　阅读本书，我惊奇地发现，这些当年的高考状元在文章中虽然都无一例外地谈到了自己的学习、特长、应试技巧与方法、高考经验等对后学大有裨益的内容，但其津津乐道的美好回忆却常常是我们的学校、教育、教师、家庭和家长忽略或至少不当作重点的地方。他们并没有刻意去回避高中生活的艰辛和压力,但他们的文字中,给我们印象最为深刻的恰恰是与我们通常关于高中生活感觉相反的方面:那种学习所带来的愉悦、那种对生活的细腻感受、那种对家庭和亲人的纯真亲情,等等。

我不断在想,为什么这些优秀的中学生们乐于让人们知道他们高中生活中那些与高考关系不大、甚至没有关系的经历和感受?我首先排除了他们"故作潇洒"的可能性,因为即使他们试图这样去做,读者也还是能从字里行间读出或悟出其中的艰辛和苦楚。我也排除了命题作文通常有的言不由衷的情形,因为他们再也无须顾忌老师和家长的好恶。那么,这究竟是为什么?

结论似乎是,他们所津津乐道、回味无穷的经历和感受,正是他们众多中学同学所缺乏的,正是高中生活中最令他们感到珍贵的,也正是我们现在许多家庭、学校乃至我们整个教育制度未能有效地提供给我们的学生和子女的。

按照我个人的见解,我认为这也就是那种作为生活、生命有机组成部分的学习和教育活动本身所具有的愉悦和欢乐。

我们都知道,人生而具有探究的本能。对未知世界和事物的好奇,是人的天性。学习本来是为了满足人的探究本能和好奇心的活动,正因如此,学习和教育活动是人成长所不可或缺的内容,是令人感到快乐和满足的过程。这就是说,我们通常所说的兴趣、动机并非外在于学习过程,而是学习的应有之义。但由于我们把机械练习、训练、灌输甚至强制作为教育教学的原则和基本方法(尽管在理论上我们一向反对这些),事实上就把学习、教育当作一项艰苦的劳动甚至是苦役,剥夺了学生享受学习所产生的快乐,学习以及学习的场所(学校)成了恐惧的同义词。因此,大量中学生以及大学生的厌学、反抗学校(通常是消极反抗)、抵制教育(通常也是消极抵制),所反映的绝不是学生的问题,而正是我们的学校、我们的教育出了问题,出了很大问题。更为可怕的是,这些问题往往是在良好动机下产生的,使我们难以觉察自己的错误,更难以自觉改正自己的错误。我们确实需要非常深刻地对我们的教育进行根本反思。

为了我们民族的未来,我真诚地希望我们的中小学领导、教师和家长都能很好地阅读此书,绝不要因为本书的作者是你们的学生、子女辈而忽视他们的心声,否则我们还会继续在良好的动机下辛辛苦苦地做出实际上危害我们下一代的事情!

2002 年 1 月 1 日于北京师范大学教育学院

目录

**江西省
文科状元
宋 婷**

幸福时光

健康向上而又充满活力的心态,使她特别善于感受学习的乐趣。但对应试作文的形式,她却总是提不起兴趣。语文老师的一番话使她明白:学习的动力不仅来自兴趣,同时还包括现实的压力和责任感。要想实现自己的愿望,就得遵循应试教育的游戏规则:只有先把自己变成厉害的考试工具,才能最大程度地放飞自己!

**呼吁:快乐是学习应有之义,
让孩子学会感受学习的快乐!**

1

目录

高考前夜,成绩一直 **高考传奇** 不错的她,突然出现暂时性记忆中断。许多烂熟于心的概念,全都无法记起。紧张、忧虑,击垮了她。一心只想上北大的她落榜了。父亲说:"北大不相信眼泪!"寂寞、失意、忍耐、拼搏,在漫长的复读生涯结束之后,她终于如愿以偿,迈进了北大的校门。

2

目录

重庆市
文科状元
幸 婧

呼吁:教孩子学会坚持,永不放弃!

辽宁省
文科状元
许 峥

从小他就爱玩电子游 **玩出精彩**
戏,在父母的严厉禁止下,一直玩到高考。他
发现,在"游戏"和"高考"之间,存在着惊人
的相似:游戏世界,不凭身体,全凭智慧;高
考面前,不论出身,就论实力。

**呼吁:善待孩子的天性,
让孩子玩出精彩!**

3

目录

福建省
文科状元
王微微

目录

笑傲考场

她对英语课的热爱来源于两位英语老师——一个学生是否对一门功课感兴趣，在很大程度上跟教这门功课的老师有关系，尤其在刚接触这门功课的时候。如果是水平极高或是极富人格魅力的好老师，学生就不但可以很容易地入门，而且会在不知不觉中爱上这门课。

呼吁：让孩子学会享受生活，珍视友谊！

相信自己

她经常觉着害怕，恐惧像感冒一样伴随着她跌跌撞撞走向高考。是害怕不能达到别人的要求，还是害怕让自己失望？自信，在她心底最柔软的角落小声而固执地呜咽着。幸运的是，父母和老师，在每一个关键的时刻，一遍遍温柔而坚定地对她说："你能行！你能行！"

**呼吁：别只关心孩子的分数，
还要关心孩子的内心感受！**

四川省
理科状元
王海桐

老师无意一句话让我自卑了多年
放任的孩子是父母的罪过吗？
我活在别人的评价和鼓励中
悠悠常对我说，你没问题

云南省
文科状元
孟涓涓

高考时，一道语文选 **厚积薄发**
择题把她难住了。其实考的是课本知识，
但她百密一疏竟然没记。辛亏平时读了大
量好书，于是凭课外阅读得来的背景知识
一步步推理，终于得出了正确答案。

**呼吁：阅读可以使孩子在高考中胜出，
让孩子多读书、读好书！**

和妈妈一起读金庸
渡过书的"代沟"
课外阅读帮助我做对一道语文高考题
阅读使我以不变应万变
我只有做了，于是我成功了

5

目
录

山东省
理科状元
陈恕胜

他是农民的孩子，遵守着农民孩子的准则：学习刻苦用功。因为从小学开始他便一直在接受着同样一个训诫：考上大学，就可以不当农民了。父母亲尽管不会告诉他深刻的人生哲理，但却以他们的爱和期待，默默地支持着他对清华的选择。

呼吁:请给孩子找个学习的理由!

6

目录

高三，太多的考试每一次都让她如临大敌般紧张不安。政治选择题这道难关，她几次冲击几次失败，最终决定放弃。老师的一番话，使沮丧的她重获信心——高三的路上，最忌说放弃，你放弃哪一项，哪一项就放弃你。

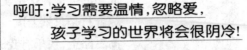

呼吁:**学习需要温情,忽略爱,**
　　　　孩子学习的世界将会很阴冷!

山东省
文科状元
慈颜谊

湖南省
文科状元
谭彦

　　就在高考的前几天, `我自信我成功`
她因肺炎住院治疗。关键时刻,父母从小培
养她的坚强自信支撑着她在病床上复习,支
撑着她走进考场。由于咳嗽厉害,她干脆停
了将近十分钟没有答题。而正是这十分钟对
试卷的全面审视和思考,使她后来的答题更
加有信心,更加踏实。

呼吁:**孩子的自信,**
　　　　来源于家长和老师的鼓励!

7

目录

成功的关键在于踏实和坚持

综合科是只纸老虎

高三路上,快乐有我

面对高考,我自信,我成功

上海市
理科状元
赵 竞

目录

竞赛生涯

　　高中三年,他投入大量时间、精力参加各种竞赛,结果总是失败。懊恼之余,他发现,悲壮的竞赛生涯不仅磨砺了他的意志,而且让他明白了一个道理:不应只是学课本知识,学不好也不能怨老师教不好——学习的主人是自己!

呼吁:请给孩子直面失败的勇气!

从容待考

　　当她成绩退步时,父母只是简单询问一下原因,让她自己寻找对策。学习上,父母从未给她压力,只是告诉她:以游戏的心态对待排名之类的名利得失,以冷静的眼光看待成绩的浮动。

陕西省
文科状元
柏 青

呼吁：让孩子以游戏的心态
看待排名之类的名利得失！

黑龙江省
文科状元
潘伟明

寒窗点滴

小时候，她总不能按时完成课堂作业。妈妈知道问题所在是"不专心"后，非但不强迫女儿学习，反而叫她放学后尽情去玩，只是课外作业必须在规定的时间内完成。经过一段时间的训练，她养成了专心致志的好习惯，为后来的高考胜出打下了基础。

呼吁：从小培养孩子好的学习习惯！

9

目录

内蒙古自治区
文科状元
匡伟佳

刚上高三，各科考试 **直面高考**
铺天盖地袭来。他和同学一起，在课堂上冲
老师大呼"减负"。老师则别出心裁地说：应
试能力是现代社会竞争不可或缺的能力，考
试就是为了培养大家的应试能力，而这正是
高三素质教育最重要的内容。的确，经过"轮
考"，面对考试他再也不紧张了——"轮考"
培养了他高考时的良好心态。

呼吁：你做得好，孩子就一定能做好！

10

目录

宋婷

幸福时光

宋 婷（江西省文科状元，现就读于北大）

父母职业： 教师、工人

父母教育时常说的话：

　　弯着身刷牙，关门声小点，东西都带齐

生日： 1985 年 4 月 5 日

爱好：

　　看电视、读小说、玩游戏、打乒乓球、
睡觉、吃零食、听歌

最崇拜的人： 周恩来

最喜欢的作家： 鲁迅、梁凤仪、三毛

最爱看的书：《平凡的世界》

最欣赏的一句话：

　　要么不干，要干就干得彻底

寄语高中生：

　　找到适合自己的方法，用心去寻找学习的
规律，学会整理知识，形成知识系统

感受学习的快乐

时间如飞梭，一眨眼就远离了高中生活，远离了那个可爱又可亲的校园，远离了那些如父母更是朋友的老师，远离了那些热情大方诚恳的兄弟姐妹。现在回想起来，高中时代其实是快乐和回味无穷的。

学习的每一天都充满快乐

虽然每一天我都过着"三点一线"的生活，但在每一天都有新的事情发生，有新的事物等待我的发现。有时候抬头看看天，会意外地发现今天的天气真好，天空蓝蓝的，还有一丝一丝的缥缈的云，真美。爱美的人心情怎么会坏呢？

高兴地走进教室，就闻到一阵一阵的面包、蛋糕、炒米粉、汤粉的香味，一不在意还以为进了小饭馆呢。各种馅的包子只有作配角的份了，谁叫你味香气不浓。一边吃喝一边讨论哪里又出了新的花样，讨论明天是不是该换口味了，然后再顺便研究研究昨晚的梦境究竟有何暗示。话到兴头，某生匆匆从外跑进，大呼"魔王"（班主任的另一尊称）来也，于是各就各位，拿出书，一言不发，认真地看了起来。真正的学习从这一刻开始。

老师们经常有出人意料的举动为课堂添彩：年轻的语文老

师喜气洋洋地走进来，带给我们焕然一新的感觉，原来他换了新毛衣。我们大呼"好帅"，他谦虚地笑了一笑，在大家的笑声中开始了他的讲课，讲得特别的卖力。可在中途，他发现底下有窃窃私语，以为是同学在评价他的新衣所以没有在意。在他意气风发地走出教室，笑吟吟地在走廊上与同事打招呼时，一位同学塞给他一张纸条，他看也没看就往兜里揣（他以为是同学提的问题）。那同学在旁边着急地看着他，口里喊着"老师你快看呀"。带着一脸的不解他打开了纸条，看完之后往自己身上上上下下左左右右打量了一番，然后爆出一阵大笑，飞奔办公室，留下一脸惊诧的同事和不明就里的行人。一位好事者捡起了纸条，"老师，如果我们的判断力没有出现反常，以科学的眼光看，您的毛衣好像穿反了。"他大声地念出来，全班会心一笑，原来大家都看出来了，只是憋住没说而已。这一节课绝对是毛衣结构研讨课。此为其一。

其二：英语老师喜欢分析词与词的不同。一天，他在给我们讲解"drop"和"fall"的区别时，正讲到"什么是'fall'"，话音未落，我们就听到"砰"的一声，老师从讲台上掉了下来。全班愣了一会儿，继而全乐了。老师面不改色，说："这就是'fall'，现在明白了吧。"

其三：数学老师和语文老师虽是本家但却如冤家。语文老师经常上课上出兴头忘了时间，一上就上到下节课开始。数学课通常在语文课后面，所以每次都得等。有一天，数学老师终于爆发了，他踹开大门，大吼："该下课了！"眼睛直瞪着语文老师，像只愤怒的狮子。语文老师只好乖乖地离开，依依不舍。按我们的说法，这正应了那句：不在沉默中爆发就在沉默中灭亡。显然，数学老师胜利了。因为从那以后，语文老师非常守时地下课。有时数学老师占了他的时间，也只是憨憨地笑，然后再在班上向我们诉苦，说他有多委屈，就像数学老师在课上抱怨他有多悲惨一样——不愧是本家。

其四：政治老师为了吸引我们的注意力就在课堂上大侃特侃。那一节课，他从"国家主席"这一国家机关讲到现任主席江泽民，然后又讲到主席夫人，再后来又讲到各个领导的夫人，再后来就讲到他的夫人……联想力之酷，无怪乎他教导我们要"大胆去想，敢于去想，只有想得广才有创造的机会"。老师们如此可爱我们怎么忍心不学好？在这种轻松愉快的氛围里，我们感觉不到高考的压力，也就学得比较开心、比较舒心。

课间休息时，经常出现如此情况：第一节课后全班寂静，比上自习时还安静。原因？全体倒下，睡觉，以免第二节课无精打采。第二节课后则是闹哄哄。有聚在一起讨论问题的，有凑在一块品尝美味的，有在教室里追逐的，有匆忙跑出去买零食的，有依然睡觉的，还有的则干脆拿出随身听放音乐，声音大得连上课铃声都盖住了。经常第三节课都得晚上几分钟。第三节课后较正常，不吵不闹，睡觉的还是有，做作业的也有。我一般是飞速做作业，以便留出自习时间预习或复习。课间打几个小盹能使自己在课堂上有精神，累计一下，还真能睡很久，和其他睡觉时间累加一下勉强可以达到青少年的应有的睡眠时间。

中午回家做的第一件事就是打开电视，看《新闻30分》，看《影视同期声》，看到1：00然后回屋睡觉。我喜欢边吃饭边看电视，吃完饭还要吃点零食，吃到心满意足后休息一会儿就能安稳地午睡。在睡觉前看一会儿杂志，如《读者》、《青年文摘》、《杂文选刊》、《涉世之初》等，看着看着就睡着了。一觉醒来就到2：00，收拾一下，上课。因为老爸老妈不在家，我的自由度比较大，但也会因为睡过头而迟到。没办法，人非圣贤，孰能不 late。下午最后一节是自习课，一般在该学习段我会看政治，收集时事政治加以分析、思考，写下自己的想法。如果愿意，我还会在教室里多看会儿书。接着回家，吃饭，看动画，一个一个频道看过去，然后看《娱乐无极限》，然后去房间上自习。

一回到自己的小天地就开始平静。从 6：50 到 7：30 分析语文考卷结构，分析每道题的考点及对策。按我们语文老师的话说："放下你自命清高的架子，考试有考试的游戏规则，你要玩好就得按规则办事。虽然你不喜欢这种教育方式，但你要实现你的梦想就得在这种方式下取得成功，你才有条件和基础去飞。"我把自己从游离的孤魂野鬼状态拉向考试，因为我要脱身就要从那里出去。7：30－9：00 我学习英语，做习题，做考卷，然后听听力再看看英语报刊《21st Century》、《英语辅导报》、《英语周报》等。然后就是休息时间。我去大厅看电视，主要是看新闻。如果妈妈同意，就会看 30 分钟连续剧，到 10：00 才回去看书。这时就是做数学。

通常我是边听音乐边做习题，只有这样我才舒服，才能集中注意力。数学需要做很多习题，在题目中找到感觉，找到思路，找到适合自己的技巧。同时还要准备错题本，进行分析，得出自己的弱项在哪几个知识点。妈妈时不时会走进来看看我，以找东西为借口。用句不好听的话来说，就是"爱在我面前晃来晃去"。我经常就是把她推出房间，口里嚷着："我知道你来干什么，我很好啦，出去啦……"不一会儿，妈妈又进来，手里端着热腾腾的牛奶或麦片，有时则是削好的苹果。我无法再推，就让她去了。妈妈经常是在旁边看一会儿就说："我去睡了，你也早点睡别太晚了。"然后在我应付的"嗯、嗯"声中离开。心里十分无奈，这时候已经没有工夫再想其他了。

数学学到快 11：30 时就结束，然后洗漱，准备睡觉。在床上打开历史书看看，再翻翻笔记，回忆今天老师上课的思路，温习一遍后安心地睡去。一天就这么过去，这是比较完美的一天。时不时我会在晚自习时睡着，这种记录有很多次了。我一累就到床上躺一会儿，谁知道一躺就到第二天天明。懊恼一会儿，又释然，睡得舒服嘛。错过的无法挽回，只有开心点。有时在桌子上趴一会儿，再次起来前又对自己说，睡就睡吧，然后让台灯亮到天明。抱歉地对自己笑笑，开始早读。一般来说我的早读时间不长，因为我精确的起床时间是 6：40，少一秒我都不起！又是新的一天了。对镜子里的自己傻傻地笑，我活着真好。

这是我的平常的一天。而在星期六，一到下午我会买一大包零食坐在电视机前一动不动地看，一直到晚上看完《快乐大本营》才去睡觉。在睡觉前大放歌，看杂志。美美地睡上一觉，再次投入战斗。这一切都有老爸老妈的大力支持。呵呵。

爸妈的信任为我积蓄学习的活力

我家是个典型的中国家庭，老爸是一家之主，而老妈是管家，我是小皇帝。在我家小事听我妈，大事听我爸，闲事听我的，而且个人分工明确。我妈为我尽心准备物质食粮，其实也没什么了，就是我喜欢吃的菜：豆腐、豆芽、豆子等豆类食品，海带汤、肉饼汤、莲藕、白菜、辣椒、芹菜、土豆、卷心菜，咸菜等腌制品。基本都是蔬菜类，因为我不喜欢荤。从某种程度上说，我是素食主义者。

老妈厨艺高超，我被养得很好。她经常询问我的意见，我总是一脸笑意说"好吃"，妈妈也希望得到肯定。给妈妈的回报其实很简单，只要给她你的赞扬和理解。记得有一次为了买一双新鞋，我和妈妈想要的款式不同，两军相持不下，最后我气呼呼回到家，把自己锁在小屋，等待妈妈的妥协。结果却出乎意料之外，妈妈不吃我这一套，她继续干她的活。最后还是我投降，连连说："好妈妈，好妈妈，你是最好的妈妈啦。"第二天我喜欢的鞋子就放在我的床角。

其实我经常为了琐事和妈妈争吵，我们是在吵架中过着日子，感情越吵越好。因为我们都把自己心里的话说出来，让对方了解自己的想法，这样才给了对方理解的机会，也给了自己理解对方的机会。每天都亲眼目睹妈妈的辛苦和劳累，而自己又帮不了什么，实在有愧。只有把自己份内的事干好了，以此为回报。妈妈不善于和我谈心，我们的话题也不多，她是个典型的家庭主妇，她爱说的都是邻里的事，这时，我就做个好的倾听者。妈妈也需要把心里的话吐出来，就和我们也要发泄一样。把妈妈当作跟自己一样的人，就会少一些任性了。妈妈很少赞扬我，每天都在纠正我的毛病，比如"弯着身子刷牙"、"把洗脸巾弄整齐"、"关门声小点"、"把扣子扣上"、"鞋带系紧"、"东西都带齐"，等等。每天我都在唠叨声中出家门，在家里等待唠叨声。

在外人面前，妈妈总是揭短，害我很没面子。其实我心里非常想得到妈妈的赞扬，这样我就更有动力、更有信心了。但很遗憾，在高中生活中，妈妈从来没有这么做。我一直在渴望着。孩子需要妈妈的肯定，所做出的努力期望妈妈的承认。这是我心中的愿望。总有一天妈妈会了解的。

而我老爸则是为我提供精神食粮。我的参考书和平时阅读的读物都是他买的。书我挑，钱他出。我爸是初中教师，他经常不在家，通常是一星期回来一次，因为他在乡下工作。我和他能谈很多，从学习到我和我的同学关系、我的老师、我对事件的看法、我的审美观等，几乎是无话不谈。我和老爸感情很好。不是有句俗话：女儿都和爸爸亲，儿子都和妈妈亲。我的血液中有一半流淌的是老爸的，所以我和他非常相似，不仅是相貌上而且是性格上。我们都很"懒"，每个周末或假日我们都在和对方比谁睡得更长；在妈妈吩咐做的事情上我们你推我我推你，到最后决定合作。暑假每天的整理房间和拖地，我和爸爸合作，我包里面的房间，他负责外厅，合作愉快。我们也都爱吃，有零食他是必抢，而且对棒棒糖很热爱，我们边吃边聊，瞎侃。我们还一块看动画片，《猫和老鼠》、《啄木鸟Woody》是我们非常喜欢的，一直到高三我还是天天看动画，很少间断。老爸一在家就和我一块看，通常笑得很狂，妈妈在一旁善意地责骂："大疯子和小疯子。"在我小学时他就买了游戏机，开始是他教我我赖他陪我玩，到后来是我教他他赖我陪。

在高中以前爸爸很少过问我的学习，一直是让我放任自流，没有给过我压力，也没有提出要求，他相信我自己能处理好我的学习。我看小说的习惯也起源于他，因为他经常把"缴获"学生的小说放在家里，我闲来没事就拿来翻翻，一翻就不可收拾。有几个暑假寒假我天天是白天与小说为伴，晚上和电视深交。老爸知道我的脾性，只是警告开学后不许看。

我在小说的虚幻世界偷着乐，也从主人公那里学着做人。在看小说时我可以随主人公一块哭一块笑，一起思考；也可以脱身做局外人，看他人演绎爱恨情仇，看他人潮起潮落，而自己在一旁冷静思考，思考着人生与社会，更早一步明白自己的性格会往何处走。每看一个故事就会多一点想法，把想法写下来，以备日后回味。我的日记本天天放在桌上，从不锁在抽屉里，妈妈从未正眼瞧过它，爸爸则是有空就翻翻，然后和我谈一谈。我们对事物的看法很少相同，他以他的经验来评判，我以我的想象来鉴赏，经过一阵讨论，又长了不少见识。其实爸爸是很宠我的，只要我不是太过分，我的要求都会尽量满足。愿望实现，在开心和感激中更感到愧疚，更有一份冲动要做得更好，因为自己对爸妈的爱。

我的家庭生活很平淡，但很温馨。因为我们都在不自觉中给了每一个人需要的自由，而且深深相爱着。

在高三时，爸爸很紧张，远胜于我。每次模拟考后都会仔细问我考试结果，并和我分析失利原因，提出他的解决方案。

记得有一次，我考数学时因为上午语文考得感觉非常不好而心情很闷，拿到卷子后一看心里根本就不想做，甚至想放弃，最糟糕的是脑中竟然一片空白，什么数学思维也没有，可是还是强迫自己做下去。那些题看起来既熟悉又遥远，我的心里始终有根刺，憋得慌。慢慢地进入状态，可是又碰到了拦路虎，有道题怎么也做不出，又急了。跳过它，做后面的。可是总会分心到那道题，很不安。最后猛拼，把卷子做完，可正确性就难说了。一出考场眼泪就哗哗流，感觉差到极点。数学老师看到觉得奇怪，他不相信我会考差，忙安慰我，说没事的。我不信，一路哭回了家。

爸爸在家看到我那沮丧和懊恼的样子，已经猜到我考试出问题了。他仔细地问我发生了什么事，我把过程一说，他就开始开导我了："你慌什么，语文考差了不代表数学会差，如果你觉得数学题目难，那其他同学呢？他们平时还不如你。你过不了自己那关，过于在意你的分数，过于在意完美，过于想拿第一，太在乎反而容易失去。考试是要学会放弃。把自己应该能拿到的分完美地拿下，不要让自己日后后悔，而有时间再去挑战难题。考试也需要作好最坏的打算，没有人能永远第一。要心无旁骛地考试。"

当时的我根本就听不进，我对他说："让我自己解决吧。解铃还须系铃人。"老爸无奈地看了我一眼，离开。我什么也不想，打开收音机，把声音调到最大，把自己淹在强烈的音乐声中，让自己痛痛快快哭个够。然后什么也没做，一觉睡到天明。起床，对镜子里的自己微微笑，说："我还是那个不败的我。昨天已经成为历史，人是向前看的，我会把今天的事做好，不是吗？"我充满信心地走进考场，昨天的失利已经不再影响我了。只要我平时努力过，只要我相信我的实力，就不会如此轻易地放弃，"人不是生来被打败的"。

成绩出来，我的总分还是第一，语文跌到历史最低点，数学第三。拿到数学卷子一看，再做那些做错了的，苦笑，摇头，大骂自己的傻和脆弱。原来一切只要肯坚持就会有"柳暗花明又一村"，找到解题的关键。最让我哭笑不得的是，我把草稿纸上正确答案的数字顺序写错了，这就是丧失了正常心态的后果。心理素质真的很重要，心静时才能把自己的水平发挥出来。过于在意的结局就是失去。在那一刻，我很感激我的失利，感谢我在这时能够悟到这一点。它在我被胜利冲昏头脑时给我重重一击，让我清醒地看到尚缺乏的能力，让我有时机去调整去把握。感谢老爸的提点，感谢在高考前我有这样一次冷静的机会。以后的我更加谦虚但也更加自信。

而就在高考前两个星期，我败得更惨。不仅数学是历史最低，而且英语也跌破130分大关，语文依然是中不溜，幸亏我政治考得特别好，否则会死得很难看。数学、英语老师都吓倒了，但又怕在这时候找我谈话只会徒增我的烦恼和压力，所以都没表露在脸上，反而对我和从前一样。班主任老师也在一旁默默地注视着，不时地给予行动上的支持。而爸爸由于早在一个月前就和我摊牌："关于高考的事我就管到这个月了。下个月我再也不会提这个话题，也不会跑到学校去问你的考试分数，你知道自己的目标是什么，也知道我们期盼的是什么，我也就不再多说。不会给你太大压力，但一定的压力还是会有的。相信你能应付得来。我的任务就这样结束，能帮的都帮了，你自己好好做吧。我等待你的好消息。"所以他这回什么也没说，静静地看着我忙碌。

我镇静地处理着我的问题，我知道问题的根源在自己身上，所以我要做的是把自己再整理一遍。后来我申请自己看书，不和老师的进度一样。我独自思考，抛开过去的一切成败和经验，重新开始寻找自己的弱项。我整理自己以前的考卷，并加以分析和归纳综合，温习故知。这时才体会到孔夫子那句"温故而知新"，许多心得涌上脑海。我把自己埋入平常的学习中，沉了下去。我沉默了一星期。最后，我非常肯定地找到了病因：我失去了对知识的感觉和考试的征服欲。我累了。我要好好休息，绷紧的弦快支撑不住了。知识还是安安静静地躺在那儿，等我去用。而我已经懒了。我不着急，因为我的同学也有这种状况，而且据学姐学长说，这种事是常见的，通常会莫名其妙没有感觉，做什么都那么别扭，尤其在自己最擅长的那几科，这是你发生飞跃的一个空白期，度过了你就有了一个新境界，就像练武，功力又上升了。

我确定我是在空白期，在过渡。我按部就班地照自己的计划生活着，平淡而充实。因为我知道自己干着急于事无补，潜意识的问题不是说解决就能够解决。在最后一次模拟考中，我的感觉再次回来。数学发挥正常，英语突破 140 分的难关，语文又再提前几名，总分让老师都暗自松了一口气，很满意我的成绩，我爸也不再那么紧张地看着我。其实重要的是自己一直都对自己的实力和弱项很了解，有自信有耐心肯去熬这个心理关。过了之后回头看看自己走过的路，还是应当有个清醒和冷静的头脑，既不被胜利冲昏了头脑也不被失败吓傻了心智，只要肯坚持，就有收获。以平常心看潮起潮落，心如大海般能沉住气，看事件的发展。我能够过这两个难关因为我能想通。不太在意和自信是关键。

在报志愿时，我妈妈根本不懂这一套，而我爸则把主动权交给我，说是我自己的事。其实他也每天都在关注高考报志愿应注意的问题，在帮我想。他说："学校肯定没问题了，当初转文科不就是为了考北大吗？现在想想报什么专业。要符合自己的兴趣啊，别勉强自己。"

家里的自由气氛让我一直都按照自己的想法行事，让我有了不断从错误中汲取教训从而找到正确道路的可能，让我比较独立地处理自己的事，这样在面临只有自己能解决的问题时，能泰然处之。最可贵的就是爸妈对我的信任。信任是理解的基础。他们不为我考差而责骂或鞭打，而是鼓励我下次好好考。我总是向前看，因为我的确渴望做出成绩让爸妈不失望。老妈老爸没有看过什么教育孩子的书，他们所做的一切出于自然，顺其自然。

家是保护我的地方。是让疲倦的身心获得关爱的源泉，是温暖的避风港。我的学习的活力便是在家里积蓄。我相信，在未来，有了家人无私的支持我还会做得更好。

我被老师宠爱过，也被忽略过

融洽的师生关系能营造一个良好的学习环境。老师一个无意的鼓励和表扬会给学生难以形容的巨大动力。这虽然没有什

11

幸福时光

么道理却是真理。在我和我的同学身上都有体现。

记得初一上学期，我的英语只有 77 分，而其他同学都在 90 分以上。到第二学期我经常被叫到黑板上演习，当时我很气愤，明明知道我不行还要天天出我的丑。而每次老师都指出我犯的错，我一不敢分心，二会把那些错处记得很牢，想忘也忘不了。这样一来我的英语就突飞猛进，到初二时就很少下过 95 分，也使我从害怕英语到喜欢到热爱它，而越喜欢就越想学好，越学好就越喜欢，这样一个良性循环使我的成绩保持优秀，也激发我自学的兴趣。特别是在老师无意的举例中提到我的进步，我十分受鼓舞。因为我的努力得到了老师的承认和肯定，这说明我的努力没有白费。学习的兴趣是从你的满足和追求中产生的。同样，我有一位同学历史并不好，但被任命为历史课代表。历史老师对她很好，主动提出帮助，帮她解疑，到后来她的历史以坐飞机的速度上升，不仅平时历史成绩高居榜首，而且在历史竞赛中获得第一。以后尽管不再是历史课代表了，但成绩就没下过前三名。这就是老师关爱的力量，用一个词来说：magic。

在学生内心深处其实都有一个精灵在呼唤：请你重视我吧，我需要你的爱。我被老师忽略过，也被老师宠爱过，我知道两者的反差有多大。当我不被老师看好时，我憋着一口气，说，我会证明给你看我的实力的。我努力努力努力再努力，只是为了证明自己的价值。目的达到后，就会很欣慰，就会继续努力。

同样，还有一个反例，也是发生在我身上。在初二刚学物理时，我怀着满腔热情去学。开始还一切如愿，但在进入关键的知识点时我落队了，而老师只顾着为那些学得好的同学开小灶，对我只是表达了他的期望。我很失落，虽然尽力去学，但是心里有个解不了的结，兴趣再也提不起来。于是我决定只要保持在中等就行了，算是完成任务吧。就是这样的学习态度和心态使我渐渐远离物理，而老师似乎总有其他事在忙或已经对我丧失信心，没有再理会我。我的物理成绩直线下降，就更没有热情了。

我的这种心态一直伴随我进了高中。高一时，我对物理老师谈了我的心态，他说："你要学好肯定没问题，只要按照我的方法来，放心吧。你会学得很好的。"不管是安慰还是其他什么，我又一次被感动，征服欲再度提升，兴趣大增。而正如老师所说，我的成绩会好的。在一次比较难的测试中我脱颖而出，让同学大吃一惊，而老师只是欣慰地笑笑，说："我早就知道会这样。"同一科，因为老师的态度不同，而有了不同的结局，这就是：magic。

语文老师把我培养成厉害的考试工具

在初中时，我是属于被老师偶尔记起的阶层，所以与老师接触不多，仅仅是有问题同学不能回答时才会想到老师。到了高中，人变大胆了，成绩还不错，有勇气和老师大聊特聊。

因为在高中，老师比较喜欢把学生当朋友，朋友之间的交谈显然不会很拘束了。我和我高三的老师都能聊。先说说语文老师吧。他把我班全体同学当成他的朋友，有几节课都是他表白心迹的精彩讲演。他倾诉他的 love story，到后来把家底都向我们透露了。他喜欢把同学请到办公室去座谈，一次一个。要不就是分析卷子，提出平常学习建议；要不就是表扬进步，然后提出新的期望；要不就是随便聊……

我是基本上每个月都要进他的办公室。我是最让他头痛的学生。他说："你其他科不是第一就是第二，为什么语文总在

十几、几十，甚至一百多打转。这是不正常的。你语文不好肯
定不是智力问题，为什么总上不去。"我的回答是："我不喜
欢语文的考试形式。"他说："我也不喜欢，但这不是你喜欢
不喜欢能改变的。我也不喜欢教书，但我还是很尽责，人要分
清轻重。是你的前途重要还是你的意愿重要？你现在处于这个
教育体制下，就得按它的规则来。等你出去后，就可以按你的
意愿了。你要现实一点，认清你现在的任务和责任是什么。明
白吗？我要把你这孤魂野鬼拉到正确的轨道上。""好好去研
究一下历届高考题，找找规律，有些人语文功底并不好但能取
得高分就是因为他们摸透了这些规律和解题技巧。你的功底不
错，为什么不试试？你现在要做个功利主义者，为考试做考试
的准备。考试制度在中国已经有一千多年的历史，它的生命力
能维持这么久，就说明有它存在的理由。至少目前为止没有比
考试更适合的方法来选拔人才，它是相对比较公正的。""你
的作文为什么总上不去？你还没有把握考场作文的要求和精
髓。它的要求我想你是很明确的。为什么总是按自己的意思想
当然？那些范文你有什么看法？……"

　　他总在把我培养成一个厉害的考试工具，而我违心地接受
了他的建议：先成工具再变回人。我和他经常在课堂上争起
来。我的观点总是会不同，一争起来就没完没了。我们都想说
服对方，争到激烈处我还会忍不住拍桌子。他的课很多次因为
这样而完不成教学任务。所以到后来他以一句"有持异议者可
到办公室与我商量"结束，那时我已经不想去了。

　　在这里，其实一个矛盾已经很明显。就是学习究竟是因为
兴趣，还是迫于局势？从小到大我一直是因为有兴趣而学习
的。我喜欢学习，因为在学习中我能够找到心灵的寄托，找到
触动灵魂深处的天籁之音，感觉到一种超然与忘我。一直以来

我都用心灵在和书对话，与文字与符号在交流。当我看到"笑"时，在我眼前就会浮现出自己所看过的"微笑"、"大笑"、"傻笑"、"偷偷地笑"等，联想起一个又一个温馨的画面，我的心便会会心一笑，笑足了，就有精神继续学习了。当我在做数学题时，我把那些文字性语言用数学符号表达，把步骤一步一步地写下来，思维清新就像流水，像画画，颇有一气呵成的感觉，而且一泻千里。醉心于数字和符号的天地，在眼中每个数字和符号都有了生命，跳跃着，拥有不可替代的特性。数学使我们周围的各种图形都那么具有科学原理。其实，无论什么原理都来自于生活，只要把所学与生活联系，就会发现学习的趣味所在。我喜欢那种心灵交汇的感觉，超越自我，不停地充电，聚集能量。

然而，语文老师的话也不无道理。以前我是凭爱好和兴趣学习，所以一碰上自己不喜欢的科目就决定放弃。比如物理。在高二分文理科时，我是毫不犹豫地选择了理，和其他人一样，对文总是比较不屑。但学了一个月后，我发现我没有时间去看我所喜爱的英语和数学，成天在物理和化学的分析计算中度过。而此时我害怕和厌恶物理的情绪从记忆里爬了出来，再度控制我的心。同时，一些老师也在劝我读文。经过一个不眠之夜，我选择了我更感兴趣的文科。学习的原动力来自于心灵深处，我向来如此认为。

在听过语文老师的话后，我意识到学习的动力还包括现实的压力。在局势所迫时，也有可能获得意外的惊喜，就如我高三的语文。在一颗功利心的驱动下我老老实实地做了一个虚伪的考试工具，安安分分地去找寻规律，去投机取巧，到后来，有几次蹿到第一。语文老师说："你不是很有潜力吗？好好利用。"越王勾践能卧薪尝胆，我为什么不能委屈自己做一年的考试工具？从此，我认识到，要长久地学习就要打心眼里感兴趣，而短期的现实的学习也可以屈从外界，咬咬牙，挺过去。两种都是我们学习的原因，只不过目标不同。

把老师当朋友，相信他，以心换心

我和高三的班主任简老师关系很好。他是个"老好人"。他也不老，只是三十多一点。可是特别唠叨，一句话重复好多遍，而且每次都是极其认真极其正经，让你以为有什么重大的事要宣布。他工作一丝不苟，在对待我的学习上，他总是分析得头头是道，虽不是一针见血但总让我无言以对。每次模拟考后我会非常自觉地去他的办公室和他研究考卷。这时候，他不是以教育或训导的口气而是用商量的口吻，让人非常容易接受，让你心平气和地听他讲解，而且可以提出异议，发表自己的观点。"有时坚持自己的反而是有道理的，现在也没有什么标准的答案"，这是他说的比较精辟的话。

我挨批最多的是因为我的字迹，像天书。这是最让他头痛的。其实平时我的字还算工整，就是一到考试，动作不自觉地就快了，字也就变得潦草。我是屡教屡改，屡改屡教。我的进步是屈指可数的。后来老师也放弃了，他的要求变成：版面整齐。这一点我努力做，最后勉强合格。老师只有看着我苦笑，然后自我安慰也安慰我："比以前进步很大了。现在总能找到一些感觉了。"我对他傻傻地笑。

他的办公室是我常去之地。有一段时间，我每天的课外时间都在那里度过。他的宝座被我占据，他的参考书被我占用，反正只要有利于我学习的我都可以大胆地用。他的参考书早就成了我班的公共财产，每天就看见他满头大汗地找书。有一次我们捉弄他，把他放在桌上的包偷偷地藏在门后的管子上。他给同学讲完题后回到讲台，很自然地伸手拿他的包，但却摸了一个空。他傻了。全班都乐了。他憨憨地看着我，说："是你藏了吧。"真是了解我。他左看看右看看，然后在好心的同学的指引下找到了包。这个时候课时已经过了大半，老师的任务完成不了。全班心有灵犀，一块陪老师傻笑，说说闹闹就到了下课时间。足见"魔王"之深得民心。

他和我们班同学的关系很好。每天一大清早，他就会到宿舍区，监督学生起床出勤，陪他们一块晨练，一块晨读，然后才放心地去吃早饭。中午早早到校，看有没有迟到的。我就被连续逮住三次。他的反应是一次不如一次：第一次，他和蔼地说："怎么，睡过头了？快进去吧。"真是让人感动。第二次（也就是第二天），他说："又迟到。买个闹钟！"真是风云突变。第三次，他说："还迟到！交钱。"真是原形毕露。我同学连连说我是"大霉女"，怎么天天被逮。晚自习后他也呆在教室，一直等到锁大门才走。起初我们都因为他盯我们盯得这么紧，不让我们有喘息的机会而叫他"魔王"——折磨人之王。

随着时间的推移，我们共同经历了那些高三的风风雨雨。每次模拟考后他就和我们一块总结归纳成功与失败的原因，在肯定成绩的同时也清楚地指出不足，鼓励和建议并行，谈心和关爱同步，就这样我们认识到他的好，"魔王"成了亲切的称呼——充满魔力之王。其实这外号还有另一层意思：他酷爱"偷窥"，经常在窗户旁边或在上一层的阳台上向教室里探头探脑，准备逮住几个有"不法"行为的同学。他的脚步无声无息，我们都感觉不到他的到来，尤其当我们醉心于自己的"闲事"时。记得有一次，我和同桌在折千纸鹤，突然间她说："外面有人，我闻到酒味了。"担心那是坏人在外头，她拉开

17

窗帘一抬头就和老师的眼神碰上了，一慌就把帘子给放下了，可是他已经看清楚我们的"不务正业"了。我们同声叹：自己找的，好好的拉开窗帘干吗，他本来只是在偷听有谁讲闲话的，哎。过了几分钟我们心虚，就再次拉开了帘子，他已经不在了。可是我们压根就没听到脚步声，他穿的是皮鞋，可……异口同声：幽灵。

总是在我们闹到尽兴时，他那严肃认真的声音从头顶飘落："有什么事情这么好玩啊？现在上课！"无论我们安排好多么机灵的"探子"，总是被逮。因为他是——"魔王"。然而说心里话，他是我们的良师益友。无论是怎么样的话题我们都可以和他谈，他能从我们的立场去想去感受，再用他的经验和老到来引导和帮助我们。他通过观察会发现我们班某个同学出了问题，主动找她谈话，让她敞开心扉，把憋在心里的话痛痛快快地发泄出来。他主要是在认真地听，在关键处打断，加以他的观点。"把问题早暴露出来，才能早解决"——他说："不强迫你接受，不要求你听从，仅供参考。认为有用，就照做；反之，就当作耳边风。"

而谈及我班的学习氛围，他总是不满意，他说竞争氛围不够，尤其是对我构成威胁的不多，很难从这方面促使我进步。"有竞争才会有进步。竞争的对手越强，就越能提高你的水平；反之，你的步伐就会缓慢下来，养成惰性。所以，你要把眼光放远点，才能不断向前。"时不时他这样提醒我。在班上他鼓励竞争，特别是第二名的争夺，非常激烈。以前是有两个种子选手，到后来就是一大堆，每次模拟考都是不同的人坐上这把交椅，他见了乐呵呵："积极性带动起来就好。我要的不仅是有一个尖子，还要一个后梯部队，要整体都好，这样学习的氛围就浓了，也就不用我天天操心了。"

他没有意识到要他操心的还在后头，那就是估分和填志愿。我省是先考后估分再填志愿，后两者和高考的发挥同样重要，其实有时是更加重要（我认为，这三样加在一起才是一个完整的高考，才是一个系统的考验）。那一段时间他是最忙的。一是帮同学估分，小小心心地抓一个一个小点，比平常的判卷要认真百倍。紧接着就是填志愿，那是最辛苦的。因为2001年高考我班中上等的学生比较多，同一个分数的人一大把，所以要慎重考虑，避免撞车。老师在给建议时总是极为谨慎的，他研究了最近几年各个重点大学在我省的录取情况，研究各大学的发展前途，"必须对自己的话负责"，然后才提出建议。这样，我班志愿报得非常好，基本上都是自己满意的学校，大圆满结局。

把老师当朋友，相信他，肯和他交心，他就会把你当朋友，好好地引导你，帮助你，因为他也做过学生。或许你就是年轻时的他，有着他当年的影子。老师也乐意你把他当朋友，和他开玩笑，使他感觉到他也是我们学生的一分子，回到青春淡雅的学生时代。老师只要站在学生的立场上考虑问题，就能明白学生心里在想些什么，想想自己在学生时代是怎样度过的，就能理解学生心里在琢磨什么。那是沟通的桥梁，是拉近心灵距离的红线。当信任的基础建立后，就是交流，大胆地说，老师和学生一样都是平凡人，都有人类的共同的感情，只是身份不同而已。我心换你心。

19

幸福时光

班级给我阳光普照的心

在我的中学时代，我最感动的是我的初中班集体，最幸福的是我拥有那么一帮"死党"。是在那样一个友爱和快乐的班级里逐渐长大，变得开朗和活跃，变得充满自信，变得勇敢，有个性，有自己的想法；是在那一帮各有风采的"死党"的陪伴下度过一个个阴雨晴天，留下一个个美好的回忆；是初中的惨淡经营，我的高中生活才那么一帆风顺。

乡下来的我本是"丑小鸭"

一直以来我的性格是属于内向型的，只敢和同学在一块玩，不敢面对陌生人，不敢和老师多聊，更不敢在大庭广众之下发言。我连年被评为"学习标兵"，有一年要在全校发言，我拿着稿子，在台前念，心在不停地发抖，眼睛盯着那稿子，一动不动，而脸在发烧，一直红到耳根，我想我的声音只有少数人能够听到。又有一次，学校选我做乐队指挥，我害怕，就把机会让给其他同学了。现在想想，很为自己可惜。初一上学期在乡下的中学读书时，英语老师为了更形象，就表演。他选了我做搭档，他说："How do you do?"然后伸出一只手要和我握手，我一紧张，就把手给缩到身后了。老师的一只手停在半空中，很是尴尬。我就是这样胆小和内向。我想，我本是只

"丑小鸭"，如果初中时我没有考到县城中学，我肯定不是今天的我。

初中时，我从乡下考到县城中学。报名的那一天，我报完名，就在教室外靠墙呆着，看其他同学在眼前走来走去，都有伴儿。我非常孤单，非常无助。就在这时，一个头发枯黄，戴着一副黑框眼镜的瘦瘦的女孩向我走过来，笑着问："是不是还没有报名？我带你去吧。"一口甜甜的声音害得我很不好意思，我连说："不用不用，我报完了。我在等人。"她笑笑就去帮忙了。我在一旁看着她从容自如地融入另一群人，谈笑风生，心里真是羡慕，什么时候自己也有足够的勇气去结交朋友？

进了教室，我就坐在她的旁边。她的同桌是一胖胖的长头发的女生，在自我介绍时，我知道她们都是县里的学生，都很大方很镇静，而其他和我一样从乡下考上的同学或多或少有些羞涩和拘束，这让我感到亲切和熟悉。原来大家都一样。我的紧张稍稍松弛。我需要字典时没带，而那个胖女孩桌面上摆了一本字典，我犹豫了老半天最后吞吞吐吐地问："我可以借你的字典用吗？"正在聊天的胖女孩一回头，爽朗地说："拿吧，在桌子上。"那语气就像是我和她是老朋友一般，一股热流涌上心头，原来就是这么简单。只要自己肯开口，只要自己肯付出行动，而不是在一旁瞎想。我稍稍放宽了紧张的心。

当时因为大部分是乡下考上来的同学，都攒着劲要赶上城里的同学，所以班上的学习氛围很浓，而玩的人极少。一进班里就看见一个个在埋头苦干，很少有机会交流，直到有一天又有几个同学的加入。他们中有几个特别活泼和搞笑，一进来就套热乎，在班里到处跑、到处闹，追追打打，说说笑笑，整个班的气氛因此而改变。潜伏在同学之间的活跃分子开始行动，

21

幸福时光

各种玩的花样陆续登场，各个乡村的不同的游戏在交流，在玩中大家各显神通，展现自己风采的同时欣赏他人的光芒。陌生的感觉消失了，大家用心投入这个新的班集体，结交新的朋友。

捉弄人是增加感情的有效方法之一。有时就是充满爱意地抚摩你的平头，一朵黄色的纸绢花就无声无息地从你那黑黝黝的"土地"上爬出，你一无所知地在教室里闲逛，就听到有人在大叫："黄花闺女，黄花闺女……"想去凑热闹，却发现众人笑笑的眼光是往你头上投的。有时人家和气地和你打招呼，拍一拍你的背，你已经被贴上一幅字条："我是大大美女"（男生）或"我坦白，我从宽"，或者是"请提醒我要买牙膏"之类的，而你还是什么也不知道，依旧走在校园里，虽然感觉今日回头率迅速飞升，仍不知其所以然，还以为今天的自己神采奕奕呢。到后来查出真相，也是哭笑不得，自认倒霉。日后见到捉弄之人，咬牙切齿，暗念："来而不往非礼也。"就作好心，说："你脸上有脏东西。"她急忙问："哪里哪里？"帮人帮到底，就用笔盖指到脸上，"这。"她用手一摸，黑乎乎的，是墨水。心存感激，为自己过去的行为后悔。但随着笔盖不停地移动，她发现脸越来越脏，恍然醒悟：笔盖上有墨水！怒目而视，还是一脸好意。发泄一通后，又笑了……从此以后，我班天下大乱，时刻准备着"整人"，时刻防备着"被整"。

有一次，我感觉有人拍了我的脸一下，我警惕地摸了那地方，有粉笔灰，还好及时，否则就要变成花脸猫进教室了。我的手在黑板上划过，粉笔灰自然落在手上。我朝着那个我认为是在捉弄我的人（因为天天捉弄人的就是她）那里走去，还礼。她竟然毫无所知，一脸的大胡子，花花绿绿。结果当然是她一走进教室里面就闹开了锅，全沸腾。看到天天捉弄别人的人也有挨整的时候，当然高兴。当她查出是我做的之后，十分不理解，因为她还不是和我很熟，而且我又是那么的害羞（在上课回答问题时我经常脸红，而且我的声音向来只有周围几个同学听得到）。但自此之后，我和她交往多了起来。我在她——罗茛茗的影响下迈出告别我内向的第一步，试着主动去结识我的同学。曾经有段时间，同学之间爱蒙其他人的眼睛，要你猜猜她是谁。我和罗茛茗经常蒙人家的眼睛，通常是她先蒙然后那人快猜出时赶忙换上我，有时还叫上一大帮人来蒙，那么多手，总是在换来换去，怎么也猜不出，怎么也猜不对，闹哄哄的一堆人挤在一起，根本就不像是才刚刚认识。而我也因为受蒙较多，想出了一个反蒙之法——痒她。不管身后站的是谁，朝她身上哈痒，她一怕，就会松手。此法屡试不爽，到后来，大家都会这招，成了众人皆知的秘密。我开始活跃开始闹腾，开始哈哈大笑，开始走向一个阳光的我。在一个充满欢声笑语的青春的班级，勇气来自于你对自己的笑和他人对你的笑。笑迎他人，会给人一个美好的心情；人笑迎你，你有一块甜甜的糖。

融入集体，散发自己的光芒

共同经历一件要求承担责任的事，会深深影响同学之间的关系。那时学校举办晚会，各个班都要有节目参加，要比赛的。我班的文艺委员——那个瘦瘦的女孩——李孟春想报个舞伴歌，她有很好的嗓子，就是缺舞蹈。她从我班女生中挑了七个开始编舞，自己根据音乐想动作，有时卡住了就大家一块动脑筋，出谋划策。因为时间很紧，我们利用一切课余时间排练，就是在放假期间，几个乡下的同学也没有回家，尽管心里想家想得要命，都是为了做到最好，为了给班添光。舞蹈排好后就是借服装和道具了。终于万事俱备只欠东风了。可偏偏就发生一件事差点毁了我们的全部努力——李孟春在去拿道具的路上出了车祸，把大门牙摔掉半个，进了医院。我们赶着去看她，她担心的不是她的伤势而是牙坏了唱歌会漏风，怕影响总成绩。我们都被她对节目的专注和奉献所感动，心紧紧连在一起，默默发誓："为了你，也要跳得最好。"当彼此坚毅的眼神相互碰撞时，会心一笑，什么都不用再说，已经明了。短短几日，默契就有了。心灵相通的感觉真好，忘了自己的背景，忘了自己是谁，只有一个单纯的信念：好好跳舞。

那天到来，我们精心准备好了，全班去做我们的拉拉队。当我们一出场时，台下暴出雷鸣般的掌声，我们充满自信。音乐声缓缓响起，我们跟随着熟悉的旋律翩翩起舞，听着那甜美略带漏音的歌，我们将身心淹没在乐潮中，动作如行云流水，所有感情倾注，不管结局如何，我们已经尽力。当乐章结束，再次响起热烈的掌声，我们相视而笑，毕竟，我们成功了。我们抱着李孟春大笑，她动情地哭了。回到班里，同学们笑着迎接，给我们最好的庆祝。一个团结的班集体初见端倪。而在我们的第一次的校运会上的表现，则让我们的心都紧紧地靠在了一起。

校运会的评分从入场式开始。我班是统一的红衣黑鞋黑裤，男生没有红衣的就借女生的穿，一个个都成了女娃娃。其他班的都在奇怪："你班的男生哪去了？整个一娘子军团。"我们笑笑不语，男生躲进了队伍。接力赛是我们的痛与快乐。虽然还不是很熟，但在交接棒时一送一接，是责任和信赖的交接，不用再多说什么（也没有时间再说什么），在一瞬间，心灵是相通的，为了同一个信念。在为飞奔而去的尚不知名的同学扯破嗓子叫加油时，会不自觉地把他当成老友来看，希望他成功。看到我班同学领先时兴奋地又蹦又跳，又笑又闹，一激动就抱着旁边的同学大呼："好啊！"待清醒后才发现她压根就不是我们班的。可是高兴了没多久，就有同学掉棒或摔倒，一下就被拉下好多，心沉下许多，但只要有一线希望我们就不会放弃，场边的更加投入地加油，场内的更加使劲地跑，距离一步一步拉近，但最后还是失败了。失落和沮丧写在脸上。

班主任走过来，笑着说："跑得很好嘛。开始领先那么多，如果不是掉棒或摔倒的话，我们肯定会赢的，不是吗？这说明我们是有实力的。别垂头丧气好不好，下面还有广播操等团体赛呢，这不是刚刚开始吗？来，姑娘小伙子们，打起精神来。没什么，不就是接力赛么。后面还有更多的等着，咱班的飞毛腿还没有出腿，大力士还没有出手，好戏在后头呢。"大家互相望了几眼，笑了。又不是世界末日，哭丧着脸干吗呢。气氛轻松了，很快，忙碌的比赛让大家又斗志昂扬了。

在女生 800 米的预赛中（参赛无名额限制），我们惊喜地发现：一半的选手是我班的。怎么算也能进决赛。在这场耐力与速度的较量中，我班的同学尽力跑着，操场的每个角落都有我班的拉拉队，都有清脆的呐喊声。在最后冲刺时，一大圈人在终点等待着。第一名跑过来了，是熟悉的面孔，"快点，快点，就要到了。"雀跃的鼓励声此起彼伏。她冲了过来，一停下就有几位同学扶她去休息。第二第三也都是我班的，都受到大家不住的赞扬。而其他落败的同学也被称赞着，因为是她们共同撑起了那不可抵挡的气势。一悲一喜，变化迅速。这也是对我们性格的一个很好的考验。通过短短的一小时，我们在展示着自己，观察着别人。心里已经在初步评价同学，在初步定义自己未来的校园生活。在接下来的比赛中，我班又是集体出

幸福时光

动做拉拉队，为同学加油，做他们的有力后援。一个明确的目的在提醒参赛者：为我班而战。都是不服输，都是乐观而积极，都是能坚持。有了共同的目标，有了共同的经历，有了共同的话题，从陌生到熟悉的距离就是张薄纸，等你来捅开。当有一个坚定的信念，你希望奉献自己时，就有了强大的力量。

竞争伙伴，共渡学习难关

日子一天一天过去，同学也越来越了解，学习上的竞争日益激烈。我的成绩进班时是第十七名，在第一次期中考试后我上升到第六名，因为我的历史得了满分。那次期中考副科——政史地作弊很严重，因为在乡下读书时这些课是很少被重视的，考试就是开卷，延续着习惯思维，我们中很多人仍旧这样。我的政治和历史向来就不错，所以不用开卷依然能够顺利过关。但地理就不太好。所以在考地理时我作弊了。

在成绩未出来之前，班主任王老师开了一次班会，问没有作弊的站起来，那口气非常严肃。在经过一阵内心的挣扎后我坐着，我选择诚实，敢做敢当。老师说作弊的那一科算零分。我心里很难受，很慌张。这不是我曾想到的，原来在县里和在乡下的规则有这么大的不同。老师还说要叫家长到学校，这对于我来说也是第一次，我把一切对我爸说了，他陪我来到学校和老师谈了谈。老师笑着问我："以后怎么办？"我认真地说："以后不会了，我保证。"当时我在心里想，就算我地理零分吧，下次期末时再赶上。然而事情不是这样发展的。老师在下一次班会上表扬了我的进步，全然忘了我的作弊。我不知道她是有意还是无意，但我知道自己很不配被表扬。为了对得住老师的信任，我下决心要在期末考时做到最好。

经过这次期中考，很多同学都有了暗暗的竞争对手，有了自己的目标。我也是这样。我有了学习的对象，有了渴望超越的对象。所以大家都是心照不宣地你追我赶，相互比拼。有一位男生，他的记忆能力很强，就拉着我和他比背功，看谁更厉害。我们从语文书背到历史书再背到政治书，你来我往互有输赢。其实谁更厉害并不重要，因为在比较中我们都把知识收进脑海中，成为自己的一部分，这才是最最重要的。

这样的竞争使得背书也很有趣。而且我们还各自创造了有利于自己背诵的方法。他是边读书边做各种动作，把书上的抽象理论按自己的理解做出某种动作和手势，把死的理论变成活的话剧，就像是在讲演。这种方法对他很有成效。而我就是先梳理文章或课文的大意，然后把书放在一边自己慢慢回忆有哪些内容，是按照什么逻辑顺序发展的，然后再翻开书印证，把自己漏了的补上，不完全的添上，再次回忆。我喜欢找文章的句与句、段与段之间的联系，只要把握了这些联系，记忆时就有迹可循，有技巧了。

最适合自己的学习方法是最好的学习方法。我在进一步巩固自己的优势科目的同时，也在提高我的弱项——英语。我不喜欢问老师，所以我只有求助于我的姐妹，她们都肯"帮忙"。我在黑板上演版时，如果错了，就能听到下面小小的声音说："不对，不对，是……"回到座位，连问："哪里不对？是什么？"她们一听，惊呼："你没听到？""前面的听到了，后面就不清楚……""你怎么老是捡了芝麻丢了西瓜呀，重点你都漏了！""谁叫你轻重不分，重音在哪都不知道。""我这是保密啊，免得其他人听到。"在做习题时，我们喜欢对答案。最奇怪的就是每次她们同意我的选择时我的答案就是错的，她们不同意我的选择时我的答案就是对的，所以无论什么情况她们总是错的，就留着我幸灾乐祸。然后就是互

相之间虚心请教，为什么你这样做，有什么道理，我这样做行
不行，好像哪里有点问题，你帮我查一查啊等，每天讨论来讨
论去。而在背英语单词时我们采取"合作社"政策，集中资
源，在计划的宏观调控之下引进竞争的市场机制。一个做主持
人，其他做参赛者，有必答题和抢答题，积分制。胜出者担任
下任主持，而败者钻桌子。每天都有一段时间是用来笔记大汇
合的，把大家的合在一块查缺补漏，同时也算是温习，还能研
究研究，琢磨琢磨。

其实在一块我们研究最多的是写作，作摘记、写周记、写
随笔。我的语文不好是坏在作文这一块，早在小学时老师就用
"懒婆娘的裹脚布——又臭又长"来形容我的作文，我实在很
惭愧。来到这个班我就更加惭愧了。在第一节语文课上一些同
学不假思索地口头讲出一篇篇精彩的作文，李孟春和那胖妹
——漆彬的讲演充满感情，语言经典。她们早成了我学习的对
象。

我的作文写不好是因为我觉得没有什么好写，没有来自内
心的感受，不是自己的真正想法。我总是被动地模仿他人的写
法，把他人的思想假装是自己的，做一个傀儡，像挤牙膏似的
把死硬的字写出，那是一种酷刑。不过到初二时，黄淑兰老师
要求我们多摘抄多写。那些摘录的文章都是我们所喜欢的，有
感触的，并不是因为它们是出自名著或名人之手，是因为我们
觉得它们好，觉得作者把自己想说的说了，觉得自己也有话要
讲，不吐不快，就开心地摘录、写作。那时的写作就是写出自
己的欲望和渴求，就是一种倾诉和真诚的表达，是种享受。在
那段时间里，我们疯狂地找书看，"摘录，摘录，摘出一本同
学录"。我们都要求姐妹兄弟们把真迹留在我们的摘记本上，
签上大名，备日后不时之需。苟富贵，勿相忘嘛。就算忘了也

可以出卖"名人真迹"。

我和我的姐妹们在高中继续互相扶持着摸索着携手前进。尤其是在高三，那时光飞逝的日日月月。那时的我们都有学习的低潮，都有迷茫无助的时候，我们总是相互倾诉相互开解。每次模拟考之后我们都关切地询问着成绩，无论听到哪一个考得不好都会冲到她的班上去安慰她，听她吐苦水，并和她一块分析原因提出建议。那时如果我考差了，自己实际上只是想好好发泄一通，把心里的不痛快全向自己最信得过的好姐妹们吐出来，从她们的肯定和信赖中重拾信心重整旗鼓，微笑着再次奔向战场。在我那两次惨败之后，她们都跑过来安慰我，和我同渡难关。她们以她们自己的经历告诉我应该以怎样的心态对待失利，开导我这个未曾伤心的人。在一快聊着聊着心情就会变得好起来，慢慢话题就会转移，大家会忘了是为什么而来，又开始闹开了，把失利抛在脑后，换回一颗阳光普照的心。就是这样呵护着我们之间的情谊，我们都顺利地从独木桥上走过，因为我们手牵着手，心连着心。

理解与信任，内向的我变成阳光的我

向我伸出援助之手的不仅是我的姐妹还有我的兄弟，因为在我班大家情如兄弟姐妹。这感情是在理解和信任中建立起来的。我班是男女混合坐，平常就在一块学一块玩，互相帮忙是很正常的。而且他们在理科上比我们更有创造力，总能想出一些捷径来解题。特别是做几何题时，在作辅助线的方法上每个人有每个人的方法，殊途同归。在内部我们交流着意见，研讨出最佳方案，以备不时之需。在课堂上数学老师经常被打断，我们中的一个实在不舍得那简单而有高效的方案被窝藏，按捺不住，跳了起来，大叫："老师，我这儿有个更简单的。"然后以他那著名的鸭公的嗓音陈述。在陈述方案时，老师有不明白（实质是听不清楚）的地方总是由其他人你一句我一句来解释的，就像是在演"多簧"。

那是一群可爱的纯真的少年。他们都拥有绝对对味的外号：一位叫"曾孙"，来源于上课时发音不准的老师点名，绞尽脑汁半天才恍然大悟是"群星"，从此此名注定伴随他一生；一位叫"Mary"，盖因他晨读时盯着英语课文，口里念念有词，从未见他如此认真过，凑近一听，全是一个单词"Mary，Mary，Mary……"这家伙早就神游外太空了，竟然念了30分钟的"Mary"，足见他有多爱这名字了，所以，他的名字就是这个了；一位叫"牛妹"，因为有段时间他总是念着："一头老牛'哞哞哞'，两头老牛'么么么'，三头老牛'妹妹没'……"既然老牛妹妹没，那就只有让他替代了；一位外号叫"老公"，因为他姓龚，他总是很得意他的外号，对女生说："你能叫我外号么？"那神情就如阿Q拿着那偷来的萝卜问小尼姑："你能叫它应你么？"还有一位他的外号比较难阐述，因为其数量之多能让你一个月内每天换一个，什么"吉普车"、"Jim"、"酵母菌"、"秃驴"等罗列一大串，他还很自豪；还有一位叫"阴关"，因为他在默写"西出阳关无故人"时很大意地写成"西出阴关无故人"。

我们那一群人是非常要好的。平时买了零食或者从家里带了土特产就一块分享，通常是每人那么一小份（有时还不是很好吃），可还是很开心很有味，吃到最后都是人间极品。我们最后研究得出一结论：无论零食本身的化学成分如何，经过我们好心境的催化作用，虽然只发生物理作用（被大卸八块），但内涵已发生鲜明改变，所以，要吃东西，就得一块吃，不能独吞。接着共享的范围越来越大，有赶超"前苏联老大哥"之势。大而言之，从物质食粮到精神食粮；小而诉之，从零食到饭菜到水（水是最宝贵的，是生命之源，由此观之，我们的感情已经升华到最高境界——舍生取义），从课本到习题本到试卷和小说杂志漫画（连自己天天藏在书包或抽屉的或躲在正规书皮下的宝贝都贡献了）。Mary 和 Lily（他的同桌，名李丽，女）还曾经共享同一篇作文，居然只改了两字，一个说"大家都叫我'黑黑'"，另一个说"大家都叫我'白白'"，而且该篇作文是语文老师介绍我们去买的作文书上的。"东窗事发"后他俩差点就改名了。到最后实在没什么可以共享就共享自己的过去。Mary 和"牛妹"上课时在桌下煮竹筒饭，开筒时香气四溢，把老师也吸引过来共享；"曾孙"天天放学或午休时就跳进河里游泳抓鱼烤的小学时代，总让我们向往。在忙忙碌碌的学习中有了另一种平衡，缓解学习的压力。就是在和他们单纯的无拘无束的交往中，我放开了胆子，学会给自己一张"厚脸皮"，勇敢地做自己想要做的事，并为自己的行为负责。

在我班，同学和朋友之间没有什么严格的区别，是同学就是朋友，是朋友就是好姐妹好兄弟。曾经，坐在我前头的同学"秃驴"故作神秘地问："你和他是什么关系？"我说："同学关系啊。""那是不是朋友？""当然了，为什么不？""他是不是男的？""这还用问。""那你们俩现在是什么关系？他是你的男朋友了吧。"他得意地笑："这是著名的不可破的晏氏理论。"我瞪他一眼，问："那咱俩是什么关系？"他说："你不是我朋友。""你再说一次？"我怒目相向。他笑着说："你是我番弟（兄弟）。"我也笑了："这还差不多。你的晏氏理论已经被破了。""怎么破？""刚刚你自己破的，秃驴。"他愣了一会儿，哈哈大笑。

在这样一个班里，我长大成了我。

31

幸福时光

所谓"早恋"

异性间有纯洁的友谊吗？有。

异性间有单纯的喜欢吗？有。

在中学时代，两者都有，却很难区分。有时候后者的确是从自己内心感觉到的，有时是被人说着说着就觉得是的，有时候就是把前者误解成后者了。在初中时，我班传得很盛的有三对。真正有的只有一对，其他都是被好事者弄出来的。尽管都是被大家所谈论，所玩笑，但结局却不同。

第一对，他们平时都是自顾自地学习，他们在大家面前也就是和一般的同学一样，如果不是有人透露，还没有人知道。但因为是真正的，所以无论人家怎么说，都是从容面对。这是事实，他们也不反对。你爱怎么说怎么说去，我们走着我们的路。他们都是城里的同学，每天也就是放学后才会一块走，其他都很平常。成绩是很正常地起起落落，然后是正常地进入本校高中。不是两人的好友不知道他们之间到底发生过什么。大家也只是在猜测和怀疑中瞎闹。一直到后来再次谈起，才得到证实。到了高中，不在同一班，慢慢地，就走远了，成为很关心对方的好友。不知道他们的心路历程，但相信他们走得很理智，很明白自己的选择和行为。因为自己的喜欢而勇敢地面对自己的心，所以开始；因为自己的清醒而冷静地把握自己的学习，所以正常；因为自己的平静而恬然地作出放弃，所以结束。真的很佩服他们，一切都处理得很好。她说："我最终还是选择我的学习。毕竟那是一生都不会离开我的。"他说："什么也没多想，她愿意就行。"

第二对，他和她坐在一块，不算是同桌，半个吧。因为他俩成绩差不多，各有天赋，在学习上极为投缘，相互探讨是经常有的事，还能相互开玩笑，是属于英雄惺惺相惜的。本来是什么也没有的。可有一天突然间，全班哄传着他们的"绯闻"。他她都莫名其妙。很凑巧老师换位子，就把他换走了。自此两人没有再说过话，没有再交往，就连最基本的同学之间有可能的联系都被互相避免了。两人见面就互相避开，在听到谈论对方时就离开，就好像有一堵无形的墙立在他们中间。"逃开"以证明自己的清白似乎是他们应付舆论的共同选择。他们的结局呢？他她的成绩都很好，现在都考上了不错的大学，只不过还是没有联系，坚冰依旧未碎。他沉默，对过去的这段回忆。她说："这是我一生的遗憾。为什么当初我不勇敢一点去面对？如果能的话，我就有一个很好很好的朋友了。可是，已经无法从头再来……"

第三对，他和她都是活跃分子，在班上本来就很耀眼，是大家注目的。两人实在是有太多的共同语言，无论什么都见识过，知识面很广，两人被说成一对很正常。他们俩依旧很要好，依然活跃在各个场合。他们还拿自己开玩笑，就像自己不是大家的谈论对象一样。他们的结局是：两人一直是好朋友，很铁很铁的那种。一方有难另一方绝对帮忙到底，只要一句话：咱是不是朋友？他说："她是个可爱的女孩。我能帮她为什么不帮？她也帮我许多。"她说："我一直把他当弟弟看。"

最后的结尾都是由主人公自己的选择决定的。自己要为自已作出的选择负责，无论结局是什么。

这些事不知道老师是否了解，反正从没有人因为这事而进办公室。这是我们学生内部的秘密吧。其实如果没有那么多好事者，真诚的友谊是异性间最珍贵的财富。

到了高中，这种事情多了起来。全年级之间流传最盛的也有几对，他们都是更认真更复杂的了。

A君和B君，两人如同上面的第二对一样，是被人随意说说的。但是到了后来，两人交往越来越深，感情越来越好，一发不可收拾。她的语文英语较好，而他的数理化很好，两人可以互相帮忙的地方很多，但结果是她的成绩上去了，而他因为贪玩和不用心，成绩下滑快于自由落体。他们的事情传得沸沸扬扬，班主任老师和年级主任都知道了。班主任找他们谈过许多次，分析着利弊，但对于他们来说已经没有什么意义了。后来双方的父母都知道了。他的父亲非常生气，说是她害了他的儿子，对她充满了敌意；她的父母则是很理解她，但也反对她继续这样下去。他们面对的是学校和家里的压力。他转学了，去了另一个学校读书。但半年后又回来了，也是为她而回来的。只是此时两人虽还都挂念着对方，却已经变得老成多了，都是远远望着对方，希望对方过得好。

两人已经不在同一班，他是在理科的尖子班，而她在文科的尖子班。就这样到了高三。她实在受不了了，每天都很难受很低迷。她不知道他是怎么想的，她不知道他们之间的关系现在要如何定义，她有很多很多的问题想要问他，但是，他总是在躲着她。她说："我只是想把我们之间的关系弄清楚，我只是希望他告诉我结局是什么。无论有多么的伤心，我还是愿意接受。但我接受不了的是这种混沌、迷茫。只要告诉我他在想什么就可以……"他说："我已经没有当初的骄傲和锐气去面对我学习上的失败。我在反省自己。我有足够的才智获得比现在更好的成绩，但我没有去做。我现在必须努力才能和她匹配，因为我知道我应该是更加优秀的。经过那些失败，我的傲气在消磨着，我要先做回我自己才行。"他给了她希望，她知道他还没有忘记。她再次沉迷或者说她根本就未曾跳出。她在家无心自习，因为她总会不自觉地想着他，于是她又跑回学校，在那儿学习。她说："我家离他太远了，我会思念。到学校，感觉他离我很近，心就静下来，能够学习了。只希望每天能看到他几眼就满足了，在学校自习，总比在家见他的机会多。"她还说："一直来他就是我的精神支柱。我学习累了、困了时，就用他来鼓励自己。他是那么优秀，我如果不努力，我是无法和他平等相处的。我希望自己优秀。"

　　她的学习没有退后，反而在前进。她要尽力赶上他。而他已经没有当初那不可一世的傲气，收敛了许多。他把那段感情藏起，在他的生活中只有两件事：学习和踢球。他一直在逃避她的问题，或者说他也不知道该如何回答。他的成绩也上升了，回到与他的才智相称的地位。他不再多想，因为他没有精力；她也不再多想，因为她还有希望。这样一直坚持到高考完。他，考砸了；她，超水平发挥。该填志愿了。她多方打听他要填什么但他就是不说。她说："就算不能在一个学校也要在一个城市。"他沉默。他的失败再次把他的骄傲狠狠地伤了。他又躲开了。当一切都定了之后，他还是躲避着。她怀着她的希望在等待着。在夏天的日子里，他天天呆在家里。她在外面瞎跑，希望能在他以前玩过的地方见到他。再后来，她千方百计想再见他一面，但没有结果。她难受地说："我好想自杀。"眼泪在强笑中滴下。她不放弃，她坚信她的希望。终于，他打电话了。在一声"喂"之后，就是静。她知道是他。

两人拿着话筒整整一小时，什么话也没有说。在听到她爸回家的声音后，他挂了。两人的朋友也看不下去了，创造各种机会。像是熟悉的陌生人，话太多不知从何说起。就这样纠缠到了要去读大学的时候，他始终没有再与她联系。事情还没有结束，到了大学，两人的确是在一个城市，忽然间一切都改变了。在她已经准备放弃时，他的态度有了180度转弯。他时不时地乘坐两个多小时的车去她的学校，然后呆到没有车回去，他就在长椅或ATM取款机或爬进教室过夜。她说："心中曾有过那么痛苦的挣扎和迷茫，都已经习惯被拒绝了。现在他这样，反而觉得很平淡，已经不太容易激动了。一切顺其自然吧。只要今天过好就行了，以后的事谁也说不准。世间惟一的永恒就是变化。"直到现在他们的故事还在继续……

　　C君和D君。她是老师任命的班长，他是同学心目中的班长。男同学很多都是只服他不服她的。他们整她，把她整哭了，哭得全年级都知道。而他以他的威信再三阻止，多次帮她解围。她被他的行为所感动，再加上以后很多班里的事都是两人合作完成，日子久了，她就喜欢上了他。她开始追他。他被她的热忱和善良大方所吸引，一段情又开始。但在表面上他们是好朋友。因为他和她的成绩相差太大，不是同一个"世界"的人。如果不是高三时的那件事，恐怕还只是把他们当成好友，因为她一直处于另一个传言之中，男主角不是"他"（他也不介意）。高三时，他被查出患了肝病，那就意味着他不能考大学不能踢球不能……太多太多的限制了。虽然他表面很坚强，一切不在乎，但她从他站在足球场外看着队友踢球的痴迷和失落中，看出了他的脆弱。他是个多么优秀的运动健儿啊，他的速度全校没几个能比得上，可是……他惟一的骄傲也被上天给剥夺了。她试着安慰他，但他恶狠狠地拒绝。他总是冷言相对或是爱理不理。有时候，就装作没有看见她一样从充满期望的她身边走过，留着她在那傻傻发愣。她，为此，天天洒泪。每天一下课就会不自觉地哭，晚上在家自习时也是如此。这种状况持续了一个月，直到元旦。她的成绩虽没有明显下降，但也没有进步，而其他同学都在进步。班主任简老师把她叫进了办公室，谈了一个多小时，她是忧郁地进去开心地出来。以后就是很平静地学习。她说："他不是故意要让我难过的。其实我能够理解他的。我已经颓废了一个多月了，我为他投入那么多，他是知道我的。现在我能做的就是把我自己的学习弄好。这两件事不是矛盾的，我明白现在什么对我最重要。其实我能为他做的也就是陪他渡过这难关，如果他想自己扛过去，我会默默地祝福。现在我要为我自己和我的家人着想。辛苦了这么多年，父母不是希望自己能考上好的大学吗？自己也早有了目标和理想，不会亲手毁了自己的梦。我知道我接下来该怎么做。"她虽然没有完全做到她所说的，但是她已经尽力了。

高考她考得不错，是肯定能进她所报考的学校。而他，依旧不好。她通过他的朋友联系他，他总是避开；后来，她，决定去他家，把问题弄个明白。他家在乡下，她坐着公共汽车，和他的一个朋友去了。她在村外等着，朋友进村找他。她等了两个小时，等到一场空。他的朋友说："他去叔叔家养病了。"她的第一个反应就是："他叔叔住哪儿？"明白毫无希望后，她，回家了。可是，回家后他的朋友告诉她，他在家，只是不想出来见她。她，心痛得晕了。她决定放弃了。她说："我能做的都已经做了。我放下我的自尊跑到他家去，希望他见我一面，我已经如此低声下气了。我们是平等的，他没有资格让我这样狼狈不堪。我已经为他付出太多太多了，他连见我都不肯。我不要求他能承诺什么，我只是想证实我们的结局，我只是想好好结束。我什么也没有怪过他，什么也不嫌弃他，因为我愿意付出。可是，他这样贬损我的尊严，我受不了。他也知道我会一去不回的。我选择的城市将是我以后的生命舞台，可能以后我们无缘再见了，为什么他不能满足我这一小小要求？我不甘心，他以前不是这样的。我……"她大哭，而后把眼泪抹去，惨笑，"这是我今生无法解开的心结，为什么他这么对我？我将带着这个遗憾远走他乡。我……"她潇洒地甩甩头，"有我的骄傲。"故事已经结尾。

为什么要有这么多的伤心，要有这么多的纠缠不清，为什么在那个脆弱的年龄还要承受这种折磨？明明不会有结果，明明会受到伤害，还要陷入？也许会说："因为喜欢，因为爱。"

喜欢和爱不是让对方难过，不是让自己痛苦。喜欢为什么不做个无话不谈的好友，知己？那样才能无私地为朋友分担忧愁，才能轻松地为朋友付出。为什么要把那份沉重的责任揽到自己稚嫩的肩膀上？这是不公平的。因为那还不属于你，你也没有能力去把自己的责任履行好。

喜欢只是一种感觉，一种很暖心的感觉。把眼光投远一点，你会发现，每个有个性有优点的人都有让人喜欢的地方。看看周围的朋友，你会发现，如果不是相互喜欢着，怎么会成为朋友呢？不要自己把自己的喜欢限制在一个狭隘的定义里。从自己的小圈子里走出来，你会发现，喜欢的范围其实很广。喜欢是没有理由的，也是没有色彩的，色彩是自己添加的。敞开心胸，把异性当成一个和你一样的平常的人，忘记他的性别，从精神的层面去欣赏，你会发现，那里有一片更自由更坦荡的天空任你遨游，你将拥有更多能够理解你欣赏你喜欢你的异性好友。那时，你就会明白，喜欢并不一定要以恋人的形式表达。

爱，是个厚重而圣洁的话题。爱的内涵包括太多太多，不是我能说清楚的。我认为，爱不是天天挂在嘴边的。爱是用行动来表示。爱的外延很广，有父母对子女的爱，有老师对学生的爱，有朋友之间的爱，有恋人的爱，等等。虽然有各自的特点，但有一点是共通的：为爱负责。其实，年轻的心往往把爱想得太肤浅，没有意识到爱的分量，没有意识到爱的不成熟本身就违背了爱。总是把自己陷在自己想象的"爱"中，不能自拔。当自己只单纯地对这件事进行分析时，或许会明白，是自己的幻想把原本简单的朋友关系弄得复杂不可理解。试着想想过去做好友的时光是不是更加美好、更加舒心呢？爱不是想象中的那么简单，看看自己的父母吧。问问他们，爱，是什么？

把事情想得简单想得单纯一点，把自己的视野放得宽阔放得高远一点，就能好好地处理和异性的交往问题。我有一帮好兄弟，我们共同探讨着人生的意义，谈论着生命苦与甜，研究着理想，解释着友谊，并相互约定：不管以后会分飞到何处，紧紧记着还有一群好兄弟在各个角落为你祝福。愿做你的后盾。有苦有难大家一起分担，相互鼓励支持坚强地走着人生之路。需要时就 Q 我。别忘了我的 QQ 号。

忘记性别，从精神的角度去欣赏和喜欢，友谊才能天长地久。

点评

高级教师

李
磊

　　一本《哈佛女孩刘亦婷》，把本来就不断升温的家长望子成龙梦，搅得更加沸沸扬扬。一时间，类似的书籍，各式各样的经验、访谈、观念、对策等等，层出不穷，把家长撩拨得眼花缭乱，心绪难平。今天，还是让我们静下心来，走进孩子们的内心世界，倾听他们心灵的呼唤吧！或许您能从这些成功孩子的成长足迹上，得到一些更为实实在在的启发。

　　宋婷，这位成功的女孩，透过她那清纯的内心世界，我们首先感觉到这是一个具有良好心理素质的孩子。在她看来，学习的每一天都充满快乐，每一天都有新的事情发生，有新的事物等待她的发现。她喜欢把自己融入集体，沐浴着集体的阳光，这是一种多么健康向上而又充满活力的心态啊！当然，这种良好的心理素质（非智力因素）不是与生俱来的，她的平等和谐的家庭氛围，循循善诱的老师，充满阳光的班集体，对她心理发展的影响是多么深刻啊！正是这样的一种心态，才使她能够正确地对待周围的人和事，用平静的心面对一切，这其实也是每一个成功者必备的素质之一。

宋婷的成功，还得益于父母的信任和理解，为她积蓄了学习的活力。父亲的平等待人，对她学习生活的细致入微的关注和引导，是她健康发展的精神食粮。母亲的精心呵护，则为她提供了不可或缺的物质保障。正因为如此，才激发了她渴望做出成绩、不让父母失望的内在动力。这对那些只是一味地要求孩子如何如何的家长们，恐怕不无启发吧！

宋婷成功的更为重要的因素是得益于老师们的关爱。语文老师的良苦用心和鼓励，使她的语文成绩突飞猛进；高一物理老师的信任和帮助，使她成绩一度直线下降的状况得到遏制，并使她在一次较难的考试中脱颖而出。而与之相反的是，初中时物理老师对她的忽略，使她自暴自弃，成绩跌入谷底——"请你重视我吧，我需要你的爱"——这发自每一个学生内心的呼唤，足以使教育者把关爱倾注在所有孩子的身上。

老师的关爱还表现在把学生当作朋友，以心换心。班主任老师的平等待人又不失严格管理的作风，语文老师与她那场兴趣与考试工具的争论，都使学生感到一种朋友的信任和力量，从中获益匪浅。

宋婷的成长经历，给我们的启示是多样的、生动的。作为家长和老师，不仅要关心孩子的学习，更要理解和关心他们的内心世界、生活世界，用宽容和耐心尊重他们，用魅力教育和教育的魅力感染他们，使他们在生动、活泼、健康的发展空间里，活力四射地幸福成长。

41

幸福时光

关于尖子生的培养

宋婷是一个非常单纯可爱的女孩，在全年级中年龄最小，才十六岁。她脸上总是挂着微笑，充满了快乐。宋婷还是一个全面发展的学生，她兴趣广泛，文理兼备。高二分科时，她最初选择的是理科，但一个多月后，她感觉自己学习物理不太顺利，于是向年级和老师提出转读文科。学校尊重了她的选择。事实证明，这个选择是正确的。

宋婷十分热爱学习，在她看来，学习就是一种乐趣。她的自学能力很强，对知识的接受能力相当快。我记得她转读文科时，历史学科已学完《世界近代现代史》上册。我问她是否需要老师课外辅导，她笑眯眯地说不用。我提出让她借同学的笔记对照，进行自学，有疑问就问老师。结果在后来测试这部分内容时，她第一次就考了年级第一名，文科总成绩在高二也一直是第一名，确实不容易。她在学习上非常主动，经常搜集一些学习资料和习题。她叫父亲到书店买资料，但不搞题海战术，而是注意通过练习去总结，寻求方法。

宋婷是一个"外松内紧"型的学生，养成了学习的好习惯，能够合理安排学习和休息时间。该学习的时候，她绝不放松，而休息时则尽情地玩。她的兴趣广泛，爱好很多，积极参加课外文体活动。她喜欢乒乓球、听音乐、看电视，每天的

《新闻联播》是必看的，既了解了国内外时政，又是一种休息。她还在学校的文艺节上表演节目获过奖，在校报《镜报》上也常常有她的文章。在其他同学看来，宋婷是一个十分活泼的学生，课外时间经常可以看到她活跃的身影。正因为她会合理调配时间，有张有弛，才不觉得学习很苦很累。

学校和老师对宋婷一直十分关心。从高三始，我们就把她作为争夺省、市状元的对象进行培养。我们学校有一个非常好的育人环境，校风、教风、学风都不错，这为学生成绩的提高提供了非常有利的环境。学校在高考前半年为了使她能更安心地学习，专门拿出一个办公室给她使用，学校的图书馆、阅览室也都向她提供各种资料和习题。

宋婷的成绩一向优秀，每次考试，她总能超出第二名四五十分。对于学生的成绩，我在学期初就印制了一份"自我超越图"，内容包括各科成绩和总成绩的变化状况。通过这个图表，老师、家长和学生就能够全面了解学习变化的情况，从而便于"因材施教"。对于尖子生的培养，我们主要采取"磨尖"、"治拐"的方式。"磨尖"是对尖子生而言，就是要使他们各科成绩拔尖；"治拐"主要针对学习一般的学生，也包括存在"拐子"科目的尖子生。对于学生的成绩，每次考试后，各任课老师都认真分析情况，对于存在问题的科目，班主任及任课老师要找其谈话，分析原因，找出解决办法。

宋婷的语文有一段时期成绩总不太突出。她对语文的学习也存在一些看法，有时对老师在课堂上讲的东西不愿接受，不愿去记，认为这些东西都没多大意义。为此，语文老师和我就耐心做她的工作，使她认识到：尽管现在的高考制度还不够完善，存在一些急需改革的地方，但总的来说，高考是一种选拔考试，高考就是一种竞争的公平考试，你必须去适应它，不要因为自己对这个事物存在不同看法，使自己在考试中吃亏。宋婷乐意地接受了语文老师的建议，此后，她按照老师的要求进行复习，终于在高考中取得了好成绩。

心理素质的调整是成功的关键。过分紧张和不紧张都不利于取得好成绩。宋婷在学习中也曾有过挫折。大约是六月份的一次模拟考试，她最拿手的数学考得很不顺利，考完后有同学跟我说，宋婷数学没考好，哭了。我马上打电话到她家，让她家长去安慰她，开导她，不要因一门考试失误而影响后面几科考试，甚至影响以后的学习。经过家长和老师的开导，宋婷很快放下了思想包袱，及时稳定了情绪，结果成绩出来后，仍是第一名。通过这件事，我鼓励她要自信，要相信自己的实力，只要心态平衡，正常发挥，一定能考好。

在高考前，我们对学生的工作重点之一，就是帮助他们调整心态，要求他们以平常心对待考试，把平时考试当高考，把高考当作平时考试，最重要的是要自信，轻装上阵，进入最佳考试状态。在考前，我们还争取家长的配合，要求家长在高考前不要对子女施压，更不要让亲朋好友过多关心他们的成绩。特别是对于宋婷等尖子生，在充分征求学校、老师及其本人的意见后，考前一个月，我们给予他们更宽松的环境，允许他们自主选择，不论什么课，只要自己觉得掌握了，就可以不在教室听课，可以自己到办公室看书、复习，以免造成浪费时间及思想上的紧张。对老师也提出要求，不要在这段时间对他们提出什么学习上的要求，因为学生是很在意老师的话的，以免影响学生情绪。我想，正是我们在平时和考前做了一系列的准备工作，宋婷在高考中也就能发挥出真实水平。

江西省上高县第二中学　简细根

状元是怎样炼成的

2001 年 10 月，省内某名校邀我座谈，座内有一情意相洽之大学同窗，于是言虽分宾主，意却似脚踩西瓜皮，辞不达意，又题为"炼状元术"，实在惶恐，笔录于下，求正于海内方家。

问：晏老师，祝贺您的学生在今年的高考中取得优异成绩，他们之所以能成功，一定与您的悉心教育分不开。恕我冒昧地提个问题，我校有相当一部分老师在议论说"状元"是"撞"出来的，不知您是怎样理解的？

答：这个问题问得好，因为我也曾经很相信这句话的正确性，直到我的学生连续三年高考"撞"中"状元"后，我才真正认识到这句话的简单化。就我个人体会，"撞""状元"还是得讲究一些"撞"的方法和技巧的，这样才可以提高"撞"中"状元"的概率。当然这方法和技巧，起码应当包括学科组织管理，老师辅导点拨和学生学习领悟三方面内容。

问：你所说的"撞"的方法和技巧，在你的教学中具体有些什么内容呢？

答：对学生的高考辅导点拨，我注意了以下几个方面：

首先，要与同学取得感情的沟通、思想的一致，这大概就是兵法上说的"上下一心"吧。所谓感情的沟通就是主动接近学生，理解学生，与学生交朋友，多一些"人"性，少一些"神"性。现在的高三学生平均年龄小了，但是他们在开放的环境中长大，许多方面表现得比我们想象的要成熟得多。在很多时候，我们不妨把他们看成大人，尊重他们理解他们，反过来，他们也会更加尊重我们，理解我们。比如说，我有时在班上读自己的书信、日记，谈自己生活中的甜酸苦辣，甚至讲自己的 love story，以心换心。学生们在课内在课外也乐于接近我了。

有一次在学校小商店偶遇宋婷，她竟然杀富济贫，要我请客，我痛在心里，爽在嘴上："点！"她在柜台前指点江山，大大满足了一番小女孩的馋嘴贪心。伺后，一脸的自信，进言："老师，你得趁现在尚有几分姿色，成个家！等到年长色衰可就……"（绝对原话！）"你得对你的老师有信心，即便过个三年五载，回头率还是下不来！""哼，臭美！"模仿她的语气一问一答，我心中还是暗暗称奇："好个宋婷，还真敢说！"

这种融洽的师生关系给我的教学奠定了牢固的情感基础。

问：那么，思想的一致呢？

答：简言之，就是引导学生与我一同正视高考、思索高考。当代中国，"素质教育"、"减负"的最坚决的支持者莫过于高三的师生，应试的压力太大了！没日没夜地阅读、思考、练习，没完没了的考试、批改、讲评，没头没脑的排队、排队、再排队，身体累，心理更累！但是，现实就是现实，我们是游戏者，不是游戏规则的制定者。这时候，我着重谈的是高考作为一种选拔性考试的现实性和必要性，使他们清楚高考是现代中国社会公正、公平、公开选拔人才的一种具有可操作性的好方式，使他们在感情上接纳高考，并辅以历届同学例子鼓励他们，利用各种机会大谈高考，给他们定坐标，促使他们定下高远的目标。比如，我把全省文、理科总分前十名考生的语文成绩告诉他们（近几年都在 120 分以上），主要是让宋婷等几个"尖子生"明确自己的语文成绩目标。介绍北大等几所著名院校的人才群体和巨大影响，而向宋婷着重介绍的就是北大。为使介绍更具真实感，我挑选一些北大人的精彩文章在班上念，激发宋婷等同学的强烈向往之心，使她从内心产生非北大莫属的强烈意识，从而获取源源不断的学习动力。

问：为什么不选择复旦、人大或别的什么大学呢？中国优秀的大学并不仅仅是北大呀！

答：没错，但是，毕竟北大每年都录取了全国绝大部分省市的文科状元，我要让"尖子"生瞄准这样的更具有激励作用的院校。天份高的孩子，更需要一个明确的、具有诱惑力的目标，笼统的，或者多个有梯度的目标往往会诱发他们的惰性，巨鹿之战首先成功在破釜沉舟啊！

问：你是怎样指导宋婷的语文应考复习呢？

答：我的课比较喜欢谈方法，讲规律。方法就是读书方法、复习方法、解题方法，规律就是命题思想和命题规律。强调对历年高考试题的研究、分析，领会、把握其命题的核心，使复习做到有的放矢。每个知识点的复习，都是先讲析《考试说明》的表述与要求，接着讲近几年考查该知识点的高考题型、题量、赋分、命题角度，再总结一套行之有效的解题方法，然后才是一些精选的巩固性练习。现在回头来看，我的课常常倾向适合基础较扎实、爱动脑子、悟性较高的学生，往往在腾飞九天、玄之又玄时，猛见那些基础略差的学生一脸茫然时，才幡然醒悟……

问：在对宋婷的辅导中，你是怎样遵循因材施教原则的？

幸福时光

答： 对尖子生的教育，重要的是基本方法的指导，高质量学习材料的提供，以及帮助其确定高远的目标。但这一切的实施又要注意隐蔽一些，尽量不要把他们与其他同学隔离开，因为他们还是需要在集体中成长的。

在高考的所有科目中，语文恐怕是处境最尴尬的。学生语文成绩稳定最难、提高最慢。宋婷的五科中语文最薄弱，其他四科单科考试成绩在年级总是稳定在前几名，而语文经常是几十名，甚至上百名。高三上学期，我曾经单独找到她，对她说："宋婷，如果你高考语文能上一百二十分，进北大绝对没问题！"以此督促她在薄弱环节加大精力投入。

我们班有个女孩文笔很好，语言老到，但作文总是不合应试文章规范。为了导向应试，在范文选用时，我只好割爱。宋婷很喜欢那女孩的文章，见我没念，愤愤不平，站起抗议。我只是说："高考中作文不是我改！"示意她坐下。她坐下了，我继续边讲课边用余光扫视，发现她不平之色未退，在刚坐下那会儿还自言自语，嘟嘟囔囔。下课后，我找到宋婷，对她说："高考就是高考，它有它的规律，不可能十全十美。它就是一道门槛，你现在的问题是怎么跨过去，而不是讨论门槛合不合你的意愿。高考既然是选拔性考试，我们的应考复习就带有寻找'敲门砖'的意思，应试学习就是在规则中寻找自由。"从此以后，她就更专注于考试技巧和命题规律的分析思考。

对"尖子生"的指导，繁琐的讲解是有害无益的，但是在关键性原则性问题上一定要讲通讲透，因为"尖子生"往往是自主性强的人，他们不会轻易信服一个观点。

问： 宋婷有考得很差的时候吗？

答： 有。一次她的语文客观题只考了二十来分，空前！

问：你怎么办？

答：这分数当然让我吃惊，但我冷静一想，这个分数对她触动一定会很大，如果我再找她谈，无形中给了她更大的压力。对于她这种悟性高、求胜心强的孩子，在这种情况下，不该施压，而应该让她自己反省、调整好。于是，我装得若无其事，她也未向我提起，隔了些日子，她的语文成绩果然回升了。换了另外一个人考成这样，我准得找他来分析原因，督促提高，这也算是因材施教吧。

问：你们给宋婷定过省"状元"的目标吗？

答：我们有这个想法，但绝对没有对宋婷本人讲过。我在南昌开会时和我们几个大学同学谈到宋婷可能中"状元"，他们普遍抱一种怀疑态度，省"状元"是"撞"来的嘛！但当宋婷的面，我们五个任课老师从不谈省"状元"的事，但北大是必须对她大谈特谈的。高考前，为了给她减点压，我甚至开玩笑："宋婷，北大早就有你一个位子了，高考对你只是履行一个手续而已。"这是有意识给她做心理调整。

问：你前面提到，"状元"的产生是学校、教师和学生三方合力的结果，现在能否请您谈谈贵校管理的特点？

答：在公开场合谈应试，实在有点儿理不直，气不壮，真想来一句"天凉好个秋"，现在就算聊天吧，随便扯扯。

我们的学校建校只有二十八年，但形成了一套比较良好的应试运行机制，教师的教学成绩考核评估非常严格，并能在赏罚、升迁等方面得到有效体现。总而言之，教风大盛，引来学生学风浓厚，我们学校高考在全市是有名的，在全省也有一定影响，"状元"仅仅是冰山露出水面的一角。

普通中学要生存，要发展，要得到社会的肯定，不在应试方面有所作为是行不通、站不稳的，尤其是我们这个内地的偏僻小县，经济落后，孩子不读书，简直就没法改变命运，于是考大学就成了社会强烈需求。我们的中学加强应试研究，在这种社会环境中是一种现实的、无奈的选择。即使老师想减负，在竞争环境中的孩子也会不答应的。我前面讲过，高三的师生最渴求减负，最渴求实行素质教育，但我们只是游戏参与者，无权无力制订游戏规则。多年在高三跌打滚爬，我是深有体会的。这点，相信在座的任何一位同仁都有一肚子苦水，可以倒上三天三夜，就此打住吧。

问：老同学，是不是"撞经"有所保留呀？

答：哪里，哪里。"运用之妙，存乎一心"，何来诀窍呢？教育是个系统工程，要取得好成绩，缺了任何一环都是不行的。作为一个教师，在教学中恰当运用科学的教学原则，如"因材施教"、"学生主体，教师主导"等等。在高三复习中，化大力气对高考进行研究，有的放矢，苦干加巧干，自然会事半功倍，考试中福星高照的。

江西省上高县第二中学　**晏国新**

50

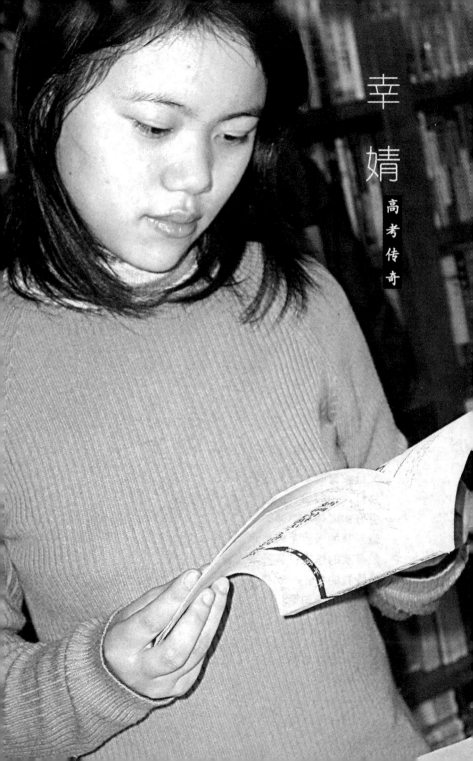

幸婧

高考传奇

幸 婧(重庆市文科状元，现就读于北大)

父母职业：公务员、教师

父母教育时常说的话：好自为之，自己努力

生日：1981 年 12 月 20 日

爱好：阅读、弹琴

最崇拜的人：爱因斯坦

最喜欢的作家：钱钟书、张爱玲

最爱看的书：《红楼梦》

最欣赏的一句话：

　　非淡泊无以明志，非宁静无以致远

寄语高中生：

　　书山有路勤为径，学海无涯苦作舟

我的两次高考

从迈入高中阶段的第一天开始，父亲、母亲就对我寄予了极大的希望——三年之后，我能考上北京大学。然而，我也知道未来的竞争会更加激烈，但我仍旧对自己充满信心。

路漫漫其修远兮，为理想而奋斗的历程也是充满艰辛的。

高一时，班上高手如云，竞争格外激烈。而老师从一开始便强调考试分数和年级名次，我的压力也更大了。当时，我的化学老师的教学风格不是我喜欢的那种，这使我极其不能适应，化学成绩也受到影响。父亲问我为什么化学成绩如此之差，我先是搪塞着，在他的一再追问之下我才说出自己不喜欢那个老师。父亲很严厉地教导我说，老师无论如何都是老师，都是值得尊敬和虚心请教的，不能以个人私心好恶而对老师产生偏见，更不能因噎废食，放弃了对那门学科的学习。听了父亲的教导，我才意识到自己的错误。

人生总是充满选择，高一下学期我面临着选择文理科的问题。一直以来，家里都希望我能选择理科，因为理科选择学校的余地比文科更大。我却一直犹豫，因为要实现考上北大的愿望，读文科我更有把握。但在填志愿时，我犹豫地填上了理科。后来，年级主任找我谈心，让我好好考虑自己的前途。我在一番思考之后，决定改选文科。但这个重要的选择却事先没有经过父母的同意，这也算是我的"胆大妄为"了。然而，我将如何去面对父母的反应呢？

我怀着忐忑不安的心情回到家里，将我的决定告诉给父母。父亲倒是没说别的，只说一切都是我自己的选择，是对是错都要看我以后的努力。母亲却一开始不能接受我的擅作主张，颇不高兴，但我心里清楚她也是为我的前途担忧。我告诉母亲我以后一定会好好努力，一定不会为今天作出的选择而后悔。母亲得到了我肯定而自信的回答，才渐渐放下心来。

高考前夜，我紧张得彻夜未眠

在文科班学习的两年中，我的成绩一直很稳定，不是第一，就是第二。父母也相信我一定有实力考上北大。在高三填报志愿时，我毫不犹豫地填报了北京大学。当时我还获得了重庆市"三好"学生的称号，这意味着有20分的加分。这无疑对我是一种鼓励，也更加坚定了我的信心。父亲对我说：万事俱备，只欠东风，好好努力吧！

谁知，在高考前一晚，我在晚饭后突然感到有必要再复习一下政治书上的概念和定义，于是拿着书在沙发上看起来。这一看不要紧，一看就出问题了——也许是紧张的缘故，我出现了暂时性记忆中断，许多烂熟于心的概念我竟一时完全记不起来了。这时候，我又想到最近玩得比较多，也没有像别的同学那样全神贯注地投入到最后的冲刺中去。这样的念头，使我原有的自信、乐观消失得无影无踪，紧张、忧虑占据了我的头脑。

晚上11点，我睡下后仍无法从紧张亢奋的精神状态中恢复过来。我失眠了，只听见黑夜里格外清晰的各种声响——汽车开过的唰唰声，桌上闹钟滴滴答答地走过一圈又一圈……为什么我还睡不着呢？我情不自禁地一遍一遍问着自己，愈来愈紧张。就这样辗转反侧，我彻底失眠了……

我的呜咽惊醒了父母，他们也一直担心我会失眠。父亲先是很生气地问我搞什么名堂，接着厉声告诉我："高考不相信眼泪，再流多少眼泪也不能保证明天的成功。"父亲还说了许多他以前从未讲过的话，使我逐渐镇静下来。这样一段折腾之后，疲惫的我终于沉沉睡了。第二天清晨看见一脸憔悴的父母，我心里明白他们那夜也根本无法安心入睡！

考试成绩出来了，597分，再加上20分的加分，我们都比较有信心。到了录取线出来那一晚，我却有不祥的预感。我满怀疑虑地睡在床上，看见父母的房间隐隐透出一丝光亮。也许是他们正在拨查询电话，也许是正在等待电视上出现最新高考信息。那光亮仍然若隐若现，泪水却渐渐模糊了我的双眼。一刹那，我突然感觉到自己是多么对不住我的父母！

我是最后一个知道自己落榜的人。在饭桌上，父母默默忍着不愿告诉我。而我虽然有所猜疑却宁愿相信有奇迹会出现，沉默的气氛让我窒息，我终于爆发了。我问他们，是不是没考上。父母没说别的，眼泪却唰地流下来了。我含着泪跑进卧房，倒在床上，放声痛哭。父亲走进房间，说："哭已经于事无补了，以后自己好好努力吧。"我也知道，在那样失望、难过的心境之中，他能说出来的也就只是这一两句话了。那样的伤痛，成为了我一生永远不会忘记的过去。

复读的岁月艰辛而漫长。经过上次的失败，我变得更加成熟与沉稳了。尽管如此，我仍然背上了沉重的心理负担。一方面，我出人意料地落榜，使众人议论纷纷，流言蜚语相继向我袭来，使我的自尊心极受伤害；另一方面，那年是重庆市最后一次采取"3＋2"的高考模式，如果我再次败北，很可能就会永远丧失成为北大学子的机会。父亲、母亲从未责备过我，总是乐观地鼓励我，说相信我一定会成功的。虽然他们表面看似轻松，实则不然。我要是有一点情绪波动，他们其实是很担心的。可以不夸张地说，我复读这一年，他们一直处于高度紧张的状态中。

父亲说，北大不相信眼泪

记得那年国庆节，好多同学都从大学校园回家过节。当时，有几个朋友到我家玩儿。看他们你一言，我一语讲大学校园的趣事儿，我格外羡慕他们。相形之下，我是停步不前的落后者，还是那样孤单而自卑地在原地徘徊。朋友走后，我胡思乱想了一通，漫漫长夜里我感到寒冷而无助。时间是蜗牛般地向前慢慢爬行，未来根本像是遥遥无期，寂寞、失意的我接近崩溃的边缘。

第二天一早，我头昏脑胀地起了床，觉得天昏地暗，感到恶心和难以描述的不舒适。我失魂落魄地走到母亲身边，没说两句话，泪水便忍也忍不住地掉下来了。那时候，我别的什么事儿也不想做，只想好好地痛哭一场。母亲默默地陪在我身边，不言一语。我靠在她肩头，那么畅快地哭了一场。当我平静下来，抬头看她时，才发现母亲原本早在哭泣了，眼睛也微微肿了。看着沮丧的我，父亲说："北大不相信眼泪。"我一阵心酸，顿时感觉到自己再也不能让父亲、母亲伤心了……

第一次全市联考，我考了第一名。得到成绩时，我欣喜若狂。当我冲进家门，把这个好消息告诉父亲、母亲时，他们简直比我还兴奋。因为我用实际行动证明自己绝不是经不起失败的人，他们的女儿仍然是坚韧和不畏艰险的……

这时候，我碰见了两件事，让我极为震动。

第一件发生在一个小音像店里。我正在琳琅满目的 VCD

中挑选自己喜爱的作品，抬头遇见了以前的一个同学。一阵寒暄后，我们攀谈起我的事。同学问我将来填报什么志愿，是不是还是只填报北大。我说出了我当时的真实想法，可能会报考复旦，因为实在担心会考不上北大。谁知听我这么一说，失望的表情立刻浮现在那位同学的脸上，她说："难道你一次失败，就害怕再次尝试了吗？"望着她那含着失望和轻视目光的眼睛，我的心里翻江倒海。对啊，我为什么就那么胆怯呢？

第二件发生在我上学的路上。当我路过一排街边商店时，看见前面有一位二十出外的年轻姑娘在一家商店门口徘徊不定，老是在寻找着什么。我以前从未看见过一个人会有那样复杂的表情：一丝胆怯、一点窘迫。我放慢了脚步想看个究竟，却见那姑娘往商店里探了探头，用微弱的声音询问道："请问你们需要临时工吗？""不要，已经找好了！"一个严厉不客气的回答传进我的耳朵。

我的眼中出现了这样一幅景象：那个姑娘的脸刷地一下红了，泪珠溢出了她的眼眶……我从未亲眼见过有人被如此拒绝。我也是第一次感受到了这个世界的残酷性，如果没有真本事，迟早会被人拒于千里之外！我突然间觉得一种紧迫感，似乎有一条无形的鞭子在鞭策着向前……

当我把这两件事告诉给父母亲时，他们也赞同我的想法。父亲说，家里没有优越的条件能够为我铺好一条没有荆棘的大路，一切都只能靠我自己一个人去创造。听了父亲语重心长的话，我更加清楚地意识到，考上北大不单单是一个面子问题，更是直接关系到我一生的命运。

复读的日子

复读是我人生的重要阶段，诸多老师、朋友给了我极大的支持与帮助。老徐，是我的班主任。在姓氏前面加上一个"老"字，是我们对所敬爱的老师表达特殊亲切感的一种方式，却与年龄不相干。老徐也只有三十开外，瘦瘦的样子却总给人亲切可敬的感觉。她是我的政治老师，经常利用下午读报课用朗朗的声音念《半月谈》上的时事报道或《中国青年报》上的社会调查——她或许是相信"潜移默化"的道理，借此来提高我们的政治觉悟吧。

复读班永远是最为特殊、最为复杂的班级：形形色色的人，形形色色的感情交织在一起，弥漫在大教室里也不失为一道有趣的风景。尽管人各有志，人互相异，大家对老徐却是敬爱有加。一天早自习，老徐突然叫我到学校柳塘边，给我一本书作坐垫，让我坐在池边石块上。她自己也随便坐下了。我的心里乱得厉害，也不知老徐葫芦里卖的什么药。自从复读以来，我总是下意识地躲避着世人的眼光和各式各样的询问，也许是出于自卑，也许是不敢正视现实，只想"躲进小楼成一统"罢。我心慌意乱地坐在池边，看清晨的风吹皱一池秋水。老徐却开门见山，询问起我现在的心理状况。我不着边际地答着，老徐却真是在仔细听。大道理她却没有提一个字，诸如什么"失败乃成功之母"、"胜不骄，败不馁"之类的陈词滥调。她只是诉说着她们那一代当年高考时的艰辛和现在这代人不同的境遇，告诫我要是不赶快调节心理，抓住这仅有的机会，我一定会后悔一辈子。

老徐的话一点没有矫揉造作、危言耸听的味道，却让我茅塞顿开，颇生"听君一席话、胜读十年书"的感叹。那次谈话后，我很快积极振作起来了。后来，我才知道班上除了我，还有很多同学，包括最差最调皮的在内，都受到了老徐谆谆教诲。

我们的语文老师是最值得大书特书的人物。老蔡的确应称"老"——年逾花甲，早已过了退休年龄。他身为全国特级教师，退休后一直不离三尺讲台，年事已高却精神矍铄。每天清晨，他总是全校最早到校，并拿起扫帚打扫办公室、换水、整理——这曾让很多年轻老师顿生愧意。开学伊始，老蔡写刘禹锡"沉舟侧畔千帆过，病树前头万木春"诗句于黑板上，让我们诵读、铭记。老蔡喜好古文，一生做学问精益求精，据说一本新华字典他能倒背如流，被称为"活字典"——教我们的时候，他的确是"典不离手"，人至典必到。

老蔡还嗜好作诗，在全国报刊上颇有佳作刊登。我曾目睹他抱几大本诗话之类的书俯桌研究，用他的话说，是"活到老，学到老"。这样一位精干、博学、雅识、勤俭的长者，怎能不受人爱戴？尽管德高望重，老蔡对学生却是平等相待，可谓倾其心智。他经常看到好书，便借给我阅读。因为我作文老得不了高分的缘故，他还特意与我交谈数次，传授心得。由于老蔡的影响，复读一年中我的古文水平大大提高，平时更爱阅读古籍，一本成语词典也翻看了好几遍。老蔡曾教我"厚积薄发"——这句话会让我终生受益。

尽管复读岁月总是阴云密布，让人艰于呼吸，但快乐仍然没有消逝——"痛并快乐着"，我们总是这么自嘲。而数学老师老涂则是妙语连珠，让枯燥的 x、y、z 也显得活泼有趣。当我们解不出题，冥思苦想甚至郁闷自责时，老涂会说出他的口头禅——你们这些猪脑壳！此语一点儿没有侮辱性质，而我们一看他那副喜笑颜开(有点幸灾乐祸)的面孔，不禁迸发一阵笑声，适才紧张得渗不进一滴水的空气也顿时疏畅了。幽默，是智慧的表现。老涂便是以他特有的智慧，给我们的紧张学习生活带来欢笑。办公室里，常常为了一句玩笑或一道题目的争执，老涂会请学生吃冰棍。也许是"吃别人嘴软"，大家在品尝到美味冰棍之后，对数学的兴趣也是倍增啊！

那个时候，我常常跑到办公室去。因为师生间这种融洽的关系，使我获益很多，也让我的复读生活有滋有味。我常常想，要是老天让我遇不到这样一些好老师，现在的我该漂泊至何处，又能否实现梦想。我认为，助我成功是他们责任心所使，而不单单对我，只要是学生，只要有上进之心，都是可塑之材，他们绝不会存厚此薄彼之心。《圣经·创世记》里说，上帝用黏土造人，将生气吹进人的鼻孔使人开始呼吸——我的老师们便具有这"创造"的伟大与无私。

又一次的高考前夜

又一次的高考前夜。

吃过晚饭，一直心神不宁。尽管一直努力让自己保持平静的心情，此时此刻，忧虑、担心、莫名的害怕……所有的情绪都在我毫无防备的情况下，再一次接二连三地溜了出来，占据了我的头脑。

听了莫扎特的交响乐，仍然无法抑制自己那过分兴奋的神经。一个令我恐惧的念头钻进脑海："要是今晚不能入睡，明天又该如何走进考场？我会不会重蹈覆辙？"

正在这时，电话铃响了。是小昕，我最要好的朋友。她说要和我一起出去理发，说这样会带来好运。我答应了——出去散散心，排遣一下紧张的情绪，也无不可。

高考前夜，小昕陪我换了新的发型，也换了新的心情。随着理发师手中剪子有节奏地起起落落，我那过分紧张的神经也渐渐松弛下来了……

临别的时候，我和昕站在清风徐徐的路口，我的心如同那黑夜般沉静，而且早已溢满了感激的暖意——我知道小昕是为调节我考前紧张的心情才陪伴着我。我正想说几句感谢的话，只见小昕从她的手提袋里取出一瓶夜光的幸运星，小心翼翼地递给我。

望着那黑夜衬托下一颗颗精心叠制、熠熠生辉的幸运星，我哽噎了。小昕握着我的手，轻轻地说："但愿它们能给你带来好运……"

能拥有一个真心的朋友，是一个人一生中最值得幸福与骄傲的事。我是在情绪低落、心灰意懒的日子里，遇到小昕的。在此之前，我一直沉浸在与别人的激烈竞争之中。也许是自尊，也许是虚荣，我总是竭尽全力地去争取每次考试得第一名，然而事与愿违，在考场上屡屡失意，让我患得患失，情绪波动极大。考好了，我便欣喜若狂，踌躇满志；考差了，我便颓废失意，产生自卑心理。在这样反复无常的情绪波动中，我心疲力竭，甚至陷入了病态心理的陷阱中。而在那样的岁月里，我的生活核心就是学习，除了学习一无所有。没有友情、没有爱，没有乐趣可言。

小昕是一个平实的女孩子，没有处心积虑的烦恼，没有好高骛远的浮躁。从她的身上，我察觉到了自己性格上的缺陷，同时，也深切地向往她所拥有的快乐、单纯与天真。

记得当时年级上另外一位女生成绩也特别优秀，与我不相上下，每次考试不是她第一，就是我第一。不知为什么，每次大考之前，我便会想：要是考不过她，该怎么办？尽管只是略微的担心，但仍然影响了我的情绪。小昕察觉之后，对我说："不要管别人有什么样的看法，你只要自己努力就好。"真是一语惊醒梦中人啊！"走自己的路，让别人说去吧。"——这是我早就烂熟于心的教条了，但却从未真正去领悟过。小昕的话给了我很大的启示，也许我就应该像她那样活得洒脱，才能真正活得精彩！

还记得第一次高考成绩、录取结果出来后，知道落榜结果已经铁定了的我，既自责又难过。那天正巧下起了倾盆大雨，黑云遮日。我在小昕面前情不自禁地泪流满面——在别人面前我不愿意显得懦弱无力，我是真的太难以接受现实——这阴暗的一切又岂能成真呢？小昕一味地开导我："我相信你一定会成功的。考上北大是你长久的梦想，千万不要因为这一次打击而轻言放弃！"

因为放不下面子，我不愿意到学校报名复读，也是小昕坚持陪我去报了名。她就是这样细心地关怀着朋友，尽其所有地帮助我。在复读时，心情郁闷的时候，我便会和小昕聊聊天——往往我会因此变得轻松快乐起来。小昕从没有忘记过鼓励我，我的生活也因为她的存在而卸下了很多的重荷与不快。小昕还是一个很好的参谋。在最后报填志愿时，我一直犹豫不决，反反复复。一方面，成为一名北大学子，确确实实是我多年来梦寐以求的事，如果放弃考北大，那么就意味着我丧失掉了这最后的机会；另一方面，如果我没有真实的实力，一味莽撞和意气用事，万一再次败北，也将失去其他优秀重点大学的机会。

就在我举棋不定的时候，小昕告诉我有实力就不要放弃，既然已经选择复读，又已经付出了那么多的心血。为什么不就此一搏呢？她还劝诫我说爱拼才会赢，抓住机会就不枉辛苦，失败了也是无愧于心；倘若轻易放弃，那又何必再多读这一年呢，岂不是白白浪费吗？

小昕的话肯定了我原有的脆弱的想法。人生能有几回搏啊！难道一次失败，就把我吓倒了吗？我自责地拷问自己。就是在那样的反复思考下，我坚定了决心—— 报考北大！

兴趣是最好的老师

到北大读书，是我两岁时的梦想。从小父母就为我创造条件，铺平道路。

古有孟母择邻的美谈。孟母为了孟子在良好的环境下成才，不辞辛苦多次迁居，在辗转之后终于"探索"到了培养人才的绝佳地点，从此定居教子，而孟子也不负所望终于千古流芳。天下的母亲都是明智的。我的母亲也辗转多次发掘我的兴趣所在，并加以培养。

一开始，母亲送我学绘画。我便跟着大胡子的老师，笨拙地拿着铅笔，到公园、到学校去写生。每次写生，我都静不下心。别的同学都屏气凝神，笔走如飞，我却是游离于三千丈之外，或常常盯着地上一只麻雀发呆半天。不多久，母亲察觉了，便果断地放弃了这个设想。

接下来的计划是送我学书法。谁知，我这个好动的小孩，根本无法"沉浸"到笔墨纸砚中去。每个星期一晚上交作业前，我才拿出皱巴巴的宣纸，胡乱涂几笔。老师绝望地说，朽木不可雕也。我将这句话转述给母亲，她却没言语什么，只是再也不监督我写字了。

就在这样漫无目的的探索中，母亲送我去学过舞蹈、围棋、篮球，而我却统统毫无兴趣。终于，当她看见我听到隔壁小孩儿弹琴目不转睛时，欣喜地发现我终于还是有爱好的。于是，我开始了学琴生涯。最终也颇有成绩。音乐是我的最爱，从学琴开始，我接触到了著名作曲家、著名曲目，在音乐中徜徉，乐不思蜀。母亲在反复选择之后，得出了"兴趣是最好的老师"这样的结论。

我的文学爱好也是母亲的功劳，她是我的启蒙老师。从她的念诵里，我知道了"桃之夭夭，灼灼其华"和"氓之丝丝，抱布贸丝"，知道了莫泊桑、雨果，也知道了《茶馆》、《屈原》。那时，文学的种子埋在我心。

到了文科班，在语文老师的影响下，逐渐加深了对文学的爱好。记得有一年中秋之夜，我正在学校上晚自习。黄老师在黑板上写下了杜甫的《月夜》，并用抑扬顿挫的音调向我们诵读。也许是那种别有韵味的气氛感染了我，从那以后，我开始大量阅读唐诗宋词，并从中获得了美的熏陶。

但对我影响最大的还是在文科班结交的一群好友。当时班上有一位同学饱读中外古今各类体裁的文学书籍，写一手漂亮文章，让我羡慕不已。在我眼中，那位同学也是"腹有诗书气自华"的代表。见贤思齐，从那以后，我每天总是抽出一段时间，阅览群书。

阅读，对我而言，不仅可以增长知识，更重要的是可以提高我的修养，陶冶我的情操。读史使人明智，读戏剧使人成熟，读传记让人眼光高远，读诗歌让人思维细腻。学贯中西的中国大文豪钱钟书先生，是我崇拜的偶像之一。我想，读书是我这一生都不应放弃的爱好。

母亲让我自由阅读

我的父亲是公务员，母亲是小学教师。他们都是最普通最平凡的人。

母亲是我的启蒙老师。也许是身为教师的缘故罢，她特别重视对我的教育。记得小时候，母亲经常把我带到她就职的小学图书馆，让我自由阅读——也算是"假公济私"吧! 就在那间小小的阅读室里，我竟然沉醉其中，乐此不疲了。图书馆里有连环画、杂志、科普读物和名篇名著。我是如此好奇地搜寻着一切有趣的图书，沉浸在书中英雄们打杀比武、精灵与巫师斗智斗勇的情节中，也常常被《十万个为什么》中的千奇百怪的世界所迷惑。当我带着问题询问母亲时，母亲总是很高兴地一一作了解答。

除了阅读，我还常常呆在书桌前写日记、作文。有时候，我会拿着自己颇为满意的作文，站在正在缝纫机旁做衣服的母亲面前，字正腔圆地给她朗读——她总是带着赞许的微笑，表扬我写得好! 记得有一回我的作文得了 100 分，母亲真是由衷地高兴啊! 后来，参加作文竞赛，我也老拿第一名，这也应归功于母亲的培养吧。

因为是老师，母亲经常带我去办公室里和别的老师玩儿。有时候，会带我和她班上的学生一起玩——和那些大哥哥、大姐姐在一起，听他们说我不懂的数学题和成语，我羡慕他们的知识，由此产生一种对学习的渴望。正是这种渴望，让我徜徉在知识的海洋……

父亲是一个幽默的人，特别喜欢逗我玩儿。他喜欢围棋、象棋，游泳和打篮球。我常站在旁边，看父亲和别人对弈，虽然看不懂却极喜欢他那一招一式全神贯注的模样。后来，父亲干脆自封"师父"，教我下围棋和象棋。虽然我天资愚笨，没学到他那游刃有余的战技，但也算是略知一二，聊胜于无。因为父亲的缘故，我也学了游泳和篮球，但最终让父亲失望了。

父亲是外向的，勤于工作的。那时候，我常常深夜醒来看见书房的台灯还亮着。父亲还在伏案写作。他在工作之外，也做着通讯员的工作，经常要写文章。那一篇篇变成铅字的文章，都让我对父亲肃然起敬，更加崇拜。

小学四年级的时候，我患了心肌炎，不得不休学一年，卧床休息。为了我的病，父母操碎了心。病情稳定之后，我开始了漫长的休养生活。一个正值活泼好动年龄的孩子，要与世隔绝，不能和同学玩耍，不能坐在教室里聆听老师的授课，是多么悲惨的事啊! 而且一年之后，我会不会落到别人之后，从"三好"学生变成落后生呢?——幼小的我带着满怀的疑问，每天都是郁郁寡欢。有时候，从窗外看见别的孩子排好队去郊外秋游，而我却只能老老实实呆在家里，泪水就像断了线的珠子掉了下来。母亲、父亲看在眼里，急在心里，想方设法要让我过得快乐、充实。

于是，父母给我找来了教科书和各种各样的课外读物，让我躺在床上空闲时就看。母亲还教我织毛线，给我买了蜡笔、水粉用于绘画，一有空就教我做各种各样的手工艺品，用丝带、肥皂、大头针做成花篮什么的。有了父母的精心安排，我的确一天天快乐起来。应该学习的功课不但没有落下，反而提前一年学完了功课。除此之外，我的绘画、手工制作水平也得到了提高。回到学校时，正碰上期末考试，我的语文得了99分，数学得了98分，母亲高兴极了——原来她一直担心我会落后于人。后来，在美术课上，老师又大大表扬了我画画的技巧，还推荐我参加全国性的绘画大赛。

因为撒谎，父亲打肿了我的脸

参加中学入学考试，是我面临的第一次考验。母亲、父亲一点儿也不紧张，因为相信我极有把握考上重点中学。考试那天，母亲很早就起床给我做了一大碗热气腾腾的鸡蛋面，并送我到考场。我信心十足地走进考场，考试顺利。

谁知两小时后走出考场时，看见母亲大汗淋漓地站在火辣辣的太阳底下等我。我才明白她原本还是有顾虑的，不像外表上那样无所谓，我深深地感受到了母亲对我的那份爱。

重点中学里的竞争是格外激烈的，强手如云，彼此都要一比高下。记得第一次全年级统考，我考了第二十一名。这样的名次对于一直名列前茅的我而言，是个不小的打击。我便一直把成绩埋在心里，不愿告诉父母，怕被责骂。可是纸包不住火，他们最终知道了。出乎我意料之外的是，他们不但没有责备我，反而大大鼓励我一番。我感到十分惭愧，因为没考好确实是自己没有好好努力学习的缘故。从那以后，我暗暗告诉自己一定好好努力，不要辜负他们一番良苦用心。我的成绩也升到年级前三名。

在初中时，除了学习，他们还注重培养我健全的人格和综合素质。有一次，我因为说谎被父亲狠狠打了一顿。看着一脸乌云的父亲，我害怕了。父亲说：可以没有好成绩，但一定要有好的人格；不成材，但一定要成人。这句话对我产生了深远的影响。在后来的岁月里，我一直要求自己做一个诚实正直的人，这也是父亲那顿板子的成果。"黄金棍下出好人"——这句老俗话也并非毫无道理。

那个时候，我们的家境算不上富裕。父母都是普通的工作者，在岗位上兢兢业业，为了家庭也是四方奔波。但我很少看见他们抱怨过什么。我那个时候特别羡慕邻居家小孩，因为他父母都是音乐老师，家中有钢琴、小号、手风琴等许多乐器。我常常痴迷地听着钢琴那清脆悦耳的声音。父母亲察觉到了我心中

高考传奇

的渴望,便东拼西凑给我买了一台电子琴。当我的双手第一次触摸到那光洁的黑白键时,一种冰凉、惬意的感觉顿时从指尖一直传到了我心里。当我用不连续的节奏弹出我学会的第一首曲子时,我是多么激动、多么兴奋啊!我又是多么、多么感激我的父母啊!

学琴三年,我学到了很多艺理知识,也陶冶了情操。初二时,我获得了八级证书,这也是我对倾心培养我的父亲、母亲的一个回报吧!

那年中考,学校加试了体育,总分为 30 分。这对我来说,是大问题。因为那年生病的缘故,在药物副作用下,我的体质下降了很多,体育锻炼也放松了。当时要测验的项目有:仰卧起坐、立定跳远和投掷实心球。还有几个月就要参加中考了。我的体育成绩却总是很差,一两分之差就可以决定是否能上重点高中。

父母比我更着急!母亲从学校借来了实心球,每天傍晚陪我到学校操场练习投掷。一旦发现我姿势不对,或是用力方式不正确,立即就给我纠正过来。母亲还亲自示范,我投一次,她投一次,不言疲乏。

50 米跑也是我的弱项。父亲便常带我到操场上跑步。一天、两天……在父亲的指导和鼓励下,我跑得越来越快、越来越轻松,父亲的笑意也越来越浓……

考体育那天,在父亲、母亲关注的目光里,我轻装上阵,最终获得了优良的成绩。而中考,我也顺利通过,向着北大的梦想迈出了重要的一步。

当我在电话里听到父母用颤抖的声音说我考了 666 分时,我激动得流下了眼泪。我知道,我的成功来源于父母、老师、朋友,我在心里深深地感谢他们……

点评

教育专家

王东华

对于一个从小成绩就很好的孩子，人们往往认为，他的父母一定不会管得太多。因此我们总是听到不少父母在指责自己的孩子时说："你看人家根本就不要父母管，而你呢？"

其实每一个成功孩子的背后都有一个会管的父母。孩子的每一步成长，都离不开父母的关怀与帮助。这种关怀与帮助，使得孩子即使面对困境也不会放弃努力和坚持。

幸婧小时候和我们大家一样，也是在一个普通的家庭里受教育长大的。不过作为一个有心人，她母亲给她的启蒙是特别而有意义的——常带小幸婧去自己就职的小学图书馆看书。小孩子徜徉在书的海洋，增长了见识，陶冶了情操，作文自然见好。她的父亲虽然也是一个普通的公务员，但幽默和蔼，"童心未泯"，常常和孩子一起讲故事、下棋。在这样一个轻松和谐的家庭环境里长大，小孩子自然是快乐的，在快乐里学习，孩子的学习成绩自然不要父母操心。

当然，任何一个孩子的成长，都会碰到一个又一个问题，没有碰到问题的孩子和家长是不存在的。

小学四年级时，幸婧因心肌炎休学一年，一年漫长而枯燥的卧床时光，对一个正值活泼好动的孩子来说是残酷的，更何况一个"三好"学生呢？幸婧的父母急，但也很清醒，在给孩子治病的同时，不仅找来教科书，还设法教孩子制作各种手工艺品，甚至画画、织毛线。这其实就是一种快乐学习法，让孩子快乐地学好知识的同时，又培养了孩子的动手能力和艺术趣味。

在强手如林的重点中学，竞争无疑是激烈的，这样的时候，作为父母一定要了解孩子，多和孩子沟通，陪孩子一起面对各种问题。由于紧张，幸婧高考前失眠以至于最终高考落榜，这样的时候，无论是孩子还是父母都是痛苦的，难得的是这时父母没有责怪孩子，而是和孩子一起默默地承受痛苦……

即使是在这时，她的父母仍饱含着信任与爱。正是带着这种信任和爱，落榜后的幸婧重新走进"高四"，她明白再也不能让母亲伤心……家庭是宽容的，宽容让幸婧轻装上阵，从容高考。

幸婧的家庭给予她的教育，可以说很普通，自始至终润物细无声，然而就是这样波澜不惊的家庭教育，却培养出了一个文科状元。通过幸婧的叙述，我们可以看到即使是对于这样一个状元，她的父母仍是如此操心！不要父母管的好孩子是不存在的，但关键是父母如何去管。

落榜女儿终成状元

1981 年 12 月 21 日，女儿呱呱降生。望着女儿大大的眼睛，红红的小脸，一种从未有过的喜悦和幸福之情涌上心头。初为人母的我暗下决心，一定要把女儿塑造成一个有出息的人，于是就和丈夫一道给女儿取了一个寄予我们全部爱和希望的名字——幸婧。我们希望女儿长得既漂亮又充满才气。

在全家的爱抚下，女儿一天天长大。身为小学教师的我看着自己培养的学生个个聪明伶俐，也盼望着能把自己的女儿培养得活泼聪颖。八十年代初，我们生活的县城还处于百废待兴的阶段，文化生活比较落后。一天，我带着女儿逛书店，好不容易发现了一本幼儿读物，是一本二三十页的看图说话，有十来个小故事，每个故事配几幅插图。我买下了这本书，这就是我们家的第一本儿童读物。

女儿非常爱书，只要我在家便缠着我给她讲故事，我也总会捏着她的小手指，指着书中的图和文字绘声绘色地讲。十多天后，女儿照例要我讲故事，望着女儿娇小的脸儿、企盼的目光，我说："婧儿，妈妈今天教学太累了，妈妈没精神讲故事，你讲给妈妈听好吗？"女儿爽快地答应："好！"没想到还不到两岁的女儿，竟一字不漏地把一本书的内容一鼓作气全讲下来了，我非常惊诧女儿有如此不错的记忆力。

更让我吃惊的是，一天，我抱着女儿到婆婆家去，路上女儿摸着我的脸说："妈妈，我长大以后要上北京大学！"两岁的女儿认真地重复了几遍。小小年纪的女儿怎么会知道北京大学？！怎么会有如此志向？！我虽对女儿寄予了无限希望，但还从未对她进行过如此超前的教育，何况北京大学这所中国最高学府在我心目中是何等神圣，高不可攀！

故事伴随女儿成长。我们全家人把逛书店当作一件乐事，一旦发现适合女儿读的书，我就毫不吝啬地买下。几年下来，女儿的书橱里放满了书。《格林童话》、《成语故事》、《上下五千年》等，故事磁带也堆得高高的。女儿爱听故事，我就因势利导，让女儿听完故事后再复述给我听。天长日久，女儿的语言表达有了很大提高。与此同时，我还着手培养女儿的观察力和思维能力，无论走到哪里，我都让女儿留心周围的事物，让她有顺序地描述出来。有时我有意识地提一些问题引导女儿思考，这样她就有了强烈的求知欲望，一有空，女儿便要我出题考一考。刚开始我出题还顺利，到后来得费一番心思，编出的题才能满足女儿的要求。就在这样的环境中女儿长大了。

女儿上学了，她的学习成绩十分优秀，从小学到高中她担任过许多职务：班长，团委委员；也获得过无数的第一：学科总分年级第一，作文竞赛、演讲、辩论赛全校第一，英语竞赛全国一等奖，高考获重庆市文科成绩第一。

尽管女儿的成绩让父母满心欢喜，但我们也从未忽略过对她的道德品质教育。在我的记忆中女儿曾挨过一次打。那是她七岁的那年夏天，天气十分炎热。丈夫买回一个大西瓜，女儿最爱吃西瓜，她吃了一块又一块，直到肚子胀得鼓鼓的还舍不得停嘴，一会儿又拿起一块西瓜，咬了两口，实在吃不下了，便扔在了桌子上。丈夫问："小婧，桌上的西瓜是谁扔的?"女儿想也不想就说："是妈妈。"丈夫半信半疑地走开了。我在隔壁屋里听得清楚，便走到女儿身边问道："婧儿，西瓜是谁扔的?"女儿仍然想也不想就说："是爸爸。"我生气了，顺手拿起一根竹片打了她一顿，并厉声说道："今天你有什么错?妈妈为什么打你?"女儿一边抽噎一边回答："我错了，我说谎了，以后我再也不说谎了。"望着满脸泪水的女儿，我心疼地把她搂在怀里，一边给她擦眼泪，一边给她讲《小虫和大船》的故事。我想让女儿从故事中领悟到，一个人有了错误必须及时改正，否则错误会越来越大——就像小虫不断繁殖最终毁掉了一艘大船，错误不及时改正，也会毁掉一个人的一生。

女儿的生活一直充满爱的阳光，然而，新千年的七月晴空突变。在千军万马拥过独木桥的那三天到来之前，我几乎天天与女儿睡在一起，以便照顾她的情绪和休息。"昨晚睡得好不好?""睡得好!"几乎每天都得到这样简短的答复，我和丈夫才会满意地一笑，把心从嗓子眼放了回去。

六日晚上，女儿照例在房间里复习。我们也照例看着已经把音量开到最小的电视。快休息的时候，女儿从房里出来，高高兴兴，还与我们谈了考上北大的信心和实力。女儿临战如此轻松，如此有信心，我们心中的石头总算落地了。11：30分我和女儿回房睡觉。

"咚咚"拍打床板的声音，"呜呜"的哭声，把我惊醒了。"女儿失眠了!"此时已是凌晨四点。天哪，女儿一夜未睡! 她心情烦躁，情绪紧张。我和丈夫哭不敢哭，吵不敢吵，打不敢打，话不敢多说，惟有泪水往心里流。哄着她，安慰她，让她静下来，静下来……

597分!省级"三好"学生再加20分!拿到这样的高考成

绩，我们忐忑不安，度日如年地等待着北大的一纸通知书。然而，北大给了女儿一个失望。女儿只有在痛苦中振作起来，等待第二年的辉煌!

等待是痛苦的，等待是漫长的。跌落的一年里，女儿天天早上6：30分上学，中午小憩片刻，看书听英语，晚饭后又继续复习，从没有星期天，从没有睡懒觉。凡是书店里新到的复习资料，女儿都照买不误。她做了数千道题，背了数百遍书，女儿发誓要考状元。

梅花香自苦寒来。又一年的高考，女儿的梦想实现了。她以666分，比重庆市第二名高出20余分的好成绩，当上了文科状元!

幸婧的母亲　**李永会**

许峰

玩出精彩

许 峥(辽宁省文科状元,现就读于人大)

父母职业：公务员

父母教育时常说的话：

　　看看别的孩子，再看看你

生日：1982 年 10 月 18 日

爱好：看书（当然不是课本了！）、打篮球

最崇拜的人：我爸、我妈

最喜欢的作家：

　　张爱玲、鲁迅、歌德、莎士比亚

最喜欢的职业：战斗机飞行员、历史学家

寄语高中生：

　　篮球与数学、音乐与作文有时会互相促进；事情有时看起来很复杂，但真正动起手来却并不困难

父母"一概反对"成就了我

情景一：我从公共管理学院转到财政金融学院，恰逢新生杯篮球赛开赛。当时班里同学还都不太认识我。当我打满全场比赛，抢下 25 分，10 个篮板，以及连我自己也数不清的助攻之后，一个女同学对我说："你就是我们班新来的体育特招生吧？"

被误认为体育特招生，我几乎晕倒了……

情景二：某日无聊，遂于人大 BBS 版上留言："或邀校内 KOF(拳皇)917 高手，华山论剑，一决雌雄。"未几，校内高手"倾巢出动"，均为大三、大四之师兄，领头四人为计算机协会 KOF917 比赛四强。遂与之决，"侥幸"悉败之。彼等遂举我为 KOF 新擂主。

相坐，随便闲聊，一人问余曰："为何以前无缘相见？"答曰："某乃新来学校尔！"又问："想必为研究生矣！"我急释曰："某实为大一新生！"众皆愕然！

过二日，学校风传，大一一高手战胜计算机系"四大天王"！

情景三：我因为参加学院内辩论赛表现出色，被招进财政金融学院辩论队，作为二辩参加中国人民大学第九届辩论赛。

赛后聚餐，一位师姐对我说："你认识今年我们学院招来的

'状元'吗?听说他是那种特别刻苦的人,除了学习,什么都不干。"另一位师姐回答:"这样其实也不好。当个书呆子是没有出息的。"听说我与"那个状元"都是辽宁的,就对我说:"许峥你虽然学习没他好吧,但你比他全面,比如说辩论赛,他就参加不了吧!"

这时一位老师说:"其实许峥就是那个'什么都不干,只知道学'的状元!"

……

以上三个情景,就是我进入大学以来碰到的。别人似乎很难把我——一个所谓的高考"状元"和球队主力、电子游戏高手、辩论赛队员等等角色联系起来。

大概在一般人眼里,一个"状元"就应该是那种手无缚鸡之力,白白净净的书生,但我想,我在用实际行动回击他们,状元为什么,一定要是那个样子?

这就是我,一个爱玩、会玩的我,一个不愿意做书呆子的我!

要想了解这是为什么,还得听我从头讲起:

差一点,我成了李铁的队友

我从小就爱玩,捉迷藏、打枪仗、玩水枪、盖房子,各式各样不一而足。一般天要是不黑,我决不会回家的,整天像野孩子一样四处疯跑。别的收获不大,惟独得到了一副好身体,什么咳嗽、感冒、发烧头疼之类的毛病,基本上和我是井水不犯河水。

我记得我从小到大惟一一次住院,是因为医生说我贫血,父母当时很难相信,因为我像黑铁蛋一样,特别结实,而且一顿比我爸吃得还多(我当时也就六七岁),怎么可能会让我留院观察，于是我有了平生第一次住医院的"历史"，结果第二天医院发现是他们把我和别人的化验报告弄混了，我是"一切正常"而决非"营养不良导致贫血"，于是我的住院历史就这样不了了之。

说来真是机缘巧合，当年我极有可能被招进足球队去踢球，而不是去上学。

当时我家隔壁住着一位老奶奶，我叫她张姥姥，她儿子就是昔日辽宁队的队长、现今沈阳海狮俱乐部负责二线队的张光莹。老人家特别喜欢孩子，而我嘴比较甜，总是"张姥姥""张姥姥"地叫，更是使老人家喜得合不拢嘴，于是就想让他儿子把我招去踢足球。

而那个时候，我也确实没事就在南湖畔，体委大院的训练场里和一群比我大二三岁的孩子踢球，踢累了就坐在地上隔着隔离网看辽宁队训练，我那时候最喜欢傅博和傅玉斌。不瞒你说，那些和我一起踢球、看球的孩子当中，就有今天辽宁队的很多主力，像李金羽、李铁、曲圣卿……不过那时候他们还没这样风光，跟我们一起喝凉水，一样穿着破旧的球鞋。

但是，父母是不鼓励我踢球的，因为我家虽不是书香门第，但好歹父母也都是知识分子，特别是我爷爷思想比较保守，认为只有读书，上大学，才是人生的正途，踢球玩玩可以，但把它当成职业，岂不是"步入邪路"。再加上我又是长子和独孙，他们也很怕我受伤，所以踢球一事他们总是表面上不置可否，实际上坚决反对。后来我年纪日长，学习也越来越好，这终于促使父母彻底打消了让我去踢球的念头。

人生就是这样，有时候我也会想，如果当时父母同意让我去踢球呢？如果自己坚持一下呢？如果张叔叔做做父母的工作呢？如果……

那也许今天就没有一个当文科状元的"许峥",而有了一个职业球员"许峥",这两者究竟哪一个更适合我呢?也许这个问题只有时间才能够回答,但我想就今天来说,父母的选择是正确的,因为球员何止千万,但状元只有一个!

不知不觉间,我就上了初中,在这里因为场地与安全的问题,足球由世界第一运动变成了"被禁止运动"。于是抱着玩一玩、试一试的态度,我开始了"篮球人生。"

但篮球带给我的初次体验却是悲惨的失败。

那是我们班第一次打校内联赛,对手是二班。那场比赛我们的状态很不好,每个人的准星都有问题,更糟的是我们根本就没有配合,每个人都在埋怨别人,最终我们在一败涂地中收场,比分更是让人心碎:27∶2。

当时的失利,使我们很痛苦,一帮大小伙子,无精打采地回到教室里。我只是觉得没脸见人,似乎我们对不起老师,对不起同学,对不起那些给我们呐喊助威的啦啦队!那种感觉,甚至比考试不及格还难受。

输得这样惨,全班男生都憋着一口气,大家都发誓一定要"刻苦修炼",打败二班。于是我全力完善我的"大前锋技术"。我开始拼命地抢篮板,当时公牛还没散,于是全年组都知道七班有一个"罗德曼"。

然而不久,新的问题又来临了,父母并不支持我打篮球。因为我当时学习成绩不好,他们更是将打篮球归为导致我成绩不能有效提高的主要因素之一,对我打球横加阻拦。他们拒绝为我购置一些必需的装备,例如球服。他们甚至形成了一套系统的理论来教育我:"学生以学为主,你的主要任务是学习,打篮球达到健身的目的就可以了,不要搞得太专业,那样会浪费太多时间。"

从这时起，我开始真正体会到了生活在夹缝中的感觉。一边是学习的重压，父母的期盼，另一边是要打败"敌人"血洗前耻的冲动——一个少年开始学会在"夹缝"中求生存，这大约也是"素质教育"的一种培养模式吧！

于是我开始实践那句极训"短时高效"，努力地学，同时努力地玩。当时记得刘墉和他儿子出了一本书叫《做书虫，也做玩家》，我把它放在枕边，努力按照上面的话去做。

但同时我心里也清楚，刘墉之所以能写书是因为他上了哈佛，而决不是因为他的音乐才能。我要想证明自己，靠的只能是学习而绝不可能是篮球。全面发展，不等于全面优秀，最终是在事实上，我像父母说的那样把篮球变成了"业余爱好"！

尽管这样，我还是从运动中受益匪浅的，通过它我学会了与人合作。篮球是一项团体运动，没有队友的配合与支持，就是乔丹也会孤掌难鸣，所以你必须学会合作，尽量在别人需要你的时候帮助别人，这样别人才会在恰当的时候回报你。

通过它我学会了保持尊严。篮球是一项强对抗的运动，在这种运动里要想找到一块立足之地，你必须使别人尊重你，否则你很容易被弄伤，这需要你记住一条："雄辩如银，沉默是金。"

也是通过它，我交到了很多朋友，其中一个便是周洋，后来的"雪碧"全国电视节目主持人大赛冠军。

今天我打篮球，更多是一种爱好，而不会太在乎输赢，因为这样我会更充分地享受到运动的乐趣与舒畅！

几次被父母从游戏厅里拽出来

提到玩，我不能不提到打电子游戏。电子游戏，有太多的孩子对它爱不释手，对应的就有太多的家长对它恨之入骨。究竟孰对孰错,我一个学生似乎无权评说,我只是讲讲自己的故事。

我小学时就酷爱打电子游戏,玩起来可谓是废寝忘食,用我母亲的话形容叫"连眼睛都不眨"。玩物丧志,于是父母没收了我的游戏机,严禁我再玩电子游戏。

我绝没那么听话,于是就东躲西藏,开始了游击战。狐狸再狡猾也躲不过好猎手,更何况我远不如狐狸,而父母却如猎手一般"睿智"。总之我几次被从游戏机房里拽出来后,终于向父母"屈服",彻底不玩电子游戏了。

这一禁就禁到高二。数年的隔绝,使我对信息产业以及信息技术有一种莫名的恐惧,至今也没有消除。

但从那时起,我却开始玩了数量庞大的游戏。从《大富翁》到《大航海时代》,从《仙剑奇侠传》到《星际争霸》,甚至《石器石代》、《古墓丽影Ⅱ》,还有什么《黑暗》、《反恐》、《文明》,林林总总,不一而足。我就犹如杰克·伦敦的《White Fang》里面的那只狼,"在不可思议的饥饿之后,不可思议地大吃"。

在这众多的游戏中,我最欣赏两款游戏,一款是 RPG 类的《仙剑奇侠传》(别笑我太老土),另一款就是 SNK 公司大名鼎鼎的《King of Fighter 917》,中文译成《SS 格斗天王97》(台译)或《拳皇 917》(港译)。

喜欢《仙剑》是因为它的"古老"与"经典"。记得有人说过:"仙剑"是一首老歌,一部老电影,一个初恋情人,情思千缕、风情万种,给人一种怀旧的美感。

现实生活的苦闷与单调,使我们很希望能有一些非现实的东西发生。因此在游戏的世界里,你就尽可以在刀乐相见的苏州擂台上,在轻歌曼舞的扬州城内,在花花世界似的东京城里,与美丽坚强却又刁蛮任性的林月如,楚楚可怜人见人爱的赵灵儿，无怨无悔为爱奉献的彩依，一起演出一幕幕生离死别、可歌可泣的爱情故事。在这虚构的世界里，我们可以暂时忘掉一切的考试、工作、责任、理想，只是简简单单玩一场，这种洒脱，这种自由，除了"0"和"1"构成的虚拟世界，恐怕再也无处可找了吧！

玩《仙剑》，追求的是一种自由，一份宁静。

对于《拳皇917》，却就是一份无比复杂的感情了。它真是让人又爱又恨，备受"折磨"！

爱它，因为它近乎完美的视觉效果，充满个性的人物设计，变化无穷令人目不暇接的连招与必杀招，使我为之倾倒，为之疯狂。

恨它，因为它霸占了我太多的时间，耗去了我太多的热情，曾经一度令我成绩下降，学业受挫。

但玩这款游戏，却成为我一个不悔的选择，因为它给我巨大的启示，令我受益匪浅。

玩这款游戏，其实并不难——左手控制方向杆，右手按四个键就可以，但是同样的设备在不同人手中，可就有不同的表现了。

像我刚开始玩的时候，经常被几个七八岁的小学生打得落花流水，但也只好打掉牙往肚里咽——忍了。这就是游戏的世界，它不凭身体，全凭智慧。无论你是六七十岁的老人，还是七八岁的孩子，在游戏中你将完全平等。这和高考又多么相似，别管你出身名门，亦或你出身卑微，分数面前人人平等。

这失败促使我去思考。我与别人的差距究竟在哪里？思考的结果使我更如迷茫，一种因独立思考而产生的迷茫。

这迷茫促使我去学习，于是我经常独自呆在游戏机旁看一些"高手"们过招，耐心向别人请教，再反复地练习。我甚至

玩
出
精
彩

开始钻研《孙子兵法》，从中我得到很多启迪，这本书不愧为"奇书"，它的神奇只可意会，不可言传。

经过近半年的摸索，我开始逐渐缩小与别人的差距。终于有一天，当我轻松地战胜一个昔日我无法望其项背的对手时，我体会到了一种成功的喜悦，一种胜利后的幸福。

这胜利使我无意中意识到，高考与玩游戏一样，其实就这么简单，就这么容易。我们之所以没能发现，是因为我们长久地在一条别人指定好的路上前行，只需向前，不可以向旁边看，于是我们日渐就放弃了思考的权利，渐渐地，我们就不会独立思考了！我于是一如既往地学，却不想去独立思考一下，学的目的是什么。是考大学？是为了挣大钱？亦或是为了不断完善自己？也不想去思考一下如何学是死记硬背，是活学活用，亦或是自主学习？

禅宗讲究悟，黄庭坚因为一句"一问木樨香否"而幡然悟道；西方讲究内心自省，苏格拉底因为长期思索"认识你自己"而成为一代哲学巨匠；我们这些要参加高考的学生，应该讲究独立思考，想想自己究竟有什么问题，应该怎样解决！

玩，决不是一件坏事。简单的一个"玩"里面蕴含着太多的道理，是一两百万字也写不完的。爱玩、会玩，处理得好学与玩的关系，这本身就是一种能力的表现！

所以，家长们，你们还犹豫什么，让孩子们去玩耍吧，别让他们过早地失去童年。

同学们，你们还犹豫什么，释放你们的激情，努力去完善自己，希望我们可以一起大声说："我不愿做书呆子！"

父亲大吼："光聪明有什么用？"

记得在沈阳电视台作节目，有一位观众问我："你是不是一直学习都很好，总是名列前茅呢？"我脱口而出："不是！"当时大家都很惊讶，以为我是故作"谦虚"。

其实，我是真的不是。初中三年，我一直在班上成绩中等偏下，甚至有一次语文成绩全班倒数第一，如果你知道这些，你就不会以为我是谦虚了。

1994年，我进入东北育才学校学习，表面上看起来，我是进入了名牌学校，可是这其中的酸甜苦辣又有谁知道呢？

育才的建制与沈阳市别的学校都截然不同，初中部分成三大块："少儿部"、"特长部"、"常态部"。

所谓"少儿部"，是为那些智力超过正常同龄人的水平，并具备自主学习能力的"天才"准备的。这里的学生小学四年级（十岁左右）入学，学习四年，就可以升入大学。十四五岁上大学，绝非一般人可比，难怪育才校内流行一种说法，说"少儿部"是把幼儿园与大学连接起来的"桥梁"。

所谓"特长部"，是为那些学有专长的学生们设置的。下设四个班，即数学、计算机、英语和日语。数学一个班三四十人，基本上都是沈阳市各种奥林匹克数学竞赛一、二等奖的获得者。

顺便提一下，我四年级时去考"少儿班"，初试百分制考试只考得两分，离十八分的录取分数线相去甚远。毕业前考"特长班"，初试免强通过，复试据说排在倒数三名以内。

而我所在的常态班，是育才因为缺乏建校资金为筹资而建立的，每个新人都要交一笔不菲的建校费。纵使这样，考试也是其难无比。当时招生二百人，结果报名者多达三千人，十五人里取一个，比高考录取率还低。在这次考试中，我考第二百五十名，是那种如果别人考上了，却不愿交钱，去替补的角色。

不知是中国人太有钱，还是育才的感召力实在太大，让大

玩出精彩

家没钱也硬要上，总之那一届招生形势特别好，顺次录到二百三十多名就不再录了。

几十位失望的家长自发聚在校长室外，眼巴巴地盼着能再多给几个名额。可是校方却宣布今天录取到此结束，希望大家离开。人群渐渐散去，到晚上 5 点多，我和母亲也失去了信心，回家吃晚饭。

天公也不作美，我们刚回家就下起了大雨，一顿晚餐就这样在沉默中混过去了。谁知刚吃完晚饭，母亲竟又穿上了外衣，准备再次去碰碰运气。父亲一开始劝母亲别去了，但后来看到母亲坚决的神色，就摇摇头说道："唉，去试一试也好，办法是人想的嘛！你要去就把孩子也带上吧，也许这孩子福气大，能有转机呢！"就这样，我与母亲又返回学校。

那天夜里，我和母亲在雨里一直站到十一点多钟，我被冻得直哆嗦，几次提出要回去，母亲就把外衣脱给我，自己只穿一件雨衣。她总是小声地对我说："孩子，坚持一下，坚持一下就会有希望的！"也许是母亲的诚心感动了校方，也许是校长可怜我们母子俩，总之最后校长答应让我去试读。实际上就算是同意我去上学了。

这就是我去育才读书的鲜为人知的故事，一个并不出色的孩子，靠着父母的努力，终于有机会去全东北第一流的学校上学了。

"许峥那孩子多聪明呀，考上育才了。""祝贺你呀，许峥，你真是聪明呀！"聪明是个很中性的词，但放在这里可能就有点异样的味道，譬如一个不漂亮的女人你可以夸她"有气质"，一个不 handsome 的男人，你可以称他"有风度"一样。但当年我是根本听不出这话里的隐藏含义的。我这颗本来很幼小的心因一些赞美，一些奉承而极度自我膨胀。

我犹如阿Q，犹如巴尔代克(波兰小说《胜利者巴尔代克》中的男主人公，号称"波兰的阿Q")一样，觉得自己的确是聪明，正是因为这聪明，我才取得了今天的成绩，不是吗？不然我怎么会不废吹灰之力就通过试读期？不然我怎么会那么被老师喜爱？我觉得我上育才是天经地义的。我甚至遗忘了那个风雨交加的夜晚，忘记了我与母亲被冻的惨境，忘记了那笔父母紧衣缩食积攒下的不菲的建校费，忘记了爷爷临终前对我的嘱托，忘了我其实不过是个编外生！

终于，当期中考试的成绩公布时，我惊呆了。四十三名！这是一个多么可怕的名次呀！这是一个我在小学连想都没想过的名次。四十三名，这意味着我在全班倒数十名之列！

"有人从小康而变得困顿，我以为在这之中可以看出人性来"，鲁迅这段话用来形容我当时的处境真是贴切无比。第四十三名的成绩，使大多数人只能夸我聪明了："许峥这孩子真的很聪明，就是学习稍差点儿。"这就仿佛一个男生生了一张奶油小生的脸却偏偏在干清洁工的活，那张本可以引以为豪的脸，却白白成了聋子的耳朵——摆设。

父亲冲我大吼："光聪明有什么用？"母亲也向我叨唠："你也不笨，怎么学不好？"我能说什么？我学，我学……

就在这"困顿"中挣扎了一年，我终于明白了，聪明确是一钱不值的。也是在那时，我明白了一个词叫"非智力"因素，也是从那时起，成绩不佳的我极不愿再被称为"聪明"。

于是我学，我学，我再学。

我以知恩图报的心态去学

这里我要感谢几位好老师。第一位是蔡老师，他长得颇像动画里的圣诞老人：又红又大的鼻子，白眉毛，白胡子。老人

玩出精彩

家因为退休在家，发挥余热，才给孩子们补习英语，我抱着试试看的心理跑到他那里。第一堂课他就跟我说："你们能上育才，哪个也不会笨，关键是看谁更努力！你投入多少，就会收获多少！"

为了鼓励我，蔡老师还开玩笑说，要收我为关门弟子，准备把毕生绝学传给我。我当时还真就信以为真，每天拼命学英语，生怕"有辱师门"。

就这样，我们一老一少共同努力，每天背多少单词，看多少课文，掌握多少语法，全都有条不紊，按部就班地进行。期末考试前，蔡老师又告诉我说，我现在英语老师其实也是他教的，要我这个关门弟子露两手给她瞧瞧，还给我写了个"向师姐挑战"的条幅贴在写字台前。

终于"功夫不负有心人"，在期末考试中我成绩大幅度提高，居然考到了第九名。第九名，这对于当时的我来说，其意义之大是根本无法用语言表述的。我一口气爬上天台，一个人庆功喝了一大瓶 1.25 升装的可乐！

其次我想感谢的是我的地理和历史老师，如果说当年我在育才还有些学得出类拔萃的科目的话，我想那得算是历史和地理了。

我的历史老师是一个身材瘦小，性格温柔的小女人。她长得不算漂亮，嘴角边有一颗很显眼的痣，但气质很好，有一种宁静、婉约的美。

在印象里，她对我们总是很和蔼，特别是对我，从来没有发过脾气，并主动提名让我担任她的课代表。我以一种"感恩图报"的心理去学历史，但有一段结果并不理想。主要因为在育才这种"重理轻文"的大环境下，一般学生很难把更多的时间投入到历史学习中去。于是她教给我一个事半功倍的办法：

将书前的目录抄下来，挂在书桌前，有空就背那个目录。我虽不明白这会有什么用，但也只好照办。没想到"背目录"这功夫果然有效，因为历史书其实挺像章回体小说，那标题往往都是千锤百炼、仔细总结出的"内容概括"。整个目录体系其实就是一个"精华版"的"中国历史年表"，我熟记了目录之后，就像是掌握了历史发展的框架，只要再充实一些史实就基本 OK 了。

靠着历史老师的指点，我在初中历史学习一直都是名列前茅。总算也对得起历史课代表的称号了。

我的地理老师姓孙，是一个刚从北师大毕业的挺高、挺瘦也挺帅的"大男孩子"，他和那些老气横秋的男老师不同，身上充满了青春的气息。他和我们一起打篮球，春游时和我们一起抓青蛙做标本，开联欢会时给我们弹吉他、表演魔术。在本来就少得可怜的初中男老师中，他似乎最 popular。我们打心眼里喜欢他，于是我认真听讲，课后按时自学。也许是良好的记忆力帮助，也许是父亲的遗传，总之我很轻松地在这一科目上显得"出类拔萃"。

这使他很欣赏我。如果说历史老师对我是那种默默无声的关怀，他对我的表扬就是直接的、公开的。我至今仍然记得他是如何当着全班的面，说道："你们要像许峥那样，人家地理什么都会！"当时我确实有点受宠若惊，甚至有点怀疑自己的耳朵，因为在此之前，一般老师表扬我的方式，基本上不是"许峥这次进步很快，快接近全班平均分了"，就是"许峥虽然成绩差一点，但是和以前相比，还是有很大提高的"，这类我搞不清楚究竟是夸我还是骂我的话。

可惜在育才这种"重理轻文"的大环境下，像我这样喜爱"小三门"的学生就像二十多岁就为夫守节的小寡妇一样，郁

玩出精彩

郁寡欢。终于，三年结束，我被育才踢了出来。

但正是从这无足轻重的副科上，我看到了依稀的希望，我始终记得我想退缩时母亲对我说的话："孩子，坚持一下，坚持一下就会有希望的！"正是这份执著，使我努力向前，从没有半途而废。

对于育才，我有一份深深的依恋与热爱，表达这份感情，我只能借用大话西游中的套话：

　　"曾经有一所很好很好的学校放在面前，可是我没有好好珍惜。等到失去时才后悔莫及，人事间最痛苦的事莫过于此。

　　　如果上天给我一个再来一次的机会，我定会好好珍惜，如果一定要给这份承诺加一个期限，我希望是一万年！"

育才的确给我很多，在这里，我完成了从一个孩子向一个少年的痛苦蜕变。也是在这里遭遇的巨大挫折，铸成了我今天坚毅的性格。

多年之后，当我参加全国高中生知识竞赛并取得良好的成绩时，我知道这成功有育才的一份功劳。今天当我在高考中金榜题名时，我明白这与母亲和母校的培养是分不开的，今天我终于可以骄傲的告诉你们：状元，就是这样炼成的！

玩出精彩

读书悟出学习门道

有一位好朋友，他一直默默陪伴着我。在我空虚时，他使我充实；在我孤独时，他给我安慰；在我成功时，他告诫我不要骄傲；在我失败时，只有他可以使我振作起来。他那么无私、那么伟大、那么亲切、那么渊博，"他"是谁？他就是——书籍，人类最好的朋友。

母亲买回了"蛋糕"书

最早接触书，是父母的安排。我的父母虽说都是大学毕业，但他们经过文革的风雨飘摇，参加过上山下乡的"革命锻炼"。他们因为自己把最宝贵的时间浪费在政治运动上而懊悔不已，然而繁重的家庭和社会的压力，却又使他们无法重新系统地学习。因此他们决心让自己的儿子成为一个真正有学问的人，为此，他们特别重视对我的早期培养，使我受到了良好的家庭教育。小时候(据我母亲讲)，我可以背诵几百首唐诗，几十个故事。家里的儿童故事书几乎可以与新华书店"一比高下"，可能我良好的记忆力，就是从那时候培养的。

说来还有一件很有趣的事。有一天母亲给我买回一本新书，那册书装帧很精美，用一个淡黄色的小纸包包着，那样子特别像沈阳一家蛋糕店的外包装，再加上那股沁人心脾的油墨

玩出精彩

清香味，使我误以为这是一种很好吃的东西，于是我迫不及待地扯开纸包，张嘴就咬，结果是很长时间因为缺一颗牙而被别人笑话。后来读到高尔基的"我扑到书籍上，就像饥饿的人扑在面包上"的名言时，多少让我有点忍俊不禁。

但正是从那时起，书籍散发出的淡淡油墨清香，深深地印在了我的脑海里，使读书成为一种潜在的、自觉的、本能的行为，我们从此结成密友，再也没有分开过。

凭着一点小聪明，我小学时的成绩不错，枯燥的课本显然无法满足求知欲特别强的我，于是小人书、卡通漫画，以及郑渊洁的童话进入了我的世界。

中国的《封神榜》、《西游记》、《小五义》、《隋唐演义》一类的小人书曾经风靡一时。那黑乎乎、脏兮兮的一册册小书，其中蕴含着多少异彩纷呈的故事，也不知让多少孩子心甘情愿地牺牲了午饭钱。

然而在"洋气扑鼻"的日本卡通漫画的冲击下，小人书很快就如"樯橹"，"谈笑间，灰飞烟灭"了。五花八门、内容良莠不齐的日本漫画横行于市，给我们带来了精华，也带来了糟粕。像我这样比较老实的孩子，只会背着父母偷偷从正规书报摊买回《女神的圣斗士》、《七龙珠》以及《侠探寒羽良》一类正版、益智类的漫画来看，虽然浪费了一点金钱和时间，但极大地启发了我的想象力。特别像《七龙珠》那种科幻加打斗的漫画，其丰富的科学幻想，经典的人物对白，精彩的打斗场面，以及跌宕起伏的情节令我如痴如醉，不能自拔。直到今天，我仍很怀念那些打着电筒趴在被窝里"偷看"漫画的日子，仍能记住大部分故事情节和人物。

而我的同学却远没有我这么幸运，他们过早地接触到了色情淫秽的内容，纯洁的心灵被飞速地"污染"，而且很难被矫正。多年以后，当我再看到他们的时候，他们全都染了五颜六色像鸡毛掸子一样的头发，戴着怪里怪气的首饰，斜叼着烟卷，懒懒地倚在街角卖摇头丸，使得我不得不慨叹书的巨大力量。正如某大师所说："一本好书可以成就一个人，同样一本坏书也可以毁了一个人。"

这里我不禁反思：如果当初是我很偶然地接触到那些不健康的书籍，其结果会怎样呢？我会不会也走上那条邪路呢？所以，既然看一本坏书不如不看，作为家长一定要严格把握尺度，让孩子从小对一些"精神垃圾"敬而远之。像我父母，他们敌视一切漫画类的图书，就更别提什么"色情"书籍了。他们的第一种作法我不太赞同，——如果合理安排时间，看点漫画对我们是有好处的，那可以极大地丰富、增长我们的见识。也许是他们对此了解太少，他们甚至都不曾完整、仔细地看过一本漫画，如何能判断其是优是劣呢？他们的第二种作法我觉得很明智。"近朱者赤，近墨者黑"、"千里之堤毁于蚁穴"，这一类的名言警句使人耳朵都起茧了，但真正把它们应用到日常生活中去，还真需要一些决断，一点毅力。

也许正是父母的"一概反对"成就了我！

当我三四年级时，打打杀杀的漫画因为取缔盗版而变得稀缺，同时作为替代品的国内一些小画家的作品则既差又贵，恰巧在这时，我发现了一种好期刊——《少年科学画报》。其实机会很偶然，三年级时学校开始代理订阅期刊，并且每个班有一定的指标，身为"小队长"的我自然义不容辞。奈何囊中羞涩，于是我仔细翻看价目表，从中选择了两份最便宜的刊物，算是完成任务。其中一份正是《少年科学画报》。

它为我打开了一扇通往"科技世界"的大门，通俗易懂、图文并茂，成为我青春期的"启蒙读物"。它使我开始关心世

玩出精彩

界，关心这个变化万千的社会，更重要的是，它使我开始显得"博学"——在同龄人面前，我可以侃侃而谈几个小时，直到把他们说得心服口服。知识的丰富，加上身体的日益强壮，使我开始改变自己在别人心中的形象。我的成绩从中上变成班里的前几名，我开始感受到读书带给我的实实在在的变化，"知识就是力量"在一个少年身上得到了应验。

我的父母在这一次很坚定地支持我、鼓励我，还给我提了很好的建议。例如将期刊装订成册，一年一集，有空翻阅，也便于系统阅读。他们还支持我参加了"航模"兴趣小组，让我手脑并重、全面发展。特别是当我在全区的一次比赛中获了奖之后，他们很高兴，奖给我一套"手工用具"。虽然我没能成为什么发明家，但我养成了勤于动手的好习惯，没有成为一个"高分低能"的失败者。

随着年龄的增加，《少年科学画报》已经不能满足我了。为了填补精神上的空虚，我开始进攻父亲书架上的落满灰尘、破烂不堪的书籍。从那时起，我开始逐渐熟悉鲁迅这位中国文坛上的巨人，他的激辩与不屈，让我佩服得五体投地。我贪婪地阅读着，整个头脑里都是他的形象。我也得感谢那套竖版、繁体的"破"书，因为它让我认识了繁体字。

我的另一大收获是阅读了茅盾的《子夜》，这使我对尔虞我诈的股市有了初步的了解。几年后，当父亲在股市上大赚特赚的时候，只有我这个孩子提醒他注意风险，后来证实了我的正确，因为他赔了很多的钱。但其实这是茅盾的"高明"，他早在近半个世纪前就得出了结论，股市绝不是中国老百姓赚钱的好地方。也正是从此，父亲不再把我当作一个孩子，而是当作一个朋友相待。因为我可以对他"劝善规过"，这就意味着，在精神上，我已经长大。

玩出精彩

鲁迅与茅盾，这一对中国现代文坛对峙而立的两位巨人，开始把我带入成人的世界，可是我当时毕竟还年轻，很多道理还不甚了解。人生就是这样，需要自己不断去经历，才会真正长大。

逃课后，父亲向我提三点要求

在小学毕业的时候，我可谓是风光无限。我一口气考取了三所重点中学，父母高兴地从中挑选了一所最为昂贵，但同时也是最为著名的学校——东北育才学校。

可惜当时我还很幼稚，还没有读过孔子、老子、黑格尔、尼采，还不清楚"福兮祸所依，祸兮福所伏"一类简单的道理。因而我被胜利冲昏了头脑，开始了自以为是，开始了游手好闲，开始卖弄起我那其实很愚蠢的小聪明，开始不注意听从父母那"苦口婆心"的告诫，于是乎我的学习成绩变得有点"惨不忍睹"。

这样持续了一段之后，本来以我为骄傲的父母先是担心，继而是失望，他们甚至过分地称我为"江郎才尽"。我当时内心是很迷茫的，毕竟一个十几岁的孩子忽然从"天才少年"变得默默无闻，这中间的巨大"落差"所带来的压力是很难承受的。我至今仍很清楚地记得，当我把一份满是"错号"的卷纸放在他们面前时，他们那复杂的表情：父亲的激动与愤怒，母亲的无奈与叹息。这一切如果用一句话来形容，我想可能是"恨铁不成钢"。

我当时束手无策，只是想逃，逃到一个安静平和、没有考试与功课的地方。这个地方就藏在书里，于是我努力去阅读。那种阅读似乎是在给自己寻找一种慰藉，但恰恰是这种没有任何功利色彩的阅读使我心情最为平静，记得也最为扎实。

玩出精彩

记得初一的一个下午，我实在无法忍受那由"ABC"和"＋－×÷"等符号主宰的枯燥的数学，于是我逃课来到新华书店，在掏尽了所有的纸币和钢镚儿后，我如愿以偿地购得一套《世界中篇小说选》（六卷本），其价格我记得是62.4元，其中60元是我两个星期的午饭钱。之后我偷偷溜回家，花四小时读完了第一卷。其中有很多精品，像托尔斯泰的《伊凡伊里奇之死》，卡顿的《卡尔美拉》，但最让我感动的却是前苏联索尔仁尼琴的《第四十一个》与美国西格尔的《爱情故事》。特别是后者，这个既幽默又凄美的"爱情故事"让我与《晃晃悠悠》的作者石康一样中了"毒"——在很长时间里一心一意要找一个弹钢琴的女孩作妻子。更为重要的是，他使我适应了现代派、意识流等诡异多变的描写手法，搞懂了外国人复杂啰嗦的人称及心理描写，从而为我阅读外国文学作品打下了基础。

作弊有效、有利，然而有限，我逃课的事很快被校方发现并通知了家里。父亲被叫到学校去，我有种不祥的感觉，似乎挨打是不可避免的了。然而出乎我的意料，父亲回来后，只是很平静地跟我谈了次话，并向我提了三点要求：一、不许再逃课；二、看书要注意眼睛（我眼睛当时不太好）；三、不要耽误了学习。"这就完了？"我当时很吃惊于对我的"从轻发落"。"完了，看书去吧。"父亲很轻松地说。不想我刚要出门，他却叫住我。"难道这么快就变卦？"我当时很担心地想。不料他却递给我一张钞票，叫我每天买午饭吃，别饿着。当时我的感觉就像三伏天喝冰镇汽水一样，爽到了极点。

从此，我一发不可收拾，从巴尔扎克到雨果，从普希金到托尔斯泰，或法国、或德国、或美国、或英国，我尽我的努力，争取将18－19世纪乃至20世纪初欧美的主要作家都"一网打尽"。

因为功课日紧，平时我只能抓零星时间去阅读，于是周六、周日成了我的心灵假期。这两天的下午，我把图书馆与书店变成了我的"度假村"。

可是在"度假村"里看书也并不是件轻松的事。书店是国营的，也许因为我是富农出身，所以"劳动人民"的售书员对我并不友好。长期在书店里白看，人家甚至已经认识我了。这使我只好频繁地换地点，以避免被人家撵出去。不知是看我比较可怜，亦或是什么，反正我没有一次真正被赶出去过。

纵使售书员这关过了，可疲劳的问题也很让人头疼。书店内并未准备任何座位，我就只好"立正"着看书了。好在看书时间过得特别快，一旦投入进去，几个小时可真是"一眨眼"就过去了。

相比之下，图书馆的硬件设施要好得多。一则可以边坐边看，二则可以将喜欢的书借回家里，仔细阅读。可是图书馆因为经费问题，将两层楼都租给了证券公司和股票交易所，钱多的地方人就多，人多的地方声就大，于是图书馆内不免有"吵闹之乱耳"，令人备受折磨。

再加上那图书馆建馆虽才十几年，但图书的"年纪"却大得很，与我同龄的书算是凤毛麟角，大多数都比我大一倍不止，有些书甚至是我年龄的 N 倍（N≥5）。这种古稀高寿的"爷爷级图书"，也像上了年纪的人一样毛病多多，本来是该按时"下课"的，怎奈科教兴国、全民教育之际正是用书之时，未能"退休"，于是就超期"服役"。像缺章少页一类的小毛病我尚可忍受，而像《悲惨世界》这样的巨著只有第三卷与第五卷之类的问题，就让人有点"是可忍，孰不可忍"了。

没办法，谁叫你真想看书呢，还是回书店"提心吊胆"地

93

玩出精彩

看新书去吧!

后来读一些名人传记才知道,似乎所有伟人也都从这一段走过来,像毛泽东当年在湖南师大图书馆里的刻苦自修,像拿破仑当年流浪巴黎时的勤奋阅读——读书似乎是通向成功看似最笨、实则最聪明的道路。

看课外书,特别是一些名著,对学习肯定有帮助,但千万别影响正常学习。"循序渐进、兼顾其他"是好听的说法,用毛主席的话叫"两条腿走路"、"十个手指一起抓",像我那时成绩不好,父母对我打篮球都很反感,但他们对我去看书却总是支持的,而且比较尊重我的选择。我在假期里,有一段时间整天捧着《金瓶梅》看,他们也没有禁止,只是告诫我:要注意自己的态度,把它当作文艺作品而不是"色情"小说来读。后来像我读《史记》、《红楼梦》都是自己拿主意,他们的不干涉让我受益很多——但他们依然不让我看漫画!

杜诗圣有云:"读书破万卷,下笔如有神",如果没有那么多书作积累,我大概不会在高考作文中取得满分吧!

后来,我很好奇地问父母,他们当时为什么总是鼓励我多读书。父亲告诉我,他当年当知青的时候,除了马列著作什么都没读过,但我的伯父,当年在辽宁大学哲学系学习,读了很多书。有一次两人私下谈话,父亲问伯父:"你读这么多书有什么用?还不是被当作革命对象?伯父对父亲说:"你不懂,现在尽管社会瞧不起知识、瞧不起知识分子,但将来一定会有扭转风气的一天。"父亲当时半信半疑,结果几年之后,就开始改革开放,知识分子就又有社会地位了。父亲说对这件事他印象很深,这使他明白读书能使人更清醒地认识这个世界。"当时,我对你是爱莫能助,能帮你的只有你自己。"父亲说:"我希望你多读点书,也许你就会自己悟出学习的门道吧!"

父母的一片苦心，加上我自己的努力，也许就是成功的理由吧！

写作后记

也许有的读者会问，为什么你不写高考经验，专谈你学习不好的那段历史呢？我想说我不谈高考经验，不等于没有经验，只是因为高考成功者年年都有，"经验"、"宝典"一类的东西，早已遍布大街小巷，我把这些"原理"用自己的话再阐发一下，其实也是大同小异；再者经验这东西就像一本好小说，每个人看完都会有不同的见解，也许适合我的，未必适合你。人常说，自己的劳动果实，吃起来最香，所以希望大家能自己努力总结。

至于我专谈自己学习不好的历史呢，是因为我想和大家说明一个事实：那就是所谓的"高考状元"其实都是普通人，或起码我许峥就是个普通人。前一段出席某讲座，别人称我为"考王"，我觉得实在受宠若惊，别人非向我要联系方式不可，想要来看看我。我只好引用钱钟书先生的话说："如果你吃了个鸡蛋觉得味道不错，你又何必非要认识那下蛋的母鸡呢？"以此加以拒绝。因为我实在不愿意被看作"非人类"或别的什么，因为我确实就是个普通人，和别人一样，有一点聪明而已。

也许有人会问："失败了，真的像你说的那样能重新爬起来吗？"我想说这不是我说的，中国历史上这样的故事太多了。像越王勾践卧薪尝胆，像贾岛十年不第终于一朝成名，类似的例子真是数不胜数、不胜枚举。所以我写这三篇文章，也是想告诉大家，我们也并非生而知之者，我们也有糊涂、犯错的时候，但最终我们敢改正，于是我们就可以成功。或许人生正是

玩出精彩

在不断犯错、不断改正中前进的吧!

也许有人问:"为什么你不把自己后来成功的过程仔细描述一下呢?"托尔斯泰说过:"幸福的家庭都是相似的,不幸的家庭各有各的不幸。"我和别的"状元"私下里也多次恳谈,发现彼此在学习上共同点颇多,我不愿把同样的话,再说第二遍,更何况一本书如果内容雷同,你会爱读吗?

如果你还是对成功的"秘诀"很感兴趣,我只好把一幅对联赠给你:

有志者,事竟成,破釜沉舟,百二秦关终属楚
苦心人,天不负,卧薪尝胆,三千越甲可吞吴

个中道理,让我们一同慢慢品味,细细体会吧!

点评

教育专家

王东华

许峥的经历给我们诸多的启示：状元并非是与生俱来的天才，而是在成长中磨砺出来的；状元要靠学校老师和家长们的扶植，但更是他们自己教育的结果；状元不等同于除了学习什么都不干的书呆子，而是一个全面发展的高素质青年；状元要靠自我教育的意识，把书当作陶冶人生的知识海洋……

状元原本不是天才

用许峥的话说，他并不是一个出色的孩子，他曾被自己的聪明弄得忘乎所以，最终在困顿的挣扎中明白了"聪明"确是一钱不值。正因为他能够有这样明白的认识，并且萌发了"我学、我学、我要学"的强烈愿望，这才是他走向辉煌人生的开始。

97

玩出精彩

功夫不负有心人

许峥学习上的转折，来自于他强烈的改变自我的意识，同时也得益于学校老师的扶植与影响：你不笨，关键是要更努力，你投入多少，就会收获多少。这是蔡老师切中要害的点拨，既肯定了许峥的天资条件，又用投入与收获作比，深入浅出地讲明了付出与收益的关系，并且他也有很好的激励措施，使许峥获得成功的喜悦。除此之外，历史老师的信任，使他"知恩图报"，在学习方法上的指导，使许峥的成绩一直名列前茅。而地理老师人格力量的影响更显而易见，许峥因喜欢老师而喜欢这个学科。正是这些，使许峥完成了一个孩子向一个少年的痛苦转变，形成了他的坚毅性格。

玩出来的道理

许峥不愿做书呆子，他要的是爱玩、会玩，而且在处理好学习与玩的关系上，更得益于"玩"所蕴含的大量道理，这使他受益匪浅。篮球使他学会了与人合作，交结了许多朋友；电子游戏锻炼了他的智慧，从中悟出更多道理，使他正确认识自己，并能平静对待高考，这不正是素质教育所要达到的目的吗？

书是不可不读的

哈佛女孩的成功，得益于书籍的力量，许峥的成功与哈佛女孩又何其相似。父母的早期培养，让他迷恋那沁人心脾的油墨的清香，使他养成一种潜在的、自觉的、本能的行为。

从小人书、童话到《子夜》、《悲惨世界》，父亲几乎不加限制，这不仅使他从小就能背诵几百首诗词，会讲几十个故事，而且还培养了良好的记忆能力。由于爱书，许峥甚至逃避

玩
出
精
彩

枯燥的数学课去书店看书。对此，作为父亲并没有"从重发落"，而是很平静地和孩子谈话。当然，父亲对孩子的阅读是有要求的，那就是对一些不健康的书籍一概反对。

这种正确的读书引导，没过多久孩子就体会出来了。正如许峥自己所说：那些过早接触不良内容的同学，纯洁的心灵被飞速地"污染"，多年以后，"他们全都染了五颜六色像鸡毛掸子一样的头发，戴着怪里怪气的首饰，斜叼着烟卷，懒懒地倚在街角卖摇头丸，使得我不得不感叹书的巨大力量"。因为一本好书可以成就一个人，同样一本坏书也可以毁掉一个人。

补课很重要

在孩子学习成绩不好的情况下，为孩子请老师补习。孩子英语不行，就请退休在家的教师专门收他为"关门弟子"。终于"功夫不负有心人"，孩子的英语成绩在班级名列前茅。我们有不少家长，孩子学习不好时，只管数落孩子，而没有想到如何去具体帮助孩子，许峥的父母在这一点上很值得学习。

对玩的态度要坚决

许峥迷上了电子游戏，玩起来"连眼都不眨"，以至于父母多次把他从游戏机房拽出来，才使他彻底"屈服"，从而把精力投入到学习中去。

如何对待孩子玩电子游戏，很多家长都很困惑，我以为许峥父母的态度和做法是对的。尽管人们都说要区别对待，不能一刀切，可现在的问题是我们父母都有自己的事情，没有时间去区别对待，也没有可能去多刀切，这样就只能权衡利弊，坚决地说"行"还是"不行"。因为不是所有的孩子都能象许峥那样能掌握玩的度的。

99

玩出精彩

高考作文如何创新

姚鼐将文章结构分为义理、考据、辞章三大要素，"编新不如述古"，我姑且班门弄斧，谈谈高考作文这三部分的创新。

构思立意要求新求变

义理，可以理解为文章的立意或中心思想，它是文章的灵魂与统帅，高考作文能否得高分，立意有着决定性的作用。但是有些同学不知是不能创新还是不敢创新亦或是图省事不愿创新，反正总是喜欢把那几个"老掉牙"的立意翻来覆去用。像什么学雷锋做好事啦，尊老爱幼啦，帮助妈妈干活啦等等。我的意思，这些立意并非不能用，但是因为它们曾被无数人无数次地写过，就像那榨干了汁的甘蔗，使人很难有胃口读它，所以尽量还是少用。再说"一人之心，千万人之心也"，这种耳熟能详的立意，用的人肯定为数不少，很容易形成千文一面的局面。

像沈阳市小学升初中考试，有一年写"美丽的谎言"，百分之九十的学生都不约而同地选择了父母吵架，僵持不下，自己迫不得已，用撒谎的方式使父母终于重归于好的立意，结果是大面积的作文内容相似或雷同！这批作文的分数大多只是及

玩出精彩

格。再就是像"战胜脆弱"这类的题目，胡编什么父母双亡，或自己有残疾的也是大有人在，它们也因为立意趋同而只能得到一个很低的分数。因此奉劝大家，在构思、立意上一定要努力"求新"、"求变"，千万不要墨守成规，捡别人的"剩饭"吃。

义理创新，一个可行的方法就是使观点增强时代感，即时效性。"文章合为时而作，歌诗合为事而著"，要想文章既言之有物，又不落俗套，就必须紧跟当前的形势，对党和国家的一些重大决策保持足够的敏感度。今年高考前几天，正好赶上江总书记发表《纪念中国共产党建党八十周年讲话》，老师组织我们认真进行了学习，结果高考作文"诚信"中，有的同学就事论事，只谈"诚实守信"，这样就显得很肤浅。而我把"诚信"与江总书记的"三个代表"、"以德治国"联系起来，既加大了文章的深度，又使观点新颖、不落窠臼！正好符合了"对问题理解深刻"的要求，为拿高分打下了基础。

第二个可行的方法就是多用辩证的观点看问题。唯物辩证法大家都学过，但是否都用得好就不一定了。其实不管过去还是现在，我们都很喜欢用绝对的观点来看问题，例如写老师，总是一味颂扬，猛扣大帽子，结果文章假、大、空不说，还总给人一种老师都是圣人、完人的错觉。我们当然清楚老师绝不是圣人、完人，但为什么偏要这样写呢？还不是不能辩证地全面地看问题。

记得我看《十七岁，不哭》一书，作者描写她的语文老师给我留下了很深的印象：除了学识渊博、性格和蔼、作风严谨、一丝不苟这些好老师的共性之外，他还有一些"缺点"。例如"怀才不遇"，使他身上有一种消极、颓废的东西。这种感情在不经意间流露，使人觉得他有一丝淡淡的哀怨，使人既

玩出精彩

爱他又可怜他。用这种复杂的感情来看待一位复杂的老师，我觉得就很真实，因为人不是一泓清水，一望到底，人是很复杂、很难弄清楚的"动物"，这样写人才真正地反映了现实社会。作者正是敢于创新，敢于突破写老师的定势，才使文章耐看，这在当时，对我写文章的影响是非常大的。

材料要新鲜

所谓考据，就是如何使用文章中的材料。文章就像一座大厦，要想质量好，作为建筑材料的"材料"就一定要质地优良。

选用新鲜一点的材料。我们平时读到一些同学的文章，所用材料总是关于那几个有限的"某某家"。论证不怕挫折，十有八九都用爱迪生实验电灯丝材料时，失败上千次；论证谦虚是美德，总有人用牛顿的"如果我看得远些，那是因为我站在巨人的肩上"。记得北大某教授写一文，说他上大学外语课时，外教布置作文写"母亲"，结果几乎每个人都写母亲对自己的关心与爱护。评作文时外教用诧异的眼光看着他们，说只有猴子才只会模仿而不会创新——在座的学生难道都是同一个母亲，难道所有母亲的关怀都一样，她们难道从未打骂过你们，从没虐待过你们，她们难道就一点儿也不自私？

这个外教看问题或许偏激，但也不无道理。如果大家的材料都是千篇一律，让人看了开头，就知道结尾，这如何吸引人呢？所以使用材料时千万要有所创新，爱因斯坦、牛顿、居里夫人等家喻户晓的名人逸事不用也罢，中国一些"新生代"的科学家、文学家，甚至商界名家、著名艺人的例子都可以用嘛！只要处处留心，总会有丰富的新材料。

千万不要学生腔

所谓辞章,就是文章的外表,就是遣词造句、谋篇布局之类外在的东西了。虽然"金玉其外,败絮其中"的作文风格是不可取的,但是"言之无文,行而不远"。你的作文或许是"酒香不怕巷子深",但就怕高考紧张的评卷中,评阅老师患了鼻炎,那样你不就是前功尽弃了?所以好马还是配好鞍,文章再好,也别忘了修饰一番,"文质兼美"不是更好吗?

辞章上的创新,就是要十分注意语言。作为一名高中生,尽管对语言的驾驭能力是有限的,但是我们一定要大胆地应用语言,千万不要学生腔。我们可以使用各种语言风格,可以使用古文,也可以使用英文、德文等外语来帮助表达,我们甚至可以用一些现代主义或后现代主义的语言技巧,一些反语法、反常规的叙述方式,来达到"标新立异"的目的。

像第一届新概念作文大赛,我记得庞婕好有一篇作文题目叫《我是一只笨小孩》,乍一看挺别扭,但经过作者娓娓道来,侃侃而谈,反而有"如坐春风"的感觉,可见语言是工具是手段,只要我们打破思维定势,就一定会有创新,就一定可以形成自己独树一帜的语言风格。

大胆应用各种标题形式

作文的题目,就犹如人的眼睛,"明眸善睐"要远胜于"双目无光"。题目的形式可以多种多样。1997 年沈阳市高考文科第一名作文的标题,用了朱熹两句诗:"问渠哪得清如许,惟有源头活水来",让人佩服才思敏捷;2000 年南方一考生标题用的英文"The Answer May Be Different"也获得成功,胆量可见一斑。所以标题创新效果好,作用大,而且可以说"只有想不到的，没有'写'不到的"，只要大胆写，基本都会成功。

另外，题记这种形式我也将其归入标题一栏，这种形式我认为值得一试。熟悉新概念作文大赛的同学应该还记得，在复试，也就是限时作文中使用题记的大有人在，说明这种形式已为广大中学生所接受、认可。我的语文老师向我推荐这种方法时说："能用一两句名言警句或概括或引领全篇，这种能力本身就很难能可贵，就可以让评阅人看出你的实力。"我深以为然，在今年高考中，我在题记中引用了《礼记》中的"今大道既隐，天下归家，各亲其亲，各子其子，大人即世以为礼"。估分时向老师汇报此事，老师高兴地说："如果我是评卷人，只凭这一段话就给你加5分。"事后证明老师的看法果然高明，我想题记的作用还真不可小视。

玩出精彩

王微微

笑傲考场

王微微（福建省文科状元，现就读于北大）

父母职业：职员

父母教育时常说的话：尽力就好

生日：1982 年 11 月 27 日

爱好：读书、看电视、旅游、吃零食

最崇拜的人：周恩来

最爱看的书：散文类图书

最欣赏的一句话：

　　要做就做到最好

寄语高中生：

　　有付出就会有收获

父母为我铺平北大的路

我的家很普通。爸爸高中毕业，妈妈自学上过电大，他们都没有什么高深的知识。我是个独生女，而爸爸又是奶奶惟一的一个儿子，因此我在家比较受宠。

爸妈从小就很重视对我的教育，有段时间他们突发奇想，要让我学电子琴。刚开始，看着那台崭新漂亮的琴，我的兴趣大增，非常认真地学了一年。无奈本人实在与琴无缘，第二年就开始频繁地闹起"革命运动"。爸爸刚开始还义正词严地予以"镇压"，不过不久他就投靠了"革命派"，原因——送我去学琴实在太累（我爸这人什么都好，就是有点懒），妈妈势单力孤，也只有让步，一场原本轰轰烈烈的"学琴运动"就这么毁在了我手上。如今爸妈看着置于墙角的那台电子琴，还是免不了要发一阵"恨女不成凤"的感慨。

上学后，我在学习方面的事，基本上都归妈妈管。妈妈对我的影响很大。我两岁的时候，妈妈上了电大。记忆中，妈妈常常在深夜的台灯下埋头苦读。为了不影响我睡觉，她总要拿一本书或一张报纸罩在台灯上。我常常在睡梦中醒来，眯着惺忪的眼睛，看着妈妈奋笔疾书的背影，孤零零地想着：妈妈什么时候才能来陪我睡觉呢？然后又沉沉地睡去。这种情况不知持续了多久，总之，妈妈的背影和我那个不论何时醒来都有的

105

想法从此就成了我对那个年龄的惟一记忆。当时，妈妈在我眼里几乎无所不能。她会讲好多好多有趣的故事，会唱许许多多动听的歌。看"七巧板"节目时，鞠萍姐姐刚教完一个新的剪纸，妈妈手中就马上出现一个一模一样的。

妈妈是个童心未泯的人。小时候，只有她一个人肯陪我看动画片之类的少儿节目。通常这时，电视就被我俩霸占了，一心只想看动作片的爸爸只有到外头散步的份。没想到长大后，我倒是越来越受爸爸的影响，也迷上了动作片，爸爸找到了同盟者，想抢电视就容易多了。我们俩常常是看得两眼发直，全然不顾妈妈在一边大叫："看这些有什么意思，全是假的。""你的眼睛还要不要了？快去休息一会儿！"像这一类的电视之争在我家是最常见的了。一般而言，胜算最大的总是我。因为我常常会振振有辞地搬出一大套理论，像什么"学习太累，要放松放松"、"这次没考好，心情不好，我需要排解排解，要不就会闷出病来的"……刚开始爸爸还会跟我抢上一阵，后来瞧着他自己越来越没有"优势"，就索性由着我去。事实上，是他心里明白，与其让我一边学习、一边想着电视机，还不如让我先看够了，心满意足了，再专心地学。我也不会太让爸妈失望，只要到了一定时间，就会主动停下来。咱也得摆出点风度，照顾照顾"群众"需要嘛！

原来住在奶奶家时，全由爷爷奶奶掌厨。后来搬家后，爸妈只好亲自动手了。两人厨艺差不多，却总喜欢比个高低。每到这时，我就成了大裁判。爸爸会笑眯眯地凑过来说："怎么样，尝尝老爸的手艺。"然后压低嗓门："比你妈做的强多了！"没想到妈妈是个"顺风耳"，马上毫不留情地予以回击："有些人，就喜欢贬低别人抬高自己，这种人……"于是就是一场唇枪舌剑。这时候，我可就最吃香了。不管我往哪边靠，好处反正都大大的有。譬如我说爸爸好，晚上我的桌上就会出现几包我最喜欢吃的"喜之郎"果冻；如果说妈妈好呢，嘿，晚上看电视就少了不少"杂音"啦。而通常情况下，我都能找到一种最佳方式把他们俩都"哄"得乐呵呵的。

爸爸妈妈平时很尊重我的决定和兴趣。他们每年暑假都会把我扔给旅游团，让我到处"逛荡"，因为我是一个十足的旅游迷。正因为有了爸爸妈妈的全力支持，我的旅游瘾才得以大大地满足。在旅游的过程中，我不仅见识了外面的广阔世界，认识了各种各样的人，还渐渐地养成了自己独立的性格。事实上，爸爸妈妈自己很少出去，怕太花钱，但他们从来不会让我失望。只要我想去，就会全力地支持。妈妈说："把钱花在这上面，能让你开开眼界，长长见识，别老窝在一个地方，那也就值了。"

我的脾气很像爸爸，特别倔强，认准了的就会拼命地往里钻，十头牛也拉不回来。有时候就一个问题的看法，我们会争得面红耳赤。爸妈有时候看着我认死理了，就特别着急，又不敢多说，怕越说我越倔。有一次妈妈对我说："只要是你认为该做的事，爸妈都不会太反对，你自己注意把握好分寸，我们只是给你提一点我们的看法而已。有时候，自己走了弯路再绕回来印象倒更深一些。"我听了以后心里又感动又愧疚，我真是太让爸妈操心了。可这脾气还是改不了。往往是在事后，才想起爸妈的规劝。嗨，你说，养我这样的女儿是不是特累呢？

从小我就是一个比较好胜的人，就连打扑克也要打到赢了为止——不管在这之前输过多少回。记得刚开始学打"争上游"时，还只有三四岁，我连牌都还抓不牢，妈妈则充当了我的陪练。开始时当然是屡战屡败。有一次我输得不耐烦了，一赌气把牌一甩就不想玩了。妈妈边收拾着扑克牌，一边仿佛是轻描淡写地说："怕输就别打好了。"我一听，也不晓得是妈妈的激将法，立即大喊："谁怕输了，打就打，我就不信赢不了！"后来，每当我玩什么游戏输急了想逃时，妈妈都会甩出那句几乎已成为了她的口头禅的话把我逼回去。不知怎的，高考前那段煎熬的日子里，我总是想起妈妈的这句话，甚至在走进考场时我都还想到了它。它仿佛在提醒我，不可以退却，不管结局如何，你都得咬紧牙关只管往前冲。

上高中以后，学习越来越紧张，爸妈在这方面帮不上什么忙。他们只是尽力地为我创造出一个最好的学习环境。爸爸负责我的"食品供应"。只要是我喜欢吃的，列个单子，他就会帮我买来，说是作为我读书的能量来源。另外，他也是我的司机。我一想到要买什么书，爸爸马上就会开着摩托车把我送到书店。我挑书他买单。妈妈则是我的精神依托。不管遇上什么不如意的事，我都要向她倾诉。她不仅是一个忠实的听众，还是个很好的反馈者。她总是静静地听我发完牢骚，然后不紧不慢地帮我分析，为我出谋献策。

高考那阵子，看得出他们也承受了许多压力。爸爸晚上看电视时总是把声音调到最小，有一次他还开玩笑地对我说："多亏了你，现在老爸的听力可是长进了不少。"

妈妈则看了不少介绍考生心理的书，说是要做好我的"心理医生"。我们是考后填志愿的，那时我已经疲惫得不行了，我说自己需要好好地休息一下，再也不想考虑高考的事了。就把志愿表塞给妈妈："第一志愿填北大就行，其他的你帮我填满吧。"因为我相信妈妈很了解我的兴趣，而且那时我对自己的成绩已经很有信心了。"最起码我也会有进北大的资格。"我对自己说。

高三只比高二多一横

坦然面对期待的目光

在学习过程中，不可避免地常常会与老师或家长发生矛盾。譬如，你的父母或老师对你抱以极大的期望，这使你感到了极大的压力。我的一个朋友就是这样，来自各方面的期待的目光，使他难以再保持一份平常的心态，压力过重甚至使他产生某种幻觉，老觉得自己要考砸，仿佛对不起所有的人似的。结果他无法发挥出自己的正常水平，造成终生遗憾。

在这个问题上，我觉得自己是比较幸运的。我的班主任张智杰老师是一位严厉又不乏幽默的人。与其他老师不同的是，进入高三后，他并没有成天把"高考"二字挂在嘴边。课堂上，他照旧与我们开玩笑、谈天说地，使我们一时间仿佛忘了自己是一名高三学生。也正是在这种环境中，我们得以将积累已久的压力稍稍地释放一些。

是啊，高三只不过比高二又多了一横，何必非得为它加上那么多异样的色彩呢？也许偶尔学着忘记它的存在对我们更有好处？在家中，爸妈都特别尊重我的选择。他们从不强迫我做这做那，更不会为我下死命令，要求我一定要怎样的名次。进入高三后，爸妈都主动减少了晚归的次数，降低了说话的声调以配合我的复习。高考前的最后冲刺阶段,妈妈最常说的一句话就是:"妈妈不需要你取得怎样的名次,只要你走出考场后能对我说你已经尽力了,我也就很满足了。"正因为有这样的好老师、好父母,使我在最后阶段几乎没有感觉到太多的外来压力,有的,只是一种感激、一种责任。所以,我很想对天下所有的考生家长们说一句:"相信我们吧!放开手脚让我们自由地去拼去闯。毕竟,未来的路需要我们自己去开拓。"我也很想对老师们说一句:"不必再给我们太多的提醒,我们已经知道自己的责任有多重,路有多长。"至于那些正为压力而诚惶诚恐的学弟学妹们,我的建议是,不妨坦诚地和你们的父母或老师交谈,把你的难处告诉他们,告诉他们你希望得到怎样的帮助。我想,他们也一定愿意站在你的立场上重新思考这个问题,你们之间只是缺少了理解与沟通而已。

理解与信任,永远是沟通两代人之间的最好的桥梁。

享受生活,珍视友谊

高中、高考,决不意味着除了学习之外其他一切权利的丧失。一个热爱生活的人是永远不会让自己寂寞的。更何况,外面的世界很精彩,如果能合理地安排业余活动,它们不仅不会影响学习,还能使我们各方面的能力都能有所提高。毕竟,当今社会需要的决不是一批批的"书呆子"。

高一那年,我加入了学生会。我觉得那是一个锻炼人的好地方。学生会里的同学大部分都是"一专多能"的优秀学生。通过与他们的交往,我学到了许多自己原本缺乏的东西。例如组织能力、协调能力、交往能力等等,而这些又都是课本上学不到但实际生活中必备的。通过与高年级同学的接触,可以了解到他们的学习生活,对自己将来也会有一定的借鉴作用。

高中是人生发展的重要阶段。不要把自己紧紧地束缚在书本里，努力地多参与一些有益的课外活动，例如跑步、打球等等，既可锻炼身体又可丰富生活，何乐而不为呢？当你以后再回忆起这段往事时，脑海中浮现的就不会仅仅是数不完的考试、做不完的试卷啦。

高中也是友谊大发展的时候。经过初中的磨合、观察，我们已经知道自己到底需要的是怎样的朋友。在我眼里，高中的友谊是最珍贵的，你所交的有可能就是你一生都值得信赖的知己。不过，高中的友谊也会面临更多的考验。毕竟大家都有了自己的思想、观点，所以平时出现一些磕磕碰碰也在所难免。然而，往往也是在争吵的过程中，我们彼此增进了了解、加深了感情。尤其在临近高考的那段日子里，更应该多与朋友交流，互相交换彼此最近的心情。记得那时，在考前的几个月里，我最常做的一件事，除了看书就是与同学聊天。我们之间不仅没有那种所谓的狭隘竞争，反而常常互相鼓励，互相安慰。

说到竞争，我觉得有的人可能会把它想象得太严重。见到一个稍微比自己考得好的同学就要暗暗地把他当成自己的"对手"，平时交往中也要"警惕三分"，这实在太没有必要，反而会伤了同学间的感情，久而久之，就会使你自己处于一种孤立的境地，这在考前是最可怕的。人最怕的是孤独，更何况在高考前的那段"非常时期"。所以，诚恳待人永远是友谊的基本要求。真诚地帮助别人，不仅不会使你受到怎样的"损失"，还能使你在帮助别人的过程中得到自身的提高。面对高考，如果大家携起手来共同走过的话，还有什么样的困难是我们无法应对的呢？

这就是我想要说的：享受生活、珍视友谊。愿每个人的高中都是一幅多彩的画卷。

111

笑傲考场

这样学习最有效

"一把钥匙配一把锁",这是我对学习方法的理解。高中的课程比较多,不同的科目有不同的特点,学习方法决不可能千篇一律。最好是能跟随着老师的思路找出这门学科的规律,获得入门的途径,再不断地充实完善,形成不同学科不同的学习方式。正如我前面所说的,我们必须在学的过程中不断地进行归纳改进,摸索出一条最适合自己的方法。以下是我自己的一点学习体会。

112

怎样学好语文

有的人说考语文要凭运气,也有的人说要看感觉。运气好或者感觉对的话,就能取得较高的分数,甚至有可能爆个冷门。刚开始我也抱着一种将信将疑的态度,每到考语文之前就要"酝酿"一番,希望能找到所谓的"感觉"。后来,通过与几个同学的交流,加上自己也看了一些师兄师姐们介绍学习经验的书,我渐渐觉得,学语文,是需要一套科学的方法的。

首先,要多看一些书,这是每个人都有的体会。通过看一些文学名著,或是报刊杂志,可以培养语感,还能学到不少文学常识,以及一些新鲜有趣的观点。现在的语文考试,阅读占了相当大的比例。不仅有文言文阅读,还有科技文、现代文阅读。要想在课堂上把所有这些能力统统培养起来是根本不可能的事，只能靠课外的努力。

我比较喜欢看像《读者》、《散文》之类的杂志。看《读者》，可以了解到许多独到的观点，看到一些内涵丰厚的文章，使自己也变得爱思考起来。尤其在写作时，我更是常常受到它的启发。现在作文的一个很重要的评分标准就是是否有创新、有与众不同的见解。这样的见解，往往不是凭空就可以产生的。它取决于你的阅历、你的人生体会。对我们中的大多数人来说，生活就是简简单单的两点一线，很少有机会见识到更广阔的世界。因此读书看报就不失为一条捷径。而在时间金钱都有所限制的情况下，看《读者》更不愧为捷径中的捷径。更何况，它也是我们放松自己的好伴侣。

看《散文》，是通过语文老师的介绍。教我语文的陈武老师是一位文学功底很深的人。他的课真正花在课本上的时间并不多，他更愿意教我们一些从课本里引出来的知识。三年下来，我觉得自己的确学到了许多东西。尤其是文学修养方面提高不少。记得当初他向我们推荐《散文》时，没有说太多，只有几个字我印象特深："腹中有书气自华。"于是我开始学着欣赏《散文》。刚开始时，也有点云里雾里的感觉，后来，当我静下心来，细细地体会那流淌在字里行间的微妙的感觉，我仿佛一下子就被文字的美攫住了。原来文章还可以这样写！一段很普通的经历到了作家笔下，却完全可以获得诗一般的美感。我喜欢反反复复地读那些自己特别有感触的文字，直到把它们背下，然后不经意地用到自己的作文中，文笔果然有了提高。同时，通过揣摩作者的感受，不知不觉我就养成了一种爱思考的习惯，这一点在做文字表述题的时候特别有用，下手更快，思考角度也更准确。

此外，有空时多翻翻字典也是一种好办法。例如，做拼音题时，就翻翻《新华字典》，把自己以前读得不准确的字记在一个小本子上，考前再看一看，印象就比较深。另外，平时听新闻时也可多留一个心眼，注意听听播音员的发音，碰到哪个字他发得和你不一样，就记下来，查查字典，看是他发得对还是你发得对，这样做印象特别深。做词语用法的题目时，就翻《现代汉语词典》或《成语词典》。不要局限在要查的那个词上，最好能把前后的词都看一下，既能通过比较加深印象，又能同时学到不少新词。这个工作最好能每天都做，每天记几个，积少成多。记得高三那年，老师让语文科代表每天在教室后面的黑板上抄些成语或容易出错的词语、容易读错的字等，下课后大家都会自觉地去看一看，一些细心的同学还会把它们都整理在一个本子上。到高三下学期做模拟试卷时，我们班同学在这种题上出错的已经很少了。

在写作方面，除了多看书看报外，还可适当记点日记周记之类，锻炼文笔，久而久之，就会越写越顺。一些喜欢听歌的同学常常会记些喜欢的歌词，在写作时用一用，还真不愧为一种好办法，最起码在语言上就占了不少优势。当然，也可以背一些优美的句子，使它们转化成自己的东西，常记常用，写作水平自然会有所提高。总之，语文就像中药，越熬越有味。当有一天你发现，自己的"感觉"越来越准了时，你的努力就已经得到了回报。

语文的功夫都在平时的积累上，除了个别"感觉"突然变得特别好的之外，平时是怎样的水平，高考就会考得怎样。与其抱着侥幸的心理等待着"奇迹"出现，还不如踏踏实实地把功夫练到家。考前语文基本上是没什么好复习的，但也不是完全放弃，你可以在复习的间隙看看文学常识，翻翻杂志什么的，或者做一两份模拟试卷，保持对题型的熟悉程度也就足够了。最重要的还是信心问题，千万不要因为平时语文成绩不稳定就对自己失去信心，放下一切的包袱，你一定会在高考考场上有一个新的突破。

怎样学好数学

我一直都认为数学不是靠做题做出来的，方法永远比单纯做题更重要。如果仅仅记住了一道题，而不仔细思考它的每一步是怎样想出来的话，做再多的题也没用，反而会浪费很多的时间。我的习惯做法是，首先上课认真听，并不要求把老师讲的每道题都记下来(这样复习时要花很多时间)，只要是自己已经懂、解题思路也与老师一样的题目就大可不必再记。关键要记那些自己不懂或自己已懂但老师的方法更简便的题目。记的时候也要注意方法，最好不要在老师讲的时候同时记，这样老师讲的一些没法写出来的思路就有可能被漏掉。教我数学的唐江津老师特别强调我们要掌握数学的解题思路，他不提倡我们随便地做些繁杂的课外习题，只要求我们把他布置的题目做好就行。上课时，他常常会在讲完一道题目时再留出一段时间让我们记笔记，使我们听记两不误。这样，不仅使我们节省了不少时间，还掌握了许多有效的解题方法。

接下来是课后。数学不像别的科目，一天不练就会生疏一些。当天的内容一定要当天复习，否则时间一长就容易忘记，要想再赶上就会比较吃力。复习主要靠做练习来巩固，也不必漫无边际地做，主要是老师布置的练习一定要完成。如果学有余力的话，再去找课外题来做，否则就不必强求。做不出的题第二天老师讲时一定要做好笔记，理清思路，并且当天就要把它掌握，隔几天再复习几遍，直到记牢为止。到考前那几天，

115

数学还是以看题为主。关键是看自己平时做错或者不会做的题目（平时就应注意把这类题用红笔标出），记住解题方法。如果要做题的话，就做最近各地的模拟试题，那些题一般针对性更强些。总之还是三个字——不要断。坚持每天都花一点时间在数学上，肯定会有提高。

对于文科生来说，数学是一个比较大的挑战。但我总觉得，大部分人还是心理上的问题比较多。因为以前数学不好，就对数学失去了信心。如果是这样的话，不妨养成每天做一点题的习惯，多熟悉一些题型，培养数学的思维方式。更重要的是，要常常对自己说："付出总会有回报。我已经把大部分时间都花在数学上了，我的付出一定会和我的所得呈正比的。"

怎样学好英语

英语是我最感兴趣的科目。为此，我特别想感谢两位老师。一位是初中教我英语的蔡晓斌老师，是她调动了我学英语的兴趣。我觉得，一个学生是否对一门功课感兴趣在很大程度上跟教这门课的老师有关系，尤其在刚接触这门课的时候。如果这是一位水平极高或是极富人格魅力的好老师的话，我们不但可以很容易地入门，而且在享受老师讲课的同时，也会不知不觉地爱上这门课，这种热爱很可能会影响我们的一生。蔡老师就是这样一位老师。她总是很有耐心地为我们讲解每一个知识点，帮助我们掌握一套学英语的正确方法。记得当初我觉得最有效的办法就是：当天的任务当天完成。每天晚上我都会把当天老师课上讲的知识点复习一遍，这样记得就特别牢，又不容易忘。加上第二天上新课前，蔡老师都会把前一天的知识要点再温习一遍，所以我的英语基础打得特别扎实。

进入高中后，我遇到了高蓬莱老师。她教起英语来特别用

笑傲考场

心，简直可以用"拼命"来形容她的那股劲头。她一堂课的内容往往要让我们消化半天，也正因为此，我们比别人多学了许多内容。在她的帮助下我的英语水平又有了很大的提高。

其实英语就是这样，谁懂得越多谁就学得越好。所以我建议学弟学妹们不妨提前多学一点东西。可以自学《新概念英语》，多掌握一些单词，扩大自己的词汇量。另外，语法是高中英语的重头戏。不要认为语法太枯燥，除了考试外没别的用途。这是学英语的典型误区。其实不管阅读什么材料，没有扎实的语法功底，要分析一些较长的句子是很困难的。就算是平时的会话，如果连时态都分不清楚，又怎能把自己的意思解释明白呢？要想把语法学好，我觉得最好是多看一些语法书。光看一本是肯定不够的。很难有一本语法书能完完全全地覆盖英语语法的全部内容。最好能以一本较好的语法书为主体，再辅助性地看一些其他的书。语法要常常复习，温故而知新。每看完一个章节，就做一些练习以检验自己的学习效果。

其次是知识点。在把老师上课讲的内容记熟的同时，还要注意多翻翻词典，看看那些词是否还有别的意思。知识点一定要争取做到当天内容当天消化。读英语时最好是能读出声，这样不仅记忆更深刻，还比较容易找到语感。此外，做题也是提高英语成绩的一条捷径。在高一高二时，我建议看看《中学英语1＋1》（宋伯涛主编）这套书。里面不仅有详细的知识点讲解，还有相配套的练习，难度偏上，和高考较接近。到高考总复习时，则应以做模拟试题为主。最好是整份做，中间不要停，以熟悉题型，提高速度。除非有哪部分较薄弱的，再专门做一些那一类的题。尤其在临考前的那段时间里，更要争取每天都做一份完整的试题，以保持自己对英语的感觉。当然也不是叫你变成"做题狂"。题量只要适中偏低一点即可，关键还

117

笑傲考场

是以保持语感为主，还要善于归纳总结，记住那些做错的题，不要在同一个坑里摔上两次。

其实我觉得英语真正有提高还是在高一高二，高三基本上是在前两年的基础上做一些补缺补漏的工作。因此在这两年里就要尽量把英语的面铺得广一些，在深度上也有所提高。如果还有余力的话，最好看一些报刊或杂志。我比较喜欢的是《英语辅导报》、《英语画刊》以及《21st Century》等。一方面，读这些东西本身就是一种放松，另一方面，还能提高自己的阅读能力和对英语的兴趣，何乐而不为呢？至于听力，主要还是要靠多听多练。每天听半个小时，一般来说问题不大。

怎样学好历史

对于历史，我想说的是：关键在平时，临时抱佛脚是没有用的。尤其对考小综合或大综合的同学来说，平时的基础是决定胜败的关键。我自己就曾经吃过这样的亏。教我历史的魏献策老师是一位非常尽职尽责的好老师。他的课仿佛有一种魔力能把你紧紧地吸引住，浩浩历史长河在他的讲解下仿佛一下子就与我们拉近了。更重要的是，他总能引导我们透过纷繁复杂的历史现象去思考它们背后的联系与实质。这是学习历史的最重要的方法。在他的指导下，高一时我的历史学得很顺利。也许是让胜利冲昏了头脑，高二时我开始偷懒了，不再注重基础知识的及时掌握。只是到了考试前才临时背一背。到高三下学期总复习时，我才发现自己是多么愚蠢。高一的知识由于有扎实的基本功，我不用再费多少力就能轻松地回忆起全部内容。而高二的课文我即使读了好几遍还是有忘的可能。我这才知道为什么老师总让我们"抓基础、重平时"。

高中历史的学习与初中完全不同，并不是靠死记硬背就能解决问题的。高中历史更需要的还是理解。最好是能每星期复习一次，每个月再总复习一次。复习时关键是要反复地看书，在反复中提高。书才是最根本的。离开书本谈能力是不现实的。

在读每一节的内容时，要想想在一个历史事件之前之后都发生了些什么事，它们之间有没有什么内在的联系，能够说明什么历史道理。也可进行历史事件间的横向纵向的比较。例如，某两场政变或两种政策之间有什么异同点，为什么会有这样的异同，说明了什么。分析异同点也很简单，无非就是从背景、性质、影响等几个固定的版块去想。有的书上说，要把历史学成"立体"的。我想，所谓的"立体"，大概也就是这种横向与纵向的联系吧。经常这样思考，对不同的历史现象，我们就可以较准确地分析出它们的实质，无论碰到什么题都能迎刃而解。这是读书时要注意的问题。书本决不仅仅是读过即可的，光记住一些时间、地点、事件是没有用的，最重要的是要学会用历史思维去思考，去研究，去探索事件背后的东西。相信你不久就会发现，历史是越读越有味的。

其次，做题当然也很重要。做题的过程实际上也是再回顾再思考的过程。现在的历史题，单纯考知识本身的已经很少了。往往都是考你对某一事件的分析。这就需要用到读书时积累的那套功夫，此外也有一些技巧。例如做选择题时，常常碰到一些诸如问"根本原因"、"实质"之类的问题，这通常要从生产力决定生产关系、经济基础决定上层建筑等方面去分析。只要是有关于这几方面的选项，一般来说就是正确的。再如"直接"与"间接"这样的问题，在我看来，其实也很简单。答"直接"时，你就让头脑变简单些，一开始想到什么就是什么，完全不必拐什么弯。除了"直接"之外的就都可放心

119

笑傲考场

地归入"间接"那部分去了。

至于问答题，则更需要你的思考与分析能力。不要指望考卷上的题目是你曾经见过的，更不必费心去背某道题，只要掌握了方法，问答题也是很好解决的。首先是分析。通过回想老师在讲这部分内容时的介绍，尽量从更多的角度去思考这个问题。不要担心想太多，只要你觉得有道理的，都有可能是正确的。更何况现在的考试一再强调"要鼓励学生自由发挥，要有创新，有自己的观点"，所以你就要尽可能地多想一些。

其次是表达。最好是分条阐述，一点写一两行，不必太啰嗦，关键是把要点写出，因为评卷时也是按点给分的，写得太多，一个要点绕了好几个弯才讲完，不仅会喧宾夺主，使老师因找不到要点而扣分，还会浪费许多时间，以致来不及做完考卷。在分条时也有一个技巧，即根据所给的分数决定要分几条。一般一个要点是两到三分，如果一道题是八分，那么很可能它的要点就有四个。用这种方法可以有效地减少漏答的可能，即使你实在想不出还要答些什么，也要尽可能写满那个推算出的条数。同时，还要注意序列号的安排。大点小点用不同的序列号标出，就会显得层次分明，逻辑性强，这样也就不容易丢分。最后，字迹一定要工整。想想看，一个老师要在那么短的时间内改完那么多的试卷，如果字迹潦草，有哪个阅卷老师会有好心情给你高分呢？

最后，多与老师同学交流对学习历史也很有帮助。一个人无论怎样细心都会有疏忽的地方，通过与同学交流笔记、与老师探讨习题，往往会有许多意想不到的收获。也可读一读像《历史学习》这样的杂志，了解一些课本上没有的东西，提高自己思维的深度和广度，对解题很有帮助。到高三下学期的时候，要争取每天都花一至两个小时在历史上。因为历史有一个特点，容易忘。今天记得滚瓜烂熟的东西很可能第二天就忘得一干二净了。所以复习历史更要注意计划性。除了跟上老师的复习进度外，自己还应有自己的计划，给自己定一个时间表，哪段时间复习哪段内容，注意科学合理，确保能够按时完成。可以双条线同时进行。一条是老师的，一条是你自己的。例如老师在复习世界史，你掌握好世界史的同时，还可再看看中国史。不仅记住了更多的内容，还有利于进行中外比较，使自己对高中三年的历史知识有一个总体上的把握，效果要比单独复习世界史好上几倍。另外，专题复习也很重要。可以帮助你掌握好历史线索，可以深入地研究一些历史规律之类的东西，增加自己思考的深度和广度。其实，历史是一门很有意思的科目，不用担心学不好它，只要肯用心，掌握方法之后，历史会变得很简单了。

怎样学好政治

121

高中政治也与初中很不一样。背的成分少了，灵活运用的成分多。大部分题都是要求运用课本上的原理去分析时事。首先，当然还是课本。必须把课本上的每一条原理都记清楚，原理后面的阐述和举例也很重要。各个不同的例子是对应哪个原理的要分清楚，这在选择题中很可能会用得上。经济学比较简单，只要把原理背熟，把分析题的基本思路记清楚就行。哲学需要多想。学哲学永远没有止境，往往越想就会有越多的体会，理解也会越透彻。当然对于我们来说，最主要的还是要把原理分清，哪些是世界观，哪些是方法论，尤其不要混淆。可以看一些参考书，看看书上是怎样分析的，要从哪个角度下手，怎样表述。学哲学尤其要注意和时事结合起来。平时看到一则新闻就可以想想，它可以体现怎样的哲学观点或者是可以

笑傲考场

用什么观点去分析，经常这样问自己，做题时下手就会快得多，角度也比较准确。政治学要特别注意不同术语间的区别，记的时候尤其要强调准确，因为有可能差一个字这个说法就完全不同了。

其次，是时事。掌握时事有许多渠道，可以听新闻，看报纸或者听老师的讲解。教我们政治的是班主任张智杰老师。他上课很有意思，常常会帮我们分析一些社会热点问题。我那时一直觉得很奇怪，他怎么会知道那么多东西呢，听完他的课，自己看问题的角度也增多了，而且还掌握了许多解题技巧。高三总复习阶段对政治来说是很关键的，即使你以前有什么掌握得不够好的知识也可在这段时间补上。这时尤其要注意关注时事。可以买一本讲解时事的书，把原理先列在一个本子上，再把可以用该原理分析的时事内容，写在原理下面，复习的时候再看一下，效果很好。到高考前则主要是看一些各地的模拟试卷，看它们对当前的热点有哪些提问方式，该如何分析，如何表述。最后阶段做的政治问答题要及时地整理起来，按照时事内容归好类，同一个问题有几种思考角度，这样就可以一目了然了。要把政治学活，懂得活学活用。

怎样学好地理

相信有不少人跟我一样，初中地理没有认真学好，只能到高中再从头来学。其实我觉得，学地理是非常有用的，它与我们的日常生活联系特别密切。学了地理之后，觉得自己长了不少知识。可以随心所欲地在地图上指出任何一个国家及著名的城市，可以辨别出不同国家的地理概况、风土人情，可以了解到各种自然现象的成因、特征，可以……这些对于懂地理的人来说都只是些皮毛。而对我这个曾经的"地理盲"却是格外新鲜有趣的。教我们地理的黄国华老师是个全能型的"才子"。上他的课总能给我们一种特别充实的感觉。我们不敢有丝毫的分心，生怕一不留神便让知识从耳边溜走。我们总是不停地听着、记着，一堂课下来，提纲上通常都是密密麻麻的笔记。我想，幸亏有这番"狂补"，要不这些基本的地理常识我们不知要到什么时候才能学到呢！

学地理最重要的是细心。就拿一张地图来说，上面的每一点信息都有可能成为考试内容，稍不留神错过一点的话很可能那张图就白读了。复习的时候最好是能腾出一块完整的时间系统地读。先读图。地图是地理的重头戏，有时甚至会比书本还重要。山川、河流、城市，把它们的地理位置记清楚。要争取第一遍时就记熟。因为记地图有一个特征，一旦记住了就不会轻易忘记，所以与其隔一段时间复习一次，还不如刚开始就认真地记好。通过平时的应用加深印象，省去复习的时间。

再有就是看书。要理解地记忆。一般只要是你以前不懂的，看的时候印象就比较深。地理和政治、历史不同，常识性的东西更多些，因此记忆也不会太难。但是要记的东西也很多，要舍得花时间，自己想窍门，比如"谐音记忆法"或者"形象记忆"等等。在学自然地理时，理解的东西会多一些，因为这部分已经有点接近理科的东西了，但只要肯花时间多想一些问题，学起来也不会太难。人文地理方面，记忆要占比较大的成分，多背几遍，争取一遍比一遍用的时间少，每一遍都能发现一些以前没有注意到的更细的东西。在高考前的那段时间里，主要是看提纲和卷子，要特别留意那些能与当前时事联系起来的内容。比如某个特定的地区，或者是环境污染这一类的问题等等。只要你钻进去了，就会发现地理其实是很有意思的。如果对它感兴趣了，还怕学不好吗？

笑傲考场

最后我想说的是，对于考综合科的同学来说，不论是学"X"科中的哪一门，都不要孤立地学，要特别留意这几科中能互相联系的地方。例如拿到一道时事政治题，就可以想想，它发生在什么地方，与该地方的地理特征有联系吗？该事件是否有什么历史渊源？从政治角度可以如何分析，反映了什么哲理或政治经济学原理。养成这种思考的习惯，不久你就可以在这几科中来去自由了。不过这一切还是要建立在你已经掌握好单科知识的基础上，单科都没有掌握好，哪里还能谈什么联系呢？所以这也就更强调了基础知识的重要性。平时就要注意把知识一步一步地吸收好，不要再幻想着到了考前再突击，那样的话有可能会摔得很惨。

高考是一个长期的准备过程，仅有方法远远不够，最重要的是要靠自己平时一点一滴辛苦努力与积累。高中是一片沃土，只要洒下辛勤的汗水，就必定有丰收的一天。从现在就开始准备吧，把你的脚步迈得坚实再坚实些，祝你"笑傲考场"！

点评

特级教师

赵如云

王微微以自己的成长经历和学习心得告诉我们：孩子的自信，很大程度地来源于家长和老师的鼓励——家长和老师仅有对孩子的批评与鼓励是不够的，更重要的是要帮助他们树立信心。

教育，在很大程度上是潜移默化、"暗中行事"的，不一定总是正面进行，更重要的往往是不经意的影响。比如微微三四岁时，和妈妈的那次"争上游"。微微屡战屡败，在输得不耐烦的时候，一赌气将扑克牌一摔，不想玩儿了。这时候，最重要的是妈妈的态度。如果这时候妈妈也像自己的孩子一样耍脾气，那就有可能纵容孩子的暴躁脾气。但微微是幸运的，她有一个善于捕捉孩子心理性格的母亲。妈妈使用了"激将法"，"边收拾着扑克牌，一边仿佛是轻描淡写地说：'怕输就别打好了。'"妈妈毕竟是妈妈,一下子就抓住了微微的特点和孩子的弱点。微微不服气,立即大喊:"谁怕输了,打就打,我就不信赢不了。"幼稚的女儿中计了,但却形成了自己的个性:那是自信的气质。难怪心理学家们以为,母亲对于少年时期的孩子的影响,起着决定性的作用。

在微微考试失利的时候,爸妈不是严厉地批评和指责,而是想办法使她放松情绪,解除忧虑,让她开心。的确,作为一个有上进心的孩子,自己没有考好已经够痛心的了,再说一些让她伤心的话,不仅帮不了孩子的忙,往往还会帮倒忙;即使是"鞭打快牛",也要注意对象,选择时机。有幸的是微微的父母对这些道理了然于心,即使孩子考了第一名,他们对她的鼓励也是非常有分寸的。这些看似容易的道理,其实做起来并不简单。

微微还深有感触地说:"我觉得,一个学生是否对一门功课感兴趣,在很大程度上跟教这门课的老师有关系,尤其在刚接触这门课的时候。如果这是一位水平极高或是极富人格魅力的好老师的话,我们不但可以很容易地入门,而且在享受老师的课的同时,就会在不知不觉中爱上这门课,这种热爱很可能会影响我们的一生。"看看,在孩子的心目中,家长的地位有多重要;而在学生的心目中,老师的作用又是多么不可或缺。

王府桐

相信自己

王海桐(四川省理科状元，现就读于北大)

父母职业：公务员、教师

父母教育时常说的话：做什么事都要认真

生日：1983 年 9 月 26 日

爱好：躺在床上看电视、读小说、吃东西

最崇拜的人：无

最爱看的书：

　　《金锁记》、《灌篮高手》、蔡志忠漫画

最欣赏的一句话：

　　一个人可以被毁灭，但不可以被打败

寄语高中生：好好学、好好考

给我鼓励，我才自信

你有没有过这种经历——在你饥饿难耐只渴求一片面包的时候，有人笑吟吟地给你端来一盘龙虾？我有过。在我寝食难安只渴求一张北大金融系录取通知书的时候，有记者打电话告诉我："你是今年四川省理科状元。"不敢相信的木然，难以相信的狂喜——我像一只挥舞着双钳的螃蟹在房间里横行。然后是记者，然后是采访、照相，然后是做节目……然后——我非常冷静，我感到不舒服。

"我是什么？"这是我面对镜头时，最想问的一个问题。"我是什么？"——一个"状元"？——"状元是什么？"——"考试考得很好的人。"是的，在无数人眼里，我是一个"很会考试，考得很棒"的人。但这让我不舒服。一个声音在固执地呜咽："如果我引人注目，那个713分绝不会是惟一的理由。""我不允许任何人将我十几年的经历用那浑浑噩噩的三天概括。"我不是一张平铺的考卷，我是立体的，有血有肉的。……于是，这心中一缕一缕积累的思绪，这灵魂里一点一点不安的因子让我在面对他人的时候，有时像快乐的喷泉，有时像被动的牙膏。我对自己说："不要得意忘形，所有的报纸都只在'今天'有用。"可我不是很傻吗？在我十八年的经历里除了那个713分还有什么轰轰烈烈的事迹呢？难道不是那个

713 分给了我今天坐在这里书写心情的凭依吗？我在记忆的浅海里逡巡，想找出一些闪亮的贝壳让"高中生以及家长能从中得到什么更有价值的东西"，却带回满身的沙砾，在深夜审视的镜前，我一点也不觉得镜里的是一个怎么成功的家伙，但也绝不是一个考试的机器，我是一个有故事的人。我愿意写我的困惑与思考，而不仅仅是——"状元成长录"。

写我，我愿意从最初的记忆写起……

老师无意一句话让我自卑了多年

曾有人劝我把名字中的"桐"改成"同"，他说我的名字犯凶。我却执意不肯，因为这个"桐"字对我有特别的意义。

这个名字是奶奶取的，那时候，我还在母亲肚子里。奶奶说，不管是男是女，都用这个名字。可是谁都知道，她想要个男孩，因为父亲是她惟一的儿子。

很可惜，在这场赌注里，她注定要输得一塌糊涂。因为这世上，没有什么事情是可以计划的，即使她那么渴望一棵"海边的梧桐"。所以，十八年前，在某个城市某间产房某个角落里，一位严厉的老人拂袖而去，留下那苍白的床单上一个同样苍白而孤独的女人，抱着一个张着大嘴"哇哇"啼哭的干瘪丑陋的小孩。在地图的那一边，在记忆模糊的海边，年轻的父亲接到"生一女"的电报后，整整躺了两个星期，整整两个星期。

不久，奶奶去世了。我便成了"我"，而这个名字是我偷来的。

我是一个拙劣的小偷，不经意间还连累了我无辜的母亲。

海桐，海桐，海桐……

"凤凰鸣矣，于彼高岗；梧桐生矣，于彼朝阳。"

我应该是个八尺男儿，即使不能金戈铁马，"醉卧沙场"，也应该玉树临风，谈笑间"樯橹灰飞烟灭"。真可惜，我只是个他人口中"无用"的女孩，既不美丽，也不灵巧。

几年前，我偶然在字典上翻到这样的词条："海桐，常青灌木植物，植株矮小，开白色小花。"我释然，我对自己说：原来对于我，再也没有比"海桐"更贴切的诠释了，我只是一丛普通的灌木，在一生的期待中开出白色的小花，然后宣告我的无罪。

"可只是这样吗？"有人问我，"只是甘心做一棵梧桐？你愿意以这词条作为你寻觅多年的辩词，来解除你难以按照他人期望成为'梧桐'的挫败？"是吗？一旦认定自己是棵海桐，是不是就会解开自降生时就套上的枷锁？是不是就会放弃多年来希冀成为"梧桐"的奋斗？是不是就会失去再长高、再长高的愿望？

我是个拙劣的小偷，没有辩护律师。在我好不容易找到辩词后，才发现法官早死了，听众也走光了。只有我一个人，一个人站在记忆的法庭上，任难以成为"梧桐"的无奈与不甘心做"海桐"的抗争在心底拔河，注定我永久的挣扎与反抗。

曾有人，用感性的男中音说："如果记忆是个罐头，我希望它永远不会过期。如果要给它加一个日期，我希望是一万年。"也有人苍凉地说："一个人有烦恼，是因为记性太好。"而对于我，记忆是感觉的一部分，剥离了它，就剥离了灵魂的依附。而我们，都是在记忆里寻找一个自己吧。

记得在幼儿园的时候，有堂课学系鞋带。大家都学得很快。在向老师展示自己的成果后，小朋友一个一个兴高采烈地跑出教室去玩了。最后只剩下我，只剩下我一个人蹲在地上，两手紧紧地攥着那两根总是跟我作对的鞋带。这时候，有一个很温柔的声音淡淡地说:"这孩子脑子还行,就是手挺笨的。"这句话真的说得很轻,但我还是听见并记住了——我是个"脑子还行,手挺笨"的孩子。后来,我也不清楚是有意识还是无意识地,我很少参加手工劳动。我不会折纸,不会折手绳,不会针线……也许我会一如既往地驽钝下去。可有时也忍不住想,如果当初我没有听见或是没有记住那句话,事情会不会不一样呢?而在筹备初三的元旦庆祝会时,我发现我是系气球系得最紧最快的一个,我豁然:原来,我的手也可以很灵巧。

让人啼笑皆非吧,一句无意的话让一个孩子傻傻地记了那么多年,自卑了那么多年。

我们常常在别人的暗示与判定下肯定自我的价值。可总有些时刻,别人的期许我们难以达到,别人的判定让我们灰心丧气。而对于一个懵懂世事、只懂得相信的孩子,有些判定会植根他心里并使他怀疑自己。

"自己",尤其在心理上,几乎对所有人来说都是一个终生的迷,所以,我相信潜意识,相信潜能,相信——态度决定命运。

很多人在"挖掘"我的"学习秘密"时,都带着"寻宝"的神情,也往往不能满足于我的答案。其实,几乎所有的人都知道正确的学习方法,但在空谈与实践之间,十天与十年的差距前每个人作出了不同的选择,原因很简单,每个人态度不同。

可态度是什么呢?套用一本书的说法:"态度是成功的标准,对于自我生存的态度,可能是启开成功大门的钥匙,也可能是锁头。"对于我,态度与人的心性、经历似乎都密不可分,所以我相信某些话对人生的影响力。

维维安在 *Pretty Woman* 中对爱德华说："People put you down enough you start to believe it."

"The bad stuff is easier to believe."

原因很简单：说"我能……"比说"我不能……"需要百倍、千倍的勇气。

有些记忆毒瘤一般地长在我们心底，最后似乎成了一种潜意识。它藏在阴暗的角落，在我们不防备的时候，猛地跳出来，想将我们变为傀儡……

我的羽绒衣总是漏毛，一根根地漏出来，我一根根地塞回去，再漏，再塞……我的潜意识也是这样吗?一次次从心底探出头来左右我，又一次次被理智塞回去。

为什么有些话对你早已云淡风清，对我却是刻骨铭心?生命应该是充满无数种可能的，所以请不要那么快去下结论，也请不要那么快去相信，好吗?好吗?

放任的孩子是父母的罪过吗?

"海桐，去看书。"

"海桐，去练琴。"

"海桐，好好上课。"

"海桐……"

"海桐……"

小时候，我的世界里充满了这样的声音，也不知我父母是不是从唐僧给孙悟空念紧箍咒这一段典故受到的启发。其实，我也不是没反抗过。我逃过风琴课，也有偷溜出家去玩。不过记忆里，似乎这些举动的"下场"都不怎么样——体罚向来是免不了的。我的童年并不是阳光灿烂的日子。我常常被锁在屋里倾注于风琴、书法与连环画。因为有着苛刻严厉的父母，我有了很多别样的记忆：我用幼稚的童音背李煜〔虞美人〕，然后小心翼翼地等叔叔阿姨的掌声；在逃风琴课后，我被罚跪在小凳上一整个下午，并被剥夺了晚饭；在被风琴老师批评练习不认真后，妈妈一边打我手心，一边一字一顿地说："要做什么事就一定要做好，否则就别做"；在小学第一次考试得了99分后，因怕被父亲责备，我躲在门外小道上哭，不敢回家；在与父亲散步的路上，我在父亲的带领下埋首于数苹果、分梨子的应用题……

可是后来，这样的声音越来越少了。因为，在不知不觉之中，很多事情都成了我自己的习惯，就好像父母为我设置好了工作程序似的。

在有意无意的暗示、训言中，我开始慢慢变得很努力地去做每一件事，总期望能做得很好，一直到很多年后，我才猛然惊觉这成了一种习惯！

习惯！多么可怕又强有力的力量！"习惯开始于无意的观察，友好的暗示和经验——像薄薄的蛛网——随着实践成为了打不破的锁链来束缚或勉励我们的生活。"我无法否认，这种习惯给我的生活和学业带来了很大的促进，可它同时给我巨大的压力，虽然最开始我并没有察觉到。这种压力，随着岁月流逝逐渐强大，以至于因我在高考模拟考中发挥失常，父母再三强调"不给我压力"时，我苦笑——这份压力来自十几年前的那次惩罚，那次训斥，甚至那次奖赏。这是不是应了佛家人说的"因果"？

你选择了鱼肉的美味，也就选择了鱼刺的纠缠，天下没有只赚不赔的买卖。随着阅历的增长，我发现了"习惯"带来了另一个反面效应：我害怕出错，我变得和我母亲一样追求完美，惟一不同的是——我清楚明白地知道："完美"永远是可遇不可求的！这样的心理障碍和十三四岁特有的偏执与不驯"成就"了我初中三年灰色的心理历程。

我记得苛刻的母亲常常说："要做什么事就认认真真做好它。"爸爸则总一边和善地笑，一边斩钉截铁地说："是你的责任就不能逃避。"做一个有责任感、有进取心的人一直是父母对我的要求与期望。这份期望确实是我一生的礼物。

虽然父母很严厉，可仔细想起来，仍忍不住感激。一个好的习惯，一种向善信念对于我是潜力无限的宝库，也是载我在学海里沉浮十二年的舢板。

我十多年来的生活大致都在我父母设计的"蓝图"下。从小，父母潜移默化地向我传递这样一个信息：我应该好好读书，考最好的大学。我一直很认真地在这条早已设定好的道路上走着，即使走得不精彩，也还算踏实。可我不满足的心仍冷不丁怀疑：父母的这种安排会不会抹杀了我其他的天赋，或是剥夺了我生命里其他的可能？

从一个孩子诞生那一刻开始，他父母的无限憧憬就会伴着无限的喜悦泛滥。他应该做这样的人，那样的人……天底下每位家长都会问自己的孩子："你吃饱了吗?你穿暖了吗?"可是有多少家长会问："你快乐吗?你满足于现在的生活吗?"因为父母常常会觉得只要孩子的行为符合自己的设想，就不会出问题。这也是为什么很多父母只会看成绩单——他们只关心那个事实，那个结果。甚至有些人会把自己的孩子想得跟宠物一样单纯——只是行为的机器而不是思想的载体。所以，当我们第一次萌发念头要为自己作出选择的时候，磨擦就开始了。

我记得我十二三岁的时候，最爱说的一句话就是——"你不理解我"，而且常常是吼出去的。虽然，这句怒吼大多源自那个年龄特有的叛逆与不理智，但是每次伴着这句话涌上心头的孤独与痛苦都是真实的。那种感觉就像漂在海中央，无数的浪花与我擦身而过却没有一朵愿意停下来，听我诉说。于是，"理解万岁"成了心中一面高扬的旗帜。

当终于走过了那段灰色的岁月，驻足回顾，才发现很多苦恼源自我要求太高。与其说我要一个人理解我，不如说我要一个人告诉矛盾又迷茫的我——我到底想要什么。更何况，有些时候我渴望的"理解"不过是一种放任。而放任孩子，对父母来说是一种罪过。母亲就常常说："我不要你将来后悔，再来指责我没有尽到为人父母的责任。"其实父母用他们全部的心血在爱我，我深知这一点，所以沟通并没想象的那样困难。

而这个时候，我又能再次感到自己有多么幸运：父母一直愿意了解我的想法，愿意接受我的决定。我小学四年级时转学到成都。由于多方面的原因，我对新生活极为不适应。于是我固执地要求父母把我送回老家去。这个任性的决定不知要给父母添多少麻烦，可母亲只说了句："决定了就不要后悔。"我如愿以偿地回到老家，而真的也从来没后悔过。

可是，选择不会总是这样顺利。你不可避免地要面对这样的岔路口：一条路是你想走的，另一条路是你父母希望你走的，一条路载着你所有的梦想与激情，另一条路是你父母经验的完美诠释。不管你选择哪一条路，你都无法确定你将会面对的是荆棘遍野还是康庄大道。

也许有一天，你会在迷茫中对自己说："如果当初，如果当初……"我不要这样心酸的时刻，即使我也常常感到自己像站在跷跷板上，不管朝哪个方向移动都可能会滑下去。在彷徨的时候，就会拼命地想母亲的那句话："不要后悔，不要后悔。"有了这句话，就像有了一种依靠——不管前途有多少坎坷，总会有些人会为你张开怀抱。

我活在别人的评价和鼓励中

我毫无悬念地从石室中学初中部升入了高中部,当我又一次静静地立在石室门前,惟有那古朴的红墙绿瓦与我默然相望,那一时的对视千言万语。我突然间失去了像一头斗牛般随时准备着向前冲的锐气,就像我突然间失去了对漫画的兴趣。于是,我在高中的第一篇周记中写道:"世事尘嚣,尤需心灵恬静,置身于人才济济的理科实验班,面对着更加残酷的竞争,但求能宁静地面对上苍,相信生活终会为自己尽现衷情。"

2001级高1班(理科实验班),永远是一个让我忍不住微笑面对的名词。就像一位同学在毕业留言簿上写的:"只因有了五十四位自称'天才'的家伙的相聚,就有了狂风、闪电、雷雨——这些青春之歌中的旋律,却是我们身体中无法磨灭的年轮。"在高1班的三年成为我们每一位同学对青春的诠释。我们可以在全国数理化竞赛中摘取奖项;可以在高考中取得640分的平均成绩;可以在大合唱、艺术节中大放异彩;也可以用每人一张的课程表做成扑克牌来"打发时光"……在这样一个集体里,你很难不刻苦学习,也很难不思维活跃。至今,在我每一次对高中生活的细细回想中都能得到新的东西。

而在三年的高中生活中,又一件"意外"沉重地打击了我:小姑英年早逝。在巨大的痛苦中我猛然明白:原来生活的列车有时会出轨,于是我们面目全非。生命本就没有恒常,谁能知道下一秒下一分会发生怎样的事情,会有怎样的苦痛?所以没有永远,只有这一刻、下一刻可以感受和掌握。与其像某些人一样在每一个瞬间都想抓住些什么却终无所获,不如做黑夜里的烟火,在刹那,用一生的热情幻化绚烂的景致,照亮我们苍白的灵魂。

相信自己

我开始去"享受"错误，"体会"尴尬，也投入了丰富的课外生活。在艺术节中参加舞蹈比赛；在班级辩论赛中一示辩才；在迎接国际卫生组织成员的英语短会上力陈"吸烟危害"；在校庆排演的话剧《石室风云》中扮演进步学生……我也可以守着电视看心爱的《灌篮高手》；可以边吃爆米花边看芭蕾舞剧；还可以挑灯夜战写周记……是的，周记，虽然最初是缘于老师的作业要求，但后来它却成为我生活中最漂亮的一页。因为，我在周记里找到了我一直渴望的——自由。在周记里没有"是"与"非"，它永远是一个"本我"的世界，"美"的世界。我只想表达纯粹的自我感受而不在乎别人的评论。即使我笔触稚嫩又如何呢？我十七岁，稚嫩是我的权利，也是我的生命特质。十七岁的激情与冲动是一生只能拥有一次的际遇，我不希望十七岁的自己少年老成，就像我不希望七十岁的自己还一派少女的天真烂漫。更何况美的表达要尽快，美是不足持的。昨夜躺在我耳边给我的美梦带来清香的黄桷兰，今晨已成了干枯的残片，一碰就碎了。

所以，我在高考前宁愿"牺牲"一整天的时间去享受这种自由表达的快乐，我一直觉得很多事情如果不赶快去做，就真的来不及了。

我喜欢读书。

我喜欢学校。

可我讨厌排名——因为过于清晰，所以残酷。

我考试后常常向朋友们大倒苦水，说自己考得有多差，多差。然后朋友们会群体狂吼："虚伪，虚伪!"这场闹剧陪我度过了整整三年高中时光。也许，我在朋友们的"虚伪"声中得到了一种安慰与支持。

我一直活在别人的评价与鼓励之中。我六岁的时候，是胡老师把我从妈妈身后拉出来。她牵着说话都结结巴巴的我走进校园，并用她富于感染力的语调告诉我什么是自信。进了初中又遇到曹老师，她对我宽容得近乎宠爱。我有一次生病请假回家，她一把把我的书包抢过来，一路将我送回家。我的书包是出了名的"巨无霸"，而她提着书包的温暖又有力的手一直定格在我的记忆里。高中的竞争更加激烈，脆弱的心弦被压力绷得似乎一触即断。在我因为"一诊"失败而痛苦一天后，倪老师、龙老师都不约而同地对我说同一句话："你能行，能行。"还有罗老师，她向来对我，比我自己对自己还有信心。从小学五年级到高三，她总爱说我是最棒的。在我失意的时候，她坚定的声音从电话里飘过来："我相信你，你也要相信你自己。"

因为他们相信我，我才学着去相信自己。而每次回想，我都觉得自己还是那个四岁的女孩，被要求在大人面前背诵唐诗，然后小心翼翼地等待，等待看自己会得到赞扬还是批评。因为赞扬而自信，因为批评而自卑。这么多年了，我还怀着那颗小小的，虚荣又脆弱的心，一点也没有长进，虽然我一直羞于承认。

有人说生活是一颗洋葱，我们得一层一层地把它揭开，有时还会流泪。我觉得人也是。我们都是洋葱，一层一层的，每被人揭开一层，都会痛彻心肺，会流泪。我有一天，总会有一天不再需要借助别人的评价来塑造自己的世界。不管我的生活是一盒精致的巧克力还是一个发霉的汉堡，我都要笑着把它吃下去。

悠悠常对我说，你没问题

今天，再读金庸的《天龙八部》。看到乔峰误杀阿朱那一段，恸哭。

　　常常会埋怨，乔峰为什么不能回头，为什么不能放下所愿与阿朱去关外放牧，从此过上逍遥的生活。人活着为什么有那么多束缚与羁绊，不能够随心所欲。就像高三的我，我也想看云看星星，对月斟酒，可是，因为有高考，因为有这样那样的期许与责任，我像上了发条的机器停不下来。有时候，也想为快乐而活，也想"竹杖芒鞋轻胜马，谁怕？一蓑烟雨任平生"。常常幻想自己也能骑着一匹瘦瘦的毛驴，踏过烟尘满天的古道，"来往烟波非定居，生涯蓑笠外无余。"只可惜自己明明白白地知道这种"也无风雨也无情"的境界，实在没有几个人可以达到。

　　人总有太多的牵挂，太多的羁绊，很多东西都是不可逃也不可抛的。如一份责任，一种信念，一腔热血……既然不可抛，纵使来处萧瑟，残阳如血，也只能默默远行。所以，我在高三一次次摔书发泄，一次次粘补书本，就像一只在火柴盒里打转的蚂蚁。生活不得不为目标太高远而放弃多姿多彩。

　　每次焦躁的时候，就去读席慕蓉，读那种安静、细致又琐碎的幸福；去读林清玄，读那一脉柔弱生刚强的温情，一种宁静而致远的心香。然后流泪，眼泪冲尽眼底所有的灰尘，心就不会那么痛。

　　第一次看到《灌篮高手》，看到流川枫，就不可自拔地迷上了，虽然流川枫总是遭到众人的围攻，什么阿米巴原虫，什么痴呆、没表情，什么要酷……对此，我只是云淡风清地一笑。流川枫是为了篮球而活着的。他坚定的眼神告诉我他是为挑战和胜利而活着的。这样的人现实生活里找不到，因为复杂的世事不能容忍这样单纯的生物。可对于矛盾而彷徨的我，我需要那种坚定与自信。所以，他是我心里的一根蜡烛，在悲伤的夜里，为我把所有的勇气燃烧。

即使我已在生活中感觉到了每一点惊喜与快乐，但高考带来的压力，仍然像王家卫电影里的呓语，如影随行。在我很小的时候，北大、清华就是我脑海中对大学的全部定义，我渴望进北大——就像在做一个美丽又羞涩的梦。可是生活是在偶然与必然间彷徨的流浪汉，未来的路苍茫而模糊，你总是可以在不断的考试中发现新的鼓励与打击。我不得不疯狂地采购参考书；我不得不在校园里练"竞走"；我不得不与同学们比着"玩题"；我不得不一次又一次计算名次……

我经常觉着害怕。一种恐怖一直像感冒一样纠缠着我，伴着我跌跌撞撞走过高考。我到底害怕什么呢？是害怕自己的表现不能达到别人的要求，还是自己不能达到自己的要求？自信，对于在沙漠中跋涉的我只不过是海市蜃楼，在我心底最柔软的角落小声而固执地呜咽着。

我一直都在努力，努力做一个更好的自己。我也一直很幸运，在我失意的时候，有父母、老师、朋友可以依靠。我一直是幸运的，在我不长的旅途中，不断有爱我的人，呈我以满捧的鲜花。在每个忘不了的时刻里，他们都在那里，一遍遍温柔而坚定地对我说："你能行，你能行。"这些呵护是我所有信心的来源。

在我高三每天晚自习回家时，都有好友悠悠作伴。我烦躁起来，一路上都会大吼大叫。而悠悠常常说："你没问题的，我相信。"在昏黄摇曳的路灯下，悠悠的侧面特别特别柔和。那句话像水一样，无声无息地填补我心里的伤痕。然后我会觉得很安心。

因为有悠悠，有悠悠这样的人在我生命里出现，我才没有在这场残酷的赌局里自暴自弃过——你，我们都在用十多年的

139

相信自己

努力赌一场高考。而高考却是另一场更大赌局的开始，远远不是结束。而什么时候，什么时候我会不再需要他们的鼓励，我会真正坚定而自信地走上自己的道路？

我好像又回到起点了。我想起一首诗：

> 如果有人一定要追问我结果如何
> 我恐怕就无法回答
> 所有的故事
> 我只猜出了开头却猜不出结尾
> 那些非常华丽的开始
> 充满了美充满了浪费
> 每一个开端都充满了憧憬
> 并且易于承诺　易于相信

相信自己

点评

高级教师

李 磊

对于状元，人们看到的是笼罩在他们头上的光环，想知道的是他们成功的经验。但是很少有人想知道他们十几年含辛茹苦的"故事"，更别说那些时时缠绕他们的难以摆脱的困惑和思考了。

海桐可以说是一个成功的女孩，但在成功的路上，她又有多少痛苦，多少挣扎，恐怕连她自己都说不清。事实告诉人们，成功是在痛苦中孕育，在挣扎中降生的。回首往事，我们会深深地理解，成功是什么？成功不是目标的终极，而是在追求成功的过程之中。成功正是在过程中体会，在挣扎中品味。

然而为人师者，为人母者，每一句话，每一个眼神，几乎每一个无意识的体态，都会在他们

相信自己

幼小的心灵中播下种子。"这孩子脑子还行，就是手笨"，这句漫不经心的话，"可我牢牢记住并相信了"。一句无意识的话让一个孩子傻傻地记住了那么多年，自卑了那么多年，可见教育无小事。教育者的每一句话都要让受教育者在他的意识中获得激励，给他能量。然而我们有多少教育者又注意了这些小事呢？

习惯是一种力量，海桐有很多好习惯。其实，习惯就是一种素质。好的学习习惯，好的思维习惯，不断调整自己的习惯，经常鼓励自己的习惯，"吾日三省吾身"的习惯……都是一个人成功的必备素质。好的习惯会带来成功，而失败也常常是许多不好的，或不科学的，以至于坏的习惯造成的。习惯是什么？习惯是一种心态，一种心理定势，一种潜意识中的存在。当一个人形成良好的心理定势时，我们就可以说他在心理上成熟了。而心理一旦成熟了，人就成功了。良好的习惯需要教育与培养。为人师者，为人父母者要在怎样培养孩子的良好习惯上多下功夫，少问他们的"分数"。有了良好的习惯就会有好的成绩，没有良好习惯，一时的"高分"也是不会持久的。"在小学第一次考试得了99分，因怕父亲责备，就躲在门外小道上哭，不敢回家"，"在逃风琴课后，我被罚跪在小凳上一整个下午，并被剥夺了晚饭"，我们分明看到了一个受到伤害的小姑娘可怜的身影，难道我们除此就没有其他方法让他们养成"好习惯"吗？"因为他们极相信我，我才学着相信自己"。海桐的成功在很大程度上是因为她"相信自己"，而相信自己是因为"他们相信我"，这些该给我们多少刻骨铭心的启示啊！

相信自己

孟涓涓

厚积薄发

孟涓涓（云南省文科状元，现就读于北大）

父母职业：干部、医生

父母教育时常说的话：多读些好书

生日：1983 年 5 月 14 日

爱好：阅读、弹琴

最崇拜的人：毛泽东

最喜欢的作家：苏轼、金庸

最爱看的书：《红楼梦》

最欣赏的一句话：

看那看不见的东西，听那听不到的声音，知那不知的事物，方是世之真理

寄语高中生：

记住两句话："吾生也有涯，而知也无涯"；"独立的人格，自由的精神"

课外阅读使我高考胜出

读书之乐，乐于上青天！第一次体会到这一点时我正在一间黑屋子里（记不清什么地方了）掀开窗帘一角，津津有味地看《西游记》。记得开篇第一章写天下分为东胜神州……当时我心中油然而生一种博大之感。于是我知道文字的魅力将终生伴随我，永不离弃。

和妈妈一起读金庸

我的阅读真正是由金庸小说开启的。那躲在被子里如惊弓之鸟般读《神雕侠侣》的经历至今难以忘怀。电筒那微弱的灯光照在昏黄的纸页上，一排排铅字展现出一幅幅惊心动魄的场景。我一边看，一边警惕地透过被子看着那一条细细的门缝，眼睛穿梭于纸与门之间。读到杨过将要刺杀郭靖时，我紧张得无法呼吸。偏偏这时，爸爸出其不意地开了门，问道："睡了没有？"我吓得一身冷汗，连忙装作已经熟睡，爸爸轻轻地关上了门……

《神雕侠侣》的美，在以后的岁月中逐步体会到，不仅是那爱情故事，还有那历尽沧桑的辛酸，那"自反而缩，虽千万人吾往矣"的气概都表达得酣畅淋漓。我曾一度觉得它是我生命中的一部分。每次念叨到元好问的"问世间情为何物？直

143

厚积薄发

教人生死相许。天南地北双飞客，老翅几回寒暑"和苏轼的
"十年生死两茫茫，不思量，自难忘"，甚至李白的"秋风
清，秋月明，落叶聚还散，乌鸦栖复惊"等诗词时都不由地心
里一颤——想起了金庸的文字。

金庸小说给了我一副厚厚的眼镜，也给了我厚厚的文化积
淀。初中时"半掩琵琶半遮面"地读完了他的小说及研究论
著。我才认识到，原来在那精彩绝伦、磅礴纵横的故事背后隐
藏着那么深的寓意：从《书剑恩仇录》的汉人儒生的致命弱
点，那狭隘的大汉族主义，到《碧血剑》的"窝里斗"的沉重
历史教训；从《天龙八部》的"痴"、"嗔"、"迂"人性三
毒，到《笑傲江湖》的政治斗争……以及传统文人的一些信
条，如"达则兼济天下，穷则独善其身"等，都得到了形象的
诠释。

这更加坚定了我对中国传统文化的追求。金庸的小说牵
涉面之广，诗词歌赋、琴棋书画甚至茶文化、吃文化、酒文
化、花文化……几乎无所不包，导致我对每个领域都产生了浓
厚的兴趣。还记得段誉论茶花，真是一种神奇的美学享受，简
直是人间哪得几回闻。

我的许多历史知识，像辽宋夏金元的并存与更替，每一个
民族究竟代表什么政权，完颜阿骨打、铁木真等叱咤风云的人
物故事，都是从金庸小说中获得的。当然，在历史课上听到他
们的名字就会身不由己地想起那些活生生的主人公，有些人物
虽然并不存在，却给了我对历史的一种想象空间。而当我现在
遇到很多哲思及逻辑命题时，金庸笔下的一段段文字就清晰地
凸现出来，给予我一个又一个例证。韦小宝在神龙教主面前的
诡辩就与希腊哲学家普罗泰戈拉逼他的学生交学费如出一辙
（普罗泰戈拉与学生约定，学生毕业后第一场诉讼如果赢了就

不用交学费，结果那个学生接到的第一个诉讼就是普罗泰戈拉让他交学费的案件）。看到这里我会心一笑，一切尽在不言中。

甚至可以说，有了金庸小说的诱导，我才发展了自己的一系列爱好：诗词、品茶、听古乐……它们帮助我在文科学习中自信十足、游刃有余。因此我不看言情小说，因为它们大多肤浅而呆板；因此我不看漫画，因为它们大多局限了你的想象空间。

问题在于，我们所接触到的所谓"杂书"是不是真的"杂"，是不是能够培养起我们的自我辨别能力，以及塑造我们以后人生的状态。杂书中有糟粕也有精华，有杂得包罗万象的，也有杂得一塌糊涂的。庆幸的是，我一开始就接触了前者，而前者又让我知道了什么是通俗，什么是庸俗，自然就产生了辨别力。有些武侠小说，我一拿起来就恶心呢，更别提去读了！

我读金庸的习惯是从我妈妈那里得来的，家里那几本陈旧的小说是她的珍藏。她曾有一个经典比喻，说"读金庸的小说就像喝汤一样"，使我大有知音之感。和妈妈在饭桌上的高谈阔论简直是人生一大快事。而对此不太感兴趣的爸爸，也从未加以干涉。有时我和妈妈联合"嘲笑"爸爸对武侠的"无知"，爸爸总是笑笑，然后小声地问："那是什么啊？"于是我就如长虹贯日般一气呵成、滔滔不绝，间或夹杂了真正的历史知识和一些在我那个年龄阶段算是较为精到的见解。

爸爸有时会睁大了眼睛，和妈妈交换一下目光。他始终没有干涉我看武侠小说的自由，因为他尊重我的选择，因为他体察到我从武侠小说里得到的利大于弊。我的谈吐我的知识都似乎发生了翻天覆地的变化。而爸爸，就在这变化后面莞尔一笑，欣慰地当一个忠实的听众。

渡过书的"代沟"

整个读书过程便是在这顺其自然的氛围中发展起来的。高中以前，我还读了许多的古典小说及诗词。高中一开始，我的课外阅读经历了与课内繁重任务的激烈冲突，经历了由小说上升到理论的痛苦的断层期。也许，可以称之为书的"代沟"？

八门功课带来了意想不到的紧张和几乎窒息的感觉，整天忙忙碌碌却找不到精神支柱——单凭课内知识是支撑不起精神的骨架的。而我告别了金庸小说，对其他任何东西几乎都提不起兴趣。在这样空壳般的情况下，我找到了初中时的班主任王老师。

"你何不尝试每天坚持阅读……比如，十分钟？但是不要断。"她建议说。

"可是应该读些什么？"我充满迷茫地问。

"看看杂志，《读者》什么的，先强迫自己看，有时候兴趣是在强迫下产生的。何况无论再怎么忙，每天十多分钟总能抽出来，对吗？"

我点了点头，暗暗下了决心。

但我天生就不喜欢看杂志，即便《读者》这样的精品，我也觉得太散太不成体系。其中美的东西很多，但却不能满足我对知识的那一种渴求。于是过了几天，我又满脸疑惑地来到了王老师面前。

"还是不行？"她考虑了一会，说，"我借你几本书吧。《在北大听讲座》系列不错，还有……"

她说起来兴奋不已，从卧室搬出一大堆作品。

我后来阅读了其中的余秋雨系列散文，刘墉系列及一本介

厚积薄发

绍泸沽湖文化的书(至今记忆犹新)。余秋雨那篇《风雨天一阁》不知为什么深深地打动了我，那种无奈辛酸而又自豪自励的家族保存文化史，就像烙印一样烙在脑海中。

从"书非借不能读也"的古训中我获益匪浅。特别是《在北大听讲座》，我看了第一篇就还给了王老师，因为我感到它们的价值大到非自己拥有不可。书中学者们敏捷的才思给予我极大的冲击。特别记得其中一篇讲到大海的精神，说大海以博大的胸怀接引和容纳异物，坚守和完善本真……

当时我正处于现实与理想的某种矛盾之中，我觉得做一个纯粹的文化人与做一个成功的"世俗者"都是我的追求，但二者却似乎矛盾着。

那段话就像一根根针扎在我的心头，不知给了我多大的启示！原来二者是能够如此水乳交融地并存！而北大，第一次真正地在我心中燃起了跳动的火焰，也许正是那点冲动，使我现在能够坐在燕园的灯光下。

读书，特别是在学习紧张的情况下读书，是需要固定一段时间，雷打不动的。当时我是中午 1：00 到 1：30 读书，清茶在手，惬意无比。1：30 后就躺在床上，边听古乐边养神。这个习惯至今还在坚持。这是一点经验之谈。而当你不知道读什么的时候，何妨向老师讨一点建议?这是另一点经验之谈。逐步地，我渡过了书的"代沟"，开始真正进入高中的读书生活与人生构建。

课外阅读帮助我做对一道语文高考题

历史课上，班主任岳老师隆重地推荐曾国藩。对这个印象中刽子手军阀式的人物，岳老师只引出了毛泽东的一句话"吾于近人独服曾文正"，就是这句话，使我沉浸于曾国藩的传记

厚积薄发

式小说及那久享盛誉的《曾国藩家书》中。

曾国藩立德、立功、立言的人生理想还是有很大的现实意义与挑战性的。记得曾国藩将他的书斋命名为"求缺斋"，我马上想起《西游记》中说过："天地本不全，经书也当不全才是"，那么人又何尝不是如此呢？曾国藩的明智就在于此，那我的明智呢？我有什么"全"的，有什么"不全"的呢？我不断地在问自己，不断地反思。视力不好、生性随便，似乎都是我的"不全"，于是我知道，不必也不可能刻意去改变某些东西。那是一种趋势性的预测与规划，和人的积极上进是并行不悖的。

记得《家书》中有一句话"此书不完断不看他书"，我躬亲实践，结果发现读书受到了拘束。这时舅舅说："别人说什么就一定要信吗？曾国藩又不是神仙，各人有各人的具体个性，我就不喜欢那样的读书方式。读书讲究自由，读不下去就换，如同行云流水般舒畅！"舅舅直白的话语使我深切体会到"尽信书不如无书"的古训了。

批评性阅读，独立思考是多么的重要！而在小说中，我第一次接触到文学流派桐城派，就这一个点式的记忆竟然帮助我在高考语文中做对了一道选择题！本来那是课本上的知识，但我百密一疏竟然没记。于是只有凭那些平时的背景知识一步步推理，终于得出了正确答案。也许这是极其偶然的一个事件，但是偶然蕴藏于必然当中，厚积薄发的道理不会亏待每一位爱书的人。

第一次去岳老师家借书，我提出了一个颇为苛刻的要求："文学性与思想性的完美结合"。岳老师想也不想，慷慨地拿出尼克松的《领导者》。他包了书皮，十分珍爱，但他更珍爱学生的阅读激情。当时同去了很多人，几乎每人都拿到了一本分量不轻的书——记得是《韩非子》、《诸葛亮》、《苏东坡》……

《领导者》使我第一次接触到西方文化和西方政治观念，给我的思想带来无可估量的冲击。我对许多观念产生了新的疑问与看法，它们导致了我对马克思主义等理论的更深刻的认识。现在，我的书架上摆着基辛格的《大外交》、罗素的《西方哲学史》，完全是那次阅读冲击的自然延伸。

《苏东坡》的小册子引导我走向苏轼。经过林语堂《苏东坡传》的洗练(这又引出我看了林语堂的《中国人》)，《唐宋八大家散文》的升华，我对苏轼及他代表的中华文化产生了血脉相连的心灵感应与融和。

苏轼是一个游梭于世俗与世外的人，他的每首词、每首诗、每段散文、每个字、每幅画、每个传说，都充满了自然气味和浩然气概。那是艺术的极境。

我和同学每次走在路上，谈古论今时提到他，都情不自禁地想到"一点浩然气，千里快哉风"及"欲待曲终寻问取，人不见，数峰青"的无尽意蕴。课间操的时候，我们互相笑着问："昨天又看到什么好句没有？"于是我们开始一本正经地"品评"起来，竟然忘了节拍。偌大的操场上我们几个人做操做得七颠八倒，笑倒一片。

紧张的高三生活中，那样的体验不知带给我们多少轻松、多少动力和多少憧憬！同学之间通过文化结成的友谊，就像高山雪松，永远年轻。

此后，我连锁式地读了《中国美术》(岳老师处借得)，《千秋一寸心》(周汝昌著，同学处借得)，《人间词话》(王国维著，自己购买)等讨论中华文化的著作。以后每到一处风景名胜或文化古迹，我都会像神经病一样"研究"匾额对联，

厚积薄发

或品评书画。

在杜甫草堂里，我就如同乡巴佬进城一般，兴奋不已地摸着每一个可以摸的字，每一个可以够得到的雕像。出门时我一肚子怅然。

妈妈爸爸问我："为什么到了你朝思暮想的地方还不如意？"

我轻轻地说："因为我感觉到了自己的渺小。"

有时觉得自己在附庸风雅，别人肯定也会嘲笑我，说我酸气十足。但逐渐地我不介意了，我已经开始可以体会到艺术的韵动与魅力。苏轼《枯木竹石图》里寥寥数笔那样的生机与活力是任何语言都无法表达的。那是一种妙不可言的体验，如落花随流水而去，如清风伴秋叶沉浮……

阅读使我以不变应万变

平凡的日子里，我利用中午那半小时的积累读书。只要我开口借书，老师们总是那么慷慨，同学总是那么热情。点滴积累，朝夕揣摩，岂有获益不丰之理？备战高考的岁月中，我的课外阅读加入了更多的课内成分。

舅舅在一年中总是在周五晚为我送来《半月谈》，令我感动不已。他每次来都带给我许多现实的话题：国企的改革（舅舅他们厂的实际运作与困难），社会的动向，国际的最新科技……舅舅那渊博的知识扩大了我的视野，甚至可以说，某种程度上避免了我沉浸在理论的世界而无法自拔。周围的人都在默默地为我尽力，感觉到这份温情是紧张岁月中最好的解压剂。

一天，我不知从哪里看到某人的学习经验，随口对爸爸说："××人由于看了《世界通史》与《中国通史》从中获取重要启发呢。要是我手头有就好了。"其实当时我并不知道这

厚积薄发

两部通史是多么浩繁的卷帙，而且已经进入高三了，来不及通览了。

几天之后，出差回来的爸爸带着神秘的微笑走进我的房间，悄悄地说："猜我买什么了？"

"书！"我心中闪过一个念头，但我不敢说，患得患失是每个人无法避免的弱点。万一爸爸没买书，我这样说岂不是有点……

于是我站起来，一面问"是什么"，一面就拆爸爸手里的箱子。

爸爸笑了："别急别急！这包装很难拆的，我们一起来！"

打开了，《中国通史》墨绿色的包装带着历史特有的沉重感，是爸爸爱的沉甸甸的流泻；《世界通史》洁白的纸张载着人文的纯洁，是爸爸心愿的真诚的铺展，父母将它们送给了我，终生送给了我。我心中溢满了澎湃而不可抑制的感激，喉头哽咽不能言语。我还能说什么呢？抱着书就像抱着父母的爱。我还能说什么呢？

我只有做了，于是我成功了

读书便像树生根，分出几个主干，每个主干上又自动向四周延伸出支干、根须……那是一种面式的、连锁式的反应，它将你带入各个不同的领域。它从不同的领域吸取水分与养料，使你的思维与逻辑得到统一性、体系性的洗练。然后这种洗练后的成果又可以应用于各种思考与分析中。其中高考的题目不过是西方人说的 a piece of cake，是这种洗练的附属结果。无论高考题多难，多偏，你总可以用自己丰厚的知识储备及思维逻辑去处理。如果只学课内知识，你便会捉襟见肘。

星辰轮转，沧海横流，在变化万千中惟一能够使你免于随波逐流的就是以不变应万变。而寻找不变的途径，便是阅读。茶余饭后，拈来便读，谁说的清什么时候就用得上呢？连我从《飞碟探索》中看到的有关"野人"的背景知识还在英语完形填空中派上用场了呢，世上的事又有什么是绝对的呢？

厚
积
薄
发

高级教师

李 磊

　　北大的一位教授曾讲过：一个人一旦与书本结缘，极大的可能是注定做一个与崇高追求和精神情趣相联系的人。孟涓涓同学对读书生活的品味和感悟娓娓动听，蕴含深刻，同时又精辟透彻，充满理性。她虽说没有正面回答自己的成功之路是什么，但是她的从读书生活中所获取的丰厚的知识储备及严整的思维逻辑，使我们领会到了读书与学习之间的密切联系。

读书加惠给她精神的感化

　　孟涓涓的阅读生活是由金庸的小说开启的，给了她厚厚的眼镜的同时也给了她厚厚的文化积淀。正因为如此，她才能透过精彩绝伦、磅礴纵横的故事而认识到背后隐藏着的深刻寓意。从小说中涉及到的琴棋书画及茶、酒、花、吃等文化获得那种神奇的美学享受，并借助小说中的形象，引发对历史空间的想象，以及在小说诱导下发展一系列爱好等等，这些都帮助她在高考文科当中自信十足，游刃有余。特别是她提到的一个点式的记忆，只凭平时背景知识的一步步推理，竟然帮助她完成了一道高考语文中选择题，这并非偶然，是厚积而薄发下的一种必然。孟涓涓的成功就很好地回答了这个问题。

读书提升她的文化品格

读书使她在紧张的学习中找到了精神的支柱。一本《在北大听讲座》，书中学者们敏捷的才见给予她极大的冲击，使她得到极大的启示。从读《曾国藩家书》中，懂得了批判性阅读和独立思考的重要性。尼克松的《领导者》，给她的思想带来无可估量的冲击；《苏东坡》的小册子，使她充分体味了自然气味和浩然气概；而那些讨论中华文化的读物，又使她体会到艺术的韵动与魄力……读书，把她带入他人的世界，也使她的思维与逻辑得到提升。同时，在考试中也会派上用场。人的文化素养、思维能力、思想品格的素质，离不开精神遗产的熏陶，读书吧，这是素质教育的呼唤！

陈怨胜

梦想激励我

陈恕胜(山东省理科状元，现就读于清华)

父母职业：农民

父母教育时常说的话：

　　汗水跌八瓣，还要节约着用

生日：1982 年 11 月 20 日

爱好：游玩、看书

最崇拜的人：佩服每一个人，但是没有"最"

最爱看的书：卡通、科幻小说、武侠小说

梦想：

　　向世界的软件业进军，做到最好；出去游

山玩水，享受自然之美；看完所有的卡通片

寄语高中生：读书受益

给学习找个理由

我曾经不止一次地问自己：你有没有一个学习的理由？假如没有，那你干吗要学习？

每个学生也许都可以为学习找出一千条理由，但有没有一条是让人心痛的理由呢？也许，你认为学习是自己一个人的事，但你有没有发现它和你的家人之间，也存在着某种联系呢？我高中时有一个很要好的朋友，是形影不离的哥们儿，几天前我给同学打电话，说了没几句，同学突然说："哎，你现在怎么连说话都像××了？"我一愣，××就是我的那位铁哥们儿。想想，认识三年的朋友就能影响到自己说话的方式，那么我们的父母呢？我们从出生到现在，有多少东西是父母赋予的，这恐怕是无法计算的。父母正是在这漫长的岁月里，慢慢影响着我们的性情、我们的心境、我们的习惯，甚至影响着我们的成功与失败——也许只有在将来，我们才能真正理解，我们的家庭和我们的学习之间，有着怎样一种微妙的关系。

我家在农村，父母都是农民。他们不会告诉我深刻的人生哲理，也不会刻意约束我、锻炼我，他们只懂得言传身教，以自身的行动告诉我生活是什么，命运是什么。在他们眼中我是希望。于是我的背包里装满了家人的期待，于是我每一步都走得踏踏实实，于是我渐渐明白了他们要我做得最好，他们要我尽我的全力，于是我知道了让我上大学是他们的一个梦。

我是农民的孩子，从小遵守着农民孩子的准则：学习刻苦用功。因为从小学开始我便一直接受着同样一个训诫：考上大学，就可以不当农民了。这句话现在听起来似乎有些不合时宜，似乎很可笑，但是在农村这句话至今仍然在流行——因为上大学真的很轻松，做农民真的很苦。父母常说：汗水跌八瓣，还要节约着用。

爸妈都曾经上过高中。当我问起他们时，他们会说：那时学的东西早就卷煎饼吃掉了。小时候，我觉得爸爸很厉害。他能看电工方面的书，也能看拖拉机方面的书，而且还会调那台17英寸的黑白电视。

爸爸上学时学习很好。他常跟我说那时没有馒头吃，只吃煎饼，而且上学没有自行车，全凭两条腿跑来跑去。只可惜他当时没赶上好时候，常常是上午学习，下午就搞运动，白白荒废了许多好时光。想起来他至今都很懊悔，于是特别希望我能好好学习，不至于将来后悔。但他从不给我什么压力，只要我别偷懒就行。他说，咱家没有什么条件，学习好了，给家里省着点钱，不过也别不舍得花钱，该花的就花，只要不乱花就行了，家里不宽绰，亲戚可以借点儿。又说，反正你的名气在村里已传开了，到时候考不好，自家脸上也过不去。

后来的后来，我真的考好了。那时我是全市的第一名，全省总分第四。家人很高兴，于是请了亲戚、村里人和以前高中的同学来家吃饭。我对他们说：不请不行吗？请客还要花钱的。他们说：不请不是那么回事，都乡里乡亲的，图个高兴，况且以后你上学还说不定要他们帮点忙。

我知道，我的好成绩让他们感到了无比的骄傲。

可以说，父母的爱与期望在我很小的时候就深深地打动了我。还记得小学一年级的时候，课间我们这些野惯了的孩子便开始奔跑、打闹。其中两个同学闹别扭，打起来了。两人追着打，结果都跑到了我跟前。一个躲在了我身后，另一个气极不过，顺手捡起一块卵石，朝他扔过去。卵石直地飞出，击中我的眉骨，顿时血流如注……

中午放学回家的时候，远远地就看见妈妈和往常一样站在门外等我。我慢慢走过去，心想妈妈看见我脸上的这块纱布会怎么想呢？我记得清清楚楚，当时，妈妈的手上还粘着面粉（和面时候，出来接我）。她看见我说的第一句话就是："你头上怎么了？快给我看看！"

妈妈非要拉着我找那小孩的家长去。我跟在妈妈后边。之后，就远远地听见妈妈和那家人交涉。在我印象中妈妈一直是很善良，很不容易生气发脾气的，从没有跟别人吵过嘴。可是那一次，妈妈为什么那么激动，她的脸色为什么会那么沉重，她对那家人为什么会那么不客气？因为我！父母的爱可以突破观念和理智的约束，可以为孩子付出一切！那么我就该"合情合理"地去接受这份关爱吗？我"问心无愧"吗？我应该对得起这份关爱，为生我养我的父母负责。

有一段时间，我迷上了电视，每次父母要我帮忙干农活时，我总要编出最切合实际的谎言来推脱。但不久我就意识到，父母通常是不会让我下地干活的，除非人手实在不够，才不得不叫我去。我为我的那些谎言感到羞愧，于是，在给果树喷农药的夏季，我开始祈求天气的晴朗，我不想让父母一天的劳累白白给雨水冲走；我还喜欢上了割麦子，喜欢让麦子上的尘土弄黑我的手、我的脸；我"疯狂"地在玉米地里穿行，情愿锋利的叶子弄痛我的皮肤。

上小学初中的时候，遇上不好的天气，妈妈都要去接送我。我问爸爸为什么不去?爸爸说:"你看我这形象,去还不让人家笑话。"妈妈说:"你爸爸也没有几件像样的衣服,去了,人家还不得说他老土。"我得到了答案:我家在农村,并且家境比许多人要差。上了高中,我认识了像我一样生长在农村的同学,也认识了许多生长在城市的同学。爸爸一共来过学校三次:考上高中时交款的那一天,上高一入学的那一天,考入清华请老师们庆祝的那一天。妈妈来的次数也并不多,每次来的时候,都要穿上好看的衣服。也许他们真的这么想:"家里是穷一点,没有办法跟别人比,希望都在孩子的身上,支撑好这个家,支持孩子,让孩子去改变他的未来。"

当我考入县一中的时候,家人着实高兴了一阵子。我也高兴。上高三后,我回家的次数少了。我看见花盆里的花有的已枯萎,院子里的东西有点儿无序了,爸爸的脸更黑了,妈妈的头上也有白发了。是农活太多吗?是他们变老了吗?于是我渐渐明白时间是一个怎样的概念。爸妈已经很劳累了,可他们还要继续努力下去,支持我对清华的选择,支持我去学习一个他们并不清楚的计算机专业……

如今我已如愿以偿。也许还有许多和我拥有同样家境的农村孩子,他们也在自己的土地上努力去耕种自己的未来,但也许因为他们父母信念的动摇而不得不放弃,也许因为自己信念的动摇也不得不放弃,或许因为自己学习成绩的局限而不得不放弃。他们之中有多少人会有我这样幸运呢?

几周前我收到父母给我的第一封信,信很短,不过一页纸多一点。看完之后我就有一种想写信的冲动,可是当我提起笔来,我又写不出什么来。我一直在努力,没有取得更大的成绩,我又有什么可以向家里说的呢?难道让我去写"儿子一切平安"这六个字吗?

　　来到这里都快半年了，也没有跟父母联系过，是因为家里没有电话吗?还是自己有意去躲避父母的期盼？自始至终，我都在努力，都在努力为自己、为父母赢得一个未来。可是我又不能为父母保证什么，我不能保证我真的可以改变一切。

　　愿所有的人，都能抓住系在自己身上的感情纽带，为自己，也为他人的希望奋斗。

梦
想
激
励
我

心有多高,学习的路就有多长

执笔在清华,夜宁静,心宁静,慢慢地飞回到记忆中。

回首走过的道路,高中生活是沿途最美丽的景色,高中生活是生命路上那茁壮的精神之林。虽然有过失败、挫折、痛苦、不分昼夜的努力,有过高三复习时的哭天喊地、考试后的胆战心惊,但是现在只觉得高中生活是多么的可爱和值得怀念。高中活出了真精彩。

高中老师助我搭建清华大厦

高中时我的三个班主任,三个充满热情的好老师,分别在三个不同的方面给了我很大的帮助。高一时的班主任很年轻,拥有一颗朝气蓬勃的心。他使我学会从学习中获得快乐,赶走了我刚升入高中时的胆怯与羞涩,让我成为一个乐观自信的热血少年。高二时的班主任严谨、细致,做事情一板一眼。他督促我养成良好的学习习惯,让我懂得了做人的责任。高三时的班主任很随和,就像我们学生的好朋友。在考前最紧张的那段时间里,他帮助我们以最佳心态面对高考。可以这么说:高中时的我在造一幢高到要能接触到清华的大厦,高一时的班主任为我打好了地基,高二时的班主任为我搭好了构架,高三时的班主任为我装修一新。

正因为能够吸三家长处，我高考时的化学才能拿到满分。

在老师面前，我向来有一种敬畏的感觉，对老师的话可以说是言听计从。我的经验是：老师讲的话一定要听，因为他提的一般都是些好的学习方法，或者是高考必考的重点，或者是常见易犯的错误。这样的好话，多听几次也无妨。

特别是在高三。老师出于减轻学生心理负担的好意，对学生的要求要比以前松一点；而我们这些学生，在长时间紧张单调的学习压力下，会产生一种逆反心理。这时，有的同学开始逃避老师的目光，甚至开始逃课。实际上，这时最应该做的就是与老师沟通。不管什么事情，说出来总会好受些，何况听众是最支持你、最能替你保密、在高考心理方面最有经验的老师。

高三下学期，我曾经连续几次考试很不理想：第一次由第一名滑到第三，第二次从第三下到第二十五，第三次没有排名次，但已经是我们班第一军团的最后一名了。更糟糕的是，第三次考试是高考前的最后一次，我感觉到了心灵在崩溃边缘的颤抖。我该怎么办？我选择了与老师的沟通，把心里的迷惑都倾诉了出来。老师告诉我："第一只有一个，而有能力争夺第一的人很多，你就是其中之一。不要让自己失去赢得第一的机会。"经过几次敞开心扉的谈话，我渐渐摆正了自己的位置——我可能没有第一名的称号，但我绝对有拿第一名的实力——就是在这种平静而自信的心态下，我走进了高考考场，走进了我一生的梦想。

学习伙伴助我高考获胜

要在高考中取胜，挚友是必不可少的。我在高中时有一群非常要好的朋友与同学，我暂时叫他们为第一军团。

梦想激励我

我们这第一军团，可以说是竞争的火药味最浓的一帮人，曾经在一次考试中全县前五名我们攻进去四个。只是我们之间丝毫感觉不到戒备与紧张，我们倒像是快快乐乐的一家人，仿佛谁得第一都是件天经地义的事情。

我们会彼此交换自己的学习经验，交换一个时期的学习心得，共同探讨加深加宽某一个知识点，还互相出题难倒对方，彼此写文章给对方品评。我们之间没有任何保留，彼此都是坦诚的。

我们的坦诚换来了我们共同的进步，我们的坦诚让我们高三的复习生活变得轻轻松松。

切莫看见每个同学的第一反应就是：高考时他是我的××号敌人。我们应该开阔视野，走出心灵抑郁的隘口。试想，一个县，一个市，一个省，有多少人是你高考时的竞争对手，如果连身边的同学都放不过，那过不了多久，你就会患上心理疾病。

高中活出了真精彩

高中时，我每天 5：30 至 6：00 起床，特别是到了冬天，吃早饭的时候也许天还是黑的，跑早操时我们就开玩笑说："看，西边的'太阳'好大呀！"晚上，9：20 是标准的熄灯时间，一般我们都会规规矩矩地把灯熄了，安静地躺在被窝里，等着检查宿舍的人来检查。之后，我们就开始了夜晚天堂般的生活：互相斗嘴，吃零食，听录音机、收音机……当然，这些都是地下活动。有一次，我们宿舍放"张震讲鬼故事"，虽然都是 boy，但仍免不了胆战心惊，结果第二天人人的眼睛都红红的，宛如昨夜故事中的恶鬼。

有一次，宿舍里还发生了一件惊天动地的事。事情是这样的：有一段时间，我忽发奇想，要学会一件乐器。大件的东西没有经济来源，况且学起来有点儿麻烦，于是我选了样小东西，学吹笛子。没有音乐老师，自己买了本基础教程，凭着平时积累的一点音乐知识，苦苦磨炼了一段时期，终于能吹出声来了。一次晚上在宿舍练习，太入迷了，以至于学校的元老级人物厉校长来了我都不知道。等我看见他的时候，为时已晚。晚了！厉校长对着我微微笑，我也傻傻地对着他微微笑。厉校长说："以后不要在宿舍里吹了。"我回答："嗯。"然后校长走了。宿舍里的人大叫："完了完了，被校长接见了啦！"我虽故作镇静，但心里仍不免有些忐忑不安。

第二天，宿舍楼里贴出了通知：不许在宿舍里大声喧哗，不许大声放音乐，不许演奏乐器，以免影响他人休息。这下可把我吓坏了，心想班主任也要接见我了。可时间一天天过去，班主任好像不知道有这件事似的，我那悬着的心也就落了地。

我还做过一件更加轰轰烈烈的事。一次学校放三天假，同学邀我去爬山，我没应下来，因为我早已计划好了一件事：我要给学校写一份意见书。

首先我想说服学校给我们开设微机课，为学生提供更好的学习条件。其次，我觉得团委、学生会的作用没有充分发挥出来，所以就对这两个机构提了一些建议。此外，我还提了许多其他方面的建议。

总之，我写了厚厚的一叠，投进了校长信箱。三天的时间能完成这么一部"巨著"，心里挺痛快的。几天后，我听老师说，学校对我的建议很重视，在一次教师会上全文宣读，还花了很长的时间讨论。哦，原来学校这么重视我们！这件事进一步增强了我的责任感和参与学校建设的积极性。

说起参与，我们班的确策划完成了许许多多活动。有一次广播操比赛，我们想出了一个奇特的裁判方式：打破原先只有

梦想激励我

少数几个裁判的局限，把全班同学分成几个组，分布在场地周围，从几个不同的方面去打分，每个小组取平均分，之后再总的统计，取平均分。这种非常规的裁判方式吸引了老师的注意，结果我们班成功地获得了比赛的承办权。

还有一次学校举办金秋艺术节，我们没有选择学校给定的项目，而是另外办了一个新节目：美食＋书籍＋美术作品。记得当时围着看我们节目的人相当的多，挤都挤不过来，太神奇了。之后学校的艺术节就多了我们这项新节目。

高三下学期，有的同学已相当疲惫，想缓和一下紧张兮兮的神经，于是我们开了个学习交流会。我做了一个不算短的演讲，内容风趣幽默，说得大家心里都很痛快。我们还为自己定了学习目标，张贴在宣传栏上。

这个小会让我们都松了一口气。那时，我们就如同是被拉到了极限的弦，如果再用力下去，弦就会绷断。这次小会，让我们把弦放松了一点，避免了发生超出神经承受极限的坏事。

高考前的两轮考试甚为不爽，因为我的成绩很丢人。我心里也是挺急的，害怕最后的高考会辜负了我的父母。可是我知道，心里越急，学习就会越浮躁，考试心态就会不平静，这样的话考试就会很惨。于是，我在老师、同学面前极力装出很平静的样子，想让他们知道这次坏成绩对我没有丝毫影响，但内心深处仍然很紧张。

这时，我们班组织了一次活动：到校外去放松心情。谁知天有不测风云，走了没多远，只见天边乌云滚滚。在水库边钓鱼的人说："快回去吧，不过5至10分钟，雨就要下了。"可是我不听，和几个要好的朋友跑到水库的另一边。这时，雨真的哗哗下起来了。老师在对面冲我们大喊："快回到这边来！"

　　我们慢慢地往回蹭，雨水浇在头上。老师着急地喊："快点快点，感冒了怎么办？"我们笑了起来："淋一淋更痛快！"而且我还反复地把身体转来转去，好让雨淋得均匀一些。

　　这时，大家都跑到路边一小屋避雨去了，只有我们这几个"傻瓜"还站在雨中。头上雷声轰轰，我们冲屋里的同学喊："上路吧，反正都被淋了。"但里面的人硬是不肯出来。我只好拉着几个要好的朋友一起冒雨往回走。可以想象得到，当时同学们是怎么看我们的——几个疯子。

　　后来雨下得更大了。连路上卖西瓜的都回不去了，只好傻傻地留在雨中。我和我的好朋友，简直"疯"了！买了一个大西瓜，冒着雨抱回学校，大吃了一顿。

　　其实淋一下雨真是太痛快了。换上一身暖和的衣服，我已完全抛开了考试带给我的坏情绪。我又是平常的我了，一个充满自信心的我。

　　学校为我们开设了专门的自修教室。唉，进去一看，到处是××习题集，××考题集，××宝典，××题库……简直烦死了。都高三了，做大量重复的题又有什么意思，反正考来考去就考那么几个知识点！我对老师常说的"回扣课本"是深有体会的，于是我选择了一些其他有意思的书，如：牛津大学最新研究报告，科幻小说精品，发散性思维系列，新概念作文……在那段日子里，这些有启发性的读物，给了我莫大的快乐。

　　我喜欢新奇的东西，喜欢学自己感兴趣的东西。如果没有条件学，我就会去创造条件。有一段时间我喜欢上了画画，便自己买了参考书，而且买了一摞精美的卡通书来临摹。高考完后，我想学电脑，为大学的计算机专业打基础，于是花了两个月的时间，到离家六十里地的县城去学习！

好玩的东西，有趣的东西太多了！即便是在高三，只要你有一双善于发现快乐的眼睛，你一定能为自己找到快乐！

梦想激励我孜孜苦读

高三时，我有三个梦想，它们一直陪伴我走过高考，走进清华。这三个梦想就是我填报志愿时想填的三个专业——

一个是计算机科学与技术。我一直想成为计算机人才，比比尔·盖茨更棒，能研制出更高级的智能电脑，开发出更完美的软件，并拥有世界上最新一代的超级网络。

另一个是航空航天。好想到月亮上去，好想那种会飞的感觉，好想开着太空飞船就像骑自行车一般。曾经有一段时间，我想我会是神州号上第一位中国人。也曾想，那一天，我们真的结成了星际联盟。

然后是核物理。我真的想见识一下原子、电子、中子、微子的模样。想知道它们是怎样一个个地堆积形成这多彩的物质世界，以及这高超的人类。真想知道那微观世界的深处是否真的藏着多维空间的秘密。

在高中的时候，我会问自己这样一个问题："你为什么学习？"我想许多同学也都会这样问自己的。我是这样回答的："我有三个梦想。"如果你们也和我一样，我相信你们肯定会成为人生旅途的成功者。因为有了梦想，就知道了自己学习的目的，就知道自己该做什么，不该做什么，就知道自己还需要朝什么方向努力了。

拥有了梦想，自己在与人生的第一场争斗中就已经是胜利者了。

当你知道，自己是在为了实现自己的梦想而孜孜不倦时，你会感到充实。也许你最终没有实现自己的梦想，但我想你一定不会后悔。因为你一直生活在对梦想的追求之中。你虽然没有实现自己的梦想，但你却实现了你的人生价值。无怨无悔!

如果人生是散布在天空的星星，那突然闪过的流星就是我们的高中生活吧! 初中时我的物理老师告诉我: "不上高中会是一个人的遗憾。" 当我身在高中时，似乎只感受到了生活的紧张、学习的负担和父母亲那期盼的眼睛，但现在回头看时，高中生活却那样美好，让人难忘。

也许高中时，我们就是那颗流星。我们没有在意自己放射的光芒，却只注意到自己创造灿烂时那灼烧身体的痛苦。只有当我们回首眺望时才会发现，流星原本也是美丽的。

抓住它吧! 当你拥有高中生活时，请好好珍惜她。你原本一直生活在美丽之中，你之所以认为高考是上帝对你的惩罚，是因为你没有意识到上帝惩罚你的同时，赐予了你一生最珍贵的东西!

当你愉快地生活在高中时，请不要忘记:

> 离开老师，你会变得盲目
>
> 离开同学，你会变得孤独
>
> 离开快乐，你会变得阴郁
>
> 离开梦想，你会变得迷惘

梦想激励我

点评

168

梦想激励我

陈恕胜是一个从农村走出来的高考状元，他的成功是大学梦激励的结果，这个梦既是他自己的，也是他父母的，甚至是那些迫切改变自身命运的广大农民的。他身上肩负的是一种责任，同时也是一种情感的重压，这是他实现梦想的强大的内驱力。

为自己、为父母赢得一个未来

陈恕胜的学习目标是明确的——考上大学；他肩负的责任是沉重的——父辈们在他身上寄予的希望；他的学习动力是巨大而长久的——那是情感力量激发出来的梦想。这一切对一个年轻人来说，似乎有点近于残酷了，然而，正是这些构成他努力拼搏的不竭源泉。"书包里装满了家人的期待……，于是我知道了上大学是他们的一个梦"，"我应该对得起这份关爱，为生我养我的父母负责"——这是一种实实在在的情感力量，当然，这种情感的聚焦不是一时的，而是父母长期影响、潜移默化的结果。

在老师的帮助下，走进他一生的梦想

陈恕胜之所以能圆清华梦，起决定作用的是那些默默无闻的老师。他们用自己的学识和人品，影响和造就了一代又一代莘莘学子。陈恕胜高一时的班主任使他远离胆怯和羞涩，成为一名乐观自信的热血青年。他高二时的班主任严谨、细致，督促他养成良好的学习习惯。高三时的班主任把学生当作朋友，帮助他从失败中奋起，使他以平静而自信的心态，走进考场，走进他一生的梦想。

合作、自信，活出了真精彩

人们在论及素质教育的时候，经常提到的是调动学习主体的积极性。自立教育、合作式的学习，使主体作用得到很好的发挥。陈恕胜和他的同学们，在学习上既是竞争对手，更是学习伙伴，他们彼此交换学习经验、学习心得，共同探讨，互品文章。这种合作自主式的学习，换来的是共同的进步，使学习生活变得轻轻松松，使学生生活变得更加精彩。

梦想的激励，使他在知识的海洋里遨游

多彩的梦，使陈恕胜明确了学习的目标，知道了自己该做的和不该做的。正因为拥有了梦，才激励他朝着自己确定的方向努力拼搏，孜孜苦读，永不言放弃。

169

梦想激励我

我是怎样考上清华的

还是先回忆几招我的学习方法吧！一般地，人们认为谈学习就是谈学习方法。我并不是很赞成这个观点，但毕竟，学习方法是件很重要的东西。

方法一：每门课程都要有独立的课堂笔记本、错题记录本和习题本

虽说有些东西可以记录在课本的空白之处，但我的看法是最好充分利用笔记本。

拿化学的"碳族"这一章来说，我们可以用许多不同的图形和颜色把一整章的内容编辑到笔记本上：课本上没有的东西要重点记录，课本上有的东西只列个纲要。把书上一页页的零碎知识，编译成用自己喜欢的图形和颜色联系起来的知识系统，不但容易掌握，而且很容易找到知识之间的规律和联系，使知识在大脑中井然有序。这样做就避免了大量的东西记在课本上，起初自己还能明白，渐渐地就成了连自己都破译不了的密码。

习题本，很多人认为没必要。"随便算一算，就行了呗！"非也。想象一下，当你拿过一本数学习题本，翻开，上面写满了自己过去的成果，抚摸着那已经变得凹凸不平的纸，闻着那散发清香的字迹，心里会是怎样的感觉呢？我的感觉是爽极了。试想，自己的做题热情能在那一瞬间被调动起来，你又何乐而不为呢?况且还能培养你做题严谨的习惯，让你在考试中少丢分。

错题本是学习的必备品。每次小测验结束之后，我都要把全部错题搬到错题本上。也许有人会说，这样太浪费时间了，但它却可以让自己找出错在哪里，为什么出错，怎样才能避免出错。下面就拿我高三下学期的化学错题本为例。

高三下学期，我已经把错题本与课堂笔记结合起来了，而且加进去了心理记录。我是这样做的:

当一道化学题被证明是我错了，我会毫不留情地把它剪下来，贴在我的错题本上，然后从题解到标准答案，每一步都写得工工整整清清楚楚。有时错题是同一类型的，我就做几个标记，把这几道题所在的位置标注出来，以方便我以后翻阅。

整理一道错题，是一项非常艰苦的工作，不仅是一次心理上的斗争与完善，而且工作量也会很大，需要自己全身心地投入。有时知识点一环扣一环，层层扩展开去，写到最后还不收手，于是接着写自己做这道题时的心理状态，写自己的打算，甚至会大骂自己。整理一道错题，我所用的时间最多一次花了两节自习课。

方法二：学会劳逸结合，学会发泄自己的坏情绪

我一直认为，时间战并不是一种值得提倡的战术。相比之下，我更喜欢提高学习效率，喜欢在最短的时间内干完我最想干的事情。我经常让自己保持在一种兴奋的状态，当我感觉到干某件事我已没有了热情，效率降低时，我会去选择另一件事，而不会去和别人比谁坐在凳子上的时间长。我也曾经学别人在体育课上思考问题，但我失败了。一心不能二用，否则你正在干的事情也会干不好。

学习劳累之余，我会适当休息一下。但课间十分钟，我是绝不会猛跑猛跳、剧烈活动的，这样的话接下来的课会很难进入状态。我常常是在走廊走一走，和同学说几句笑话，并试着去忘记上一节课的内容。

有时，发泄一下自己的情绪是件很有益的事情。早操时，我喜欢用力喊几声号子，把刚睡醒的那股憋闷吐得干干净净，心里一下变得亮堂堂的，就像初升的太阳一样——有这么光明的一个开端，这一天能没有好精神吗？

当学习不理想，或者做错事情的时候，我常常这样"惩罚"自己：学习上你不是不上进吗？走，跑100米去！学习上你不是没耐心吗？走，绕操场跳圈去，直到你迈不动步子！你不是犯了错误吗？行，俯卧撑，引体向上随你挑！让自己的身体疲劳下来，心就会平静下来，脑袋就会冷静下来，看什么，什么都透彻。

在我看来，还有比学习方法更重要的东西，那就是学习心态。因为一套学习方法是很容易照搬照用的，但是好的学习心态却没那么容易学来，它多了些只可意会，不可言传的神秘感。权且让我这样来说吧：学习方法是形，学习心态是神。

下面我就描绘一下我的学习心态。

心态一：我是充满自信的

这也许与我的个人经历有关：从小学开始我的成绩就一直很好，初中开始从班级的第一名上升到年级的第一名，高中开始又上升到全校甚至全县第一名。

我的顺利，奠定了我的自信。

对学习成绩，应该抱一种看得开的态度。学习不是为了争什么名次，而是要想尽一切办法让自己获得知识，开阔视野，完善自己的品格，增强自身的素质。我认为名次是华而不实的东西。考了第一名并不代表你真正拥有拿第一名的实力，相反，当你的实力被别人承认后，考第二名或第四名，也没有人会否认你的能力。

拥有自信，就拥有了学习的主动权，大考小考期中考期末考，就都成了吃饭喝水一样简单的事情。高考前的一次考试我考得如此糟糕，我也仅仅是迷惑。我并没有放弃，我依然在相信着我的实力。

就是现在，在这清华大学里，碰见的人可能就是××省的理科第一，××奥赛的金牌得主。在他们面前，我也从未失去自信。我依旧在努力，我依旧相信自己的明天会更好。

心态二：我乐于挑战自己

不管是在身体素质方面还是在学习能力方面，我都有一个挑战自己极限的"癖好"。这样"折磨自己"，我不但没有痛苦，相反我会感到快乐。因为当自己的极限被自己挑战时，这"极限"就不会是极限，而是"可以"了。

有人说我很有耐心。其实这就是我一次次挑战自己的结果。因为我喜欢挑战自己，所以我就可以心平气和地坐一个上午，美滋滋地看一上午的书。因为我喜欢挑战自己，所以每一次考试之后我都会这样问自己：和上次比较，你是错得多了，还是错得少了？通过挑战自己，我不断完善我的人格，不断增强我的身体素质和心理素质，不断减少自己考试时的失分，直至失分为零。

当然，挑战自己并不是仅仅把自己圈在自己的小天地里。在适当的时候，你需要跳出自己，去看看周围更强更棒的同学，去相信自己的极限不是"极限"，去知道别人可以超过你，你也可以超越自己。

　　乐于挑战自己，会使自己处于一种兴奋的状态，使自己处于一种战奋状态。挑战自己不但能提高自己，而且能够使自己快乐，这难道不是件非常不错的事情吗？

状元从不轻言放弃

在新世纪第一年的高考落下帷幕后，山东省五莲一中又获得了引人注目的骄人成绩：四名学生被清华大学录取，其中陈恕胜以实得 698 分的高分获得山东省理科第一名，从而成为我校二十年来培养出的第四位全省高考状元。

陈恕胜是位品学兼优的学生。1998 年，他以全校第四名的好成绩考入五莲一中。高中三年，他一直担任班长职务，在学生中享有很高的威信。在学习上，他有自己的信条："不崇拜任何人，只相信自己。"他说："懒惰是人的天性。早晨睡醒时必须逼迫自己起床锻炼和学习，这样时间一长，原来的惰性就无影无踪，你就会感到很充实，心里充满着一种积极进取的欲望……课堂上我从不打瞌睡，因为醒着是可以思维的，而睡了却无法思想。"这说明他既有旺盛的精力，又有勤奋好学的毅力。"对待知识，就应该像饿极了的人见到食物一样，疯狂地扑上去"，在全班的学习经验交流会上他如是说。"说做就做从不拖沓，这是我的生活宗旨，更是我的学习习惯"，"说做什么就做什么，当有两件事情摆在我的面前，我不会两件事情同时进行，而是一件一件有顺序地做"。正是有了这样的认识，他在学习上从不需要别人的提醒和监督，也从不会自负和骄傲。

对语文老师布置的周记，他没有把它看作是一种负担，而是作为自己心灵对外的一扇窗户，不仅认真细致地写好，而且精心地画上一些图画，使文章的表达更完美，由此也得到了语文老师的多次赞美。对待课堂听讲，他更是自有一套。虽然多数题对他来说听与不听结果都是一样，但他没有像许多人那样以为题目会了就在课堂上干自己的事情，而是仍然认真仔细地听，按他自己的话来说就是："把老师的解法和自己的解法作些比较，就可以发现谁的方法更完美、更简便，从中发现自己思维的缺陷和不足，而老师讲课时用语言所传递的信息更容易引发自己的联想，使自己能举一反三。"

进入高三以后，许多学生都把成堆的学习资料从书店抱了回来，而他却一本也没有买，手头所依据的都是老师发的资料和讲义。他认为，老师下发的讲义是多年经验的积累，弃置不用而去另行一套，无异于浪费时间。因此，他总是认真地整理讲义中的错题，通过对每一道错题的归纳思考，发现自己解题过程中的不良习惯和知识的漏洞，从而确定合适的弥补方案。整理错题需要花费时间，有时一道题会花上一个自习，但他认为"你整理的不是一道题，而是一类题，一类自己的缺点"，"错题本重要的不是错题的数量，而是整理的质量"。今年高考化学得了满分，与他厚厚的一本化学错题整理本是密不可分的。

学习中的陈恕胜是一位佼佼者，生活中的他也是一位爱好广泛者。篮球、乒乓球都能玩得来，各类名著也没少看，尤其喜欢看科幻小说，对自然界中的奇异现象、科技发展的最新报道更是兴趣颇浓。他还是一位音乐爱好者，喜欢听节奏明快、动感强烈的歌曲和音乐，即使在高考前夕，也丝毫没有动摇他对这一爱好的执着追求，并且还振振有词地说："越是的士高这样的音乐，越能激发我的活力。"不仅如此，他还算是一位吹笛好手，为此还犯过一次小错误。有一次他由于"吹瘾未足"，回到宿舍里仍"孤芳自赏"时被厉明彦校长逮了个正着（学校要求不能在宿舍里吹乐器和大声喧哗）。此外，他还积极参与学校管理，由此还引起了不小的轰动呢！那是在高二下学期，校内某些不良现象引起了他的注意和思考，结果他给厉校长写了一封长信（厉校长称之为"万言书"），从各个侧面阐述了自己的看法和认识，有对学校优点的充分肯定，也有对一些管理漏洞的个人管见，更有一些对学校今后建设的合理化建议。学校领导对此高度重视，专门召开了办公会加以研究。会后，叶德军副校长半认真半玩笑的说："小小年纪有如此见识，明年我校又该出状元了。"

"不经磨难不成人"。进入高三后，学习氛围的空前紧张导致许多学生思想压力剧增，陈恕胜也受到了一定的影响。在上学期的期中自测中，他的名次滑到了班级第六名、全校第十五名，这对于成绩一直在全县名列前茅的他来说，无疑是当头一棒。可平日就寡言少语的他依然平静如水。老师们坐不住了，纷纷帮他分析原因、寻找差距、制定措施。他心里却暗暗跟自己较劲，正如他自己所说的："相信自己，才会有好的学习状态。"经过一番奋斗终于迎来了第一轮复习统考的丰硕果实，陈恕胜以全市第三名的优秀成绩再次品尝了胜利的甘醇。

随着高考时间的迫近，许多学生再次陷入了迷茫之中：我今年能考上大学吗？我能考上重点大学吗？我能考上理想中的重点大学吗？部分成绩不理想的学生开始放松对自己的要求，原来的理想信念受到了冲击，精力不再专注于学习，而是萌生混日子的想法。在班主任的帮助下，班委会和团支部组织了一次高考目标公示活动。班内每一位同学依次将自己的高考目标和学习计划向全班学生做了公开交流。陈恕胜谈了他对高考的理解，以及自己誓考清华大学的决心，深深地感染了每一位学生。

就在一切进行得似乎很顺利的时候，又一次沉重的打击袭击了他。在六月初进行的全市第二轮统考中，他的成绩再一次出乎意料地降到了班内第三名、全校第十一名。在离高考仅有一个月的这个时候，说他没有思想压力是不现实的。虽然表面看来他依然处变不惊，但作为班主任的我，却是心急如焚。我认为，假如他对这次成绩不能正确地看待，将会直接影响到不久的高考。不过在与他的交谈中我还是故作镇定，试图说服他让他放下思想包袱，增强自信心。他漠然的表情和沉默的态度令人满头雾水，难以琢磨他到底在想什么。但我坚信，他一定会调整好自己，迎接即将到来的挑战的。

在此后不久的一个星期四的下午（离考试成绩出来后只有三天），天气沉闷得让人喘不过气来，教室像蒸笼一般，在里面干坐着都会汗流浃背，更不用说学习了。我决定组织全班同学一起步行到郊外散步，顺便让学生们好好地放松一下。谁知天有不测风云，刚到郊外不久，噼里啪啦的雨点就砸了下来，闷热的天气霎时凉爽了许多。学生们欢呼着、跳跃着，那股高兴劲儿就甭提了。可高兴了没多久，便狼狈地四处找避雨之处。好在附近有几户农家，大家一窝蜂地拥了进去。我惟恐有学生掉队走散，在后面收拢组织着，这时发现陈恕胜和另外一个和他很要好的学生仰头伫立在雨中，任凭雨水无情地浇泼着自己。我不忍心看他们这样折磨自己，招呼他们赶快到屋内避一下，可他说："让雨水淋一淋吧，或许会让自己更清醒一些。"

陈恕胜升入大学后，在给我的信中对这次淋雨写到："真遗憾，寒假回家已是严冬，不可能再和大家一起出去，然后全身湿透后回来了。"可见淋雨对他的影响之大。事实上，这次成绩的不理想的确也曾影响过他。他后来被学校邀请作经验介绍时说："一直以来，清华是我的目标。我是这样想的：我会尽我最大的努力去学习，即使考不上清华，我也会无怨无悔。因此不管我平时的考试成绩如何，这个目标我始终没有改变。但是当我在第二轮、第三轮考试中成绩不尽如人意时，再以清华为目标会给我很大的压力，于是我改变了一下：不管考得怎样，只要我尽了最大努力就行了。这样负担小了，走进考场，感到很轻松。"

当然，陈恕胜的高考胜利还来自于班内尖子生的相生相长，来自于班级树立的强烈的必胜信念。在临近高考的那些日子里，为了增强学生们的自信心，班内充分调动了各种方法来调节学生的心理：利用班空时间听轻音乐，利用课外活动时间做游戏，利用板报来为他们鼓劲。在考前的十天里，出了一期板报的题目是"高考争雄，舍我其谁"，班内前六名学生各写了一句自我鼓励的话，记得陈恕胜是这样写的："我不后悔，因为我努力了！"虽然不是什么豪言壮语，但反映出他已没有什么思想压力，对自己已充满信心。这期板报对学生们的影响很大，大大地增强了他们的必胜信念。

陈恕胜高考的胜利绝不是偶然，而是来自于他远大的抱负。他曾经说过："爱国主义不是抽象的，而是实实在在的。假如你仅是一名庸夫，在外寇入侵时，除了以血肉之躯与敌人的钢铁相搏外还会有什么作为？要想更好地报效祖国，就必须迈好高考这一步！"成功还来自于他始终如一的努力——一个人即使有很好的天赋，若失去了持之以恒的追求，也会把这种天赋湮灭在平庸之中；来自于良好的学习环境，来自于校内激

梦想激励我

烈的竞争，来自于全班健康向上的氛围。总之，陈恕胜的高考胜出，是师生矢志不渝、不言放弃地追求的结果，是汇集了天时、地利、人和的结果。正如他自己说的："我之所以能取得今天的成绩，成为莘莘学子中幸运的一位，离不开流汗的拼搏，离不开同学和老师的帮助。回望高中这三年，心里充满了酸甜苦辣，有努力拼搏的艰辛，有失败挫折的痛苦。"一句话：精诚所至，金石为开！

山东省五莲县第一中学　宋瑞庆

梦想激励我

慈颜谊

完善性格

慈颜谊(山东省文科状元，现就读于北大)

父母职业： 个体经营者

父母教育时常说的话： 仅仅会学习是不够的

生日： 1982 年 8 月 6 日

爱好： 看书

最崇拜的人： 唐师曾

最喜欢的作家： 余秋雨、毕淑敏

最爱看的书： 《我钻进了金字塔》

最欣赏的一句话：

　　平和地生活，但也不拒绝挑战

寄语高中生：

　　虽然告诉你们很多经验，但最终起决定作用的还是自己，趁青春年华努力拼搏

高考拼的是心态

初中时学《岳阳楼记》，除了那句"先天下之忧而忧，后天下之乐而乐"外，最喜欢的要算是"不以物喜，不以己悲，宠辱偕忘"。那种心境令我神往。

如果人总是能够以这样一种豁达的、不轻易为外物牵绊的心境面对成败荣辱，那么生命中会减少很多无谓的烦恼，增添些许宁静的舒畅。

我的成绩是被唬出来的

从小我就是个不爱讲话的女孩子，不爱与人交往，也很胆小。那时，送我去幼儿园是爸爸妈妈最头疼的事情。因为我不喜欢和小朋友们讲话，我宁肯一个人静静地坐着，自己想心事。常常，在我家面向大街的窗口前，有个小女孩静静地注视着街上的人来人往，一望就是半天——那是又没去幼儿园的我，在默默地盼着妈妈回来。知我者莫若母，当爸爸又一次很生气地想硬拖我去幼儿园时，妈妈会帮我擦干眼泪，说："太勉强她了并不好，就让她静一些吧！也许这样她会开心。"然后，她又嘱咐我："不要总站在窗口，害怕的话就打开录音机，那里有后羿与嫦娥的故事。妈妈和爸爸会早一些回来。"我不善于表达，但我真的总是在心里悄悄地说："妈妈，谢谢你。"

一个人在家，我可以反复地去听磁带里的故事，听到最后，能够背下每个人的台词，甚至自己扮演不同的角色，演完全部的故事。于是，和别的孩子不同，我的童年世界少了喧闹与顽皮，我在一个人的空间里让想象的翅膀任意翱翔。也许在最初上小学的几年里，我真应该感谢这份好静的性格，我可以在孩子们嘈杂的嬉笑声中不为所动，专心地看我的书；内心的胆小使我不敢违背老师的命令，我被小学老师严厉的气势唬得老老实实，在本应调皮的岁月里，我安安静静地走在我的学习路上。

这种性格固然使我能够在书桌前静下心来，使我在考试中占据优势，但也局限了我的天空。当身边的人都为我从小学到初中一直名列前茅而夸赞我时，爸爸却发出了不一样的声音："生活的书你读得太少，不爱交流会让你未来的路越来越难走。"

的确，看同学们聊天聊得那么兴高采烈，看大家在辩论会上滔滔不绝，不善言辞的我感到有些失落。我开始有意识地弥补我性格中的缺憾，因为我明白未来社会需要的决不仅仅是能安静地坐在书桌前的人。当然这种改变的过程是漫长而困难的，到现在我也还是更喜欢一个人的世界。

爸爸总在不声不响中帮助我，把我从一个人的世界里拉出来，并以他独特的方式将更真实更广阔的世界呈现给我。记得高中时一次晚自习后回家，爸爸一听到开门声就立刻喊："女儿，快过来看看——新闻调查成克杰的案子，又揪出来一个！"

爸爸情绪很激动，我被他感染，若有所思地说："其实如果每个共产党人都能意识到贪污腐败的后果只会是面对铁镣和子弹的话，那我们的社会就会干净许多。"爸爸却摇了摇头："未必。你说哪个领导不是聪明人，他们不知道自己在触犯法律吗？他们没有看到前车之鉴吗？刘青山和张子善被枪毙了，但现在不是同样有成克杰吗？""那还是因为他们没有真正认识到后果的严重性，思想认识不到位……""不对，根本的问题在于领导机制的不完善。约束机制不健全，权力过于集中，民主意识薄弱，以及干部的工资不是很高等等，这些都是问题所在。"爸爸紧追不舍，我不服气，开始摆事实、讲道理，与爸爸唇枪舌剑。

就这样，爸爸在家里常常会找些话题来与我辩论，我从中体会到了乐趣，在学校里也更喜欢和同学们侃了。而且我发现，在社会里摸爬滚打这么多年的爸爸，经常会给我新鲜的启发，给我书本上不可能有的教益。现在想想，爸爸真是费了一番心思。他让我首先与最亲近的人没有压力、没有顾忌地交流，进而逐渐勇敢地说出自己的看法，并主动与他人交流。所以，性格的缺憾是可以弥补的，只要自己能够正视不足，有心完善。

忽略爱，学习的世界很阴冷

每个人都无法预见自己的命运。

中学时代，当我读着先辈名人的成长之路时，那些少年时即立下的鸿鹄之志，那些为理想而上下求索的奋斗精神，每每使我钦佩不止而又惭愧不已——似乎我的路就这样静静走来，没有值得夸耀的凌云壮志，也没有轰轰烈烈的拼搏探索，平淡如水，波澜不惊。我曾经像仰望星星般地仰视历年的高考状元，头脑里总下意识地将他们想象成学富五车、才高八斗的高智商的能人——那个时候是无论如何不会想到这样一个平凡的我也会成为高考状元。

一年前，我带着从师兄师姐们那里得来的关于高三生活的信息，怀着对黑色七月的莫名敬畏与憧憬，在紧张中拉开了高三学习的序幕。似乎每一个笼罩在高考阴影之下的人都会被一种严肃的、紧促的气氛感染，即便内心深处并非万分着急，但脚下的步子也在不知不觉中迈得越来越快。

高三管我们的级部主任正好教我们政治。他是位极富经验、干练而责任心很强的老师，上课也不苟言笑，第一节课就给了我一个下马威。开场白他讲了大约 15 分钟，突然刹住，点名让我将他的意思分条总结出来——当了他一年的学生后，才知道这个老师讲课、做事都相当有条理——我心里咯噔一下，因为不太在意那些讲了无数遍的大道理，就没有认真听。我支吾着讲了一条后，就再也编不出来了。

主任的脸色多云转阴，我心里直暗暗叫苦。那时他讲的话至今仍清晰地刻在我的脑海里："我要求你们从今天开始记好：在高三，老师的每一句话你们都仔细记在心里。我们的这场战斗不会打得太久，转眼就到七月，错过一句，也许你永远没有再找回的机会。"好像危言耸听，但在高考面前我们不敢不信，毕竟没有人会拿这一年做赌注。

在外界的逼压下我平静的心开始起了层层波澜。我的面前似乎不再是一张安静的书桌，而是一个没有硝烟的战场，像主任说的那样，我们的战斗已经打响。也许性格中的"静"注定我非"好武"之人，这种所谓的"战斗的打响"并不能像刺激某些人一样令我兴奋，相反，我感到生活中一些东西在莫名地流逝，我为此而有些失落。

我每天 5 点钟逼自己起床，然后以军营中的速度洗漱、吃饭、蹬车到校，书包一放连招呼也来不及和周围的同学打，就匆匆打开课本，在还未完全清醒的大脑支配下，背诵英语单词或是历史概念。常常是闭着眼睛在梦里呼唤"邓小平建设有中国特色社会主义理论"，而且往往会被数学老师的双曲线方程给打断。紧张的一天就这样从忙乱的早晨开始。课间休息也仅仅是在教室与厕所间来回，并美其名曰"散步与锻炼的结合"。接着是中午放学又上学，在从我家到学校不足 500 米的距离内，我通常是以百米速度飞奔于布满坑道的马路上，以致跟随了我六年的座骑常常惨遭破胎的折磨；然后又在书堆里一钻就是几个小时，直到晚上 9 点放学，披星戴月回家……

这就是我们最真实的高三生活，除了学习还是学习，恨不能一天中的任何一个缝隙都可以塞进知识。起初的两个月，我如此匆匆地忙碌着，不问原因，不管效果。我不和父母多说一句话，回家就一个人关上门背我的书；也不和好友聊天，在教室里除了学习，就是趴在桌子上"小寐"——因为每天都是疲劳的。

我开始拒绝一切与学习无关的东西，但我却学得很压抑，变得容易烦躁，莫名其妙地爱发脾气。那天晚上下晚自习，刚进家门就闻到香浓的炖肉味道。妈妈故意很神秘地问我："猜猜我弄了什么？""肉。"我面无表情地回答。妈妈见我如此冷淡，脸上的笑容凝住了，转身进了厨房。

我一头钻进房间，拿起了书。没过多久，妈妈端着肉进来，说："我和你爸今晚特意留给你的，每天在学校吃晚饭，营养是不够的——"我点点头，眼睛却依然没离开书。妈妈也没再说什么。不知道过了多久，当我抬头时，却突然看到妈妈披着大衣，坐在我的床上默默地看着我，眼皮很重的样子。她见我抬起了头，又关切地说："不要学得太累了，妈妈不说太多，但今天一定要吃肉。"说完就要走，边走边嘱咐我："别

完善性格

忘了，记得吃啊。"

突然间我好想哭，我发现自己上了高三居然变得如此冷漠，我甚至不愿理爸妈，而我的爸妈却如此深切地关心着我。我放下书，对妈妈的背影说："妈，和我一起吃吧。"那一刻，我看到妈妈的笑是那么幸福，而长久以来我压抑的心也因这份笑容而放晴。

我在心里说，即使学得再累，也不要忽略爱，没有了温情，学习的世界也只会是阴冷。

高三的日子最忌说放弃

高三的另一大特色是考试频繁，老师说，这是训练高考实践感觉的好途径。现在看来，这话很对。考多了，习惯了考试的气氛，面对决定命运的高考时，就不会有心理畏惧感，而且手也练熟了，到后来一见试卷就像见了老友，特别亲切。

但这份亲切感的产生是需要代价的。开学一个月后，各科的考试就像商量好了似的在几天之内压来。尽管老师一再强调，只不过是检验一下复习成果，看看教学问题，以便及时纠正，不必紧张。但我还是波动了好一阵子，特别是看到成绩不太理想时，当下心里就凉了半截：怎么每天那么"充实"，成绩却如此糟糕？我一度被徘徊不上的成绩压得委靡不振，但又不太爱表达自己，所有的疑虑埋在心里，所有的苦闷一个人承受。而这期间，我却依然不懂得抬起头来找寻一下方向，依然一如从前重复着繁忙而紧张的工作。

直到有一天，又一份成绩不太好看的英语试卷把我打击得没了力气，我约出最好的朋友，到操场上散步。我流下了埋藏许久的泪，对朋友说："我的路就像一条开口向下的抛物线，已经越过了对称轴。"

学理科的朋友看到成绩一直不错的我变成这个样子，一时竟找不出安慰的话，只好说："不对，你的二次项系数是正的，走出最低点，你的路会单调递增。"她又想了想，很认真地告诉我："当局者迷。我们同样处在高三，我的路同样不容乐观，但有一点我一直想说，从物理学的角度看，一支弹簧有它的弹性限度，压得太紧或伸得太长它会失去弹性，它就不再是从前的弹簧了。你是否已经没有弹性了呢？"现在回想，大概只有整天浸泡在题海中的人才会脱口而出上面的对白，但朋友的话却真的像一道火花闪过我的头脑，是啊，我是否已超过了我的弹性限度？

我开始慢慢静下心来，试着留出几分钟仔细回想高三的这段日子。我忙碌，但因太忙忘了消化；我充实，但头脑被塞得满满的，知识没有条理。这样的学习是没有效果的。我有点明白了，面对高考，第一要著是静心。

其实，高三以前，我的成绩就得益于静心。我的"好静"性格使我可以静静地坐在课桌前专心看书，不被外物牵绊；而到了高三，被高考那种神秘而又压抑的威慑力一震，我有点乱了方寸，我在学习时头脑深处常常有个声音突然说："高考会怎么考？万一倒霉，考砸了连本科也考不上，我的脸往哪放？"诸如此类的问题，使我困扰。

我意识到自己急需的是一份真正的"静心"。我不可以把神经绷得那么紧，我开始有意识地放松自己，像以前那样，中午看看新闻，晚上回家后先听一会儿歌曲；星期天，偶尔也会重拾《女友》看上一阵子，然后更有效率地学习。

我好像回到了从前，安安静静地学，不去想7月的结果，毕竟过程就只是付出，收获的日子我们预想不来。

但面对越来越多的考试，我还是心有余悸，特别是政治选择题。这项难关我似乎直到高考都没逾越，我们每堂课都要做选择题的测验，75 分的题我通常都是 60 分左右，后来我都被打击得麻木了，再后来演变成草木皆兵：明明是很对的话也要研究一下它的语法，生怕有什么出奇不意的毛病，简直有点神经过敏。当分数一直徘徊于 60 分附近时，我告诉自己，没用了，不管它了，听天由命吧——我想放弃。

我对于政选题的沮丧似乎被老师看穿了。一次月考后，老师拿着分数册找到我："怎么考得这样差？"我无言以对。那时我早已在心里盖棺定论：我做政选题没天分。老师说："做政选题的确很大部分靠感觉，我们练这么多也正是练感觉，没有人会明确地告诉你做这类题的万能方法。其实，你需要的是战略上蔑视它，战术上重视它……"

我明白，老师不想让我丧失信心，又怕我因太过在意而失去基本的判断力，这其中的度需要我自己琢磨把握。高三的路上，最忌说放弃，你放弃哪一项，哪一项就放弃你，无论如何也要咬住，直到最后。

这时想起了我最欣赏的那句话："不以物喜，不以己悲，宠辱偕忘。"心胸豁达，不轻易为外物牵绊，尤其不被一时的成败荣辱左右心绪，这一直是我所追求的心境。升入高三后，刹那间似乎什么都变了，我以前是最看轻成绩的，而且常说：胜败乃兵家常事，上帝怎么会总让一个人拿第一？但到了高三，我太焦急，也太在意那一分一毫的得失，我对考试所一贯拥有的平常心也丢失了。

我把以前的政选题拿过来，仔细地研究，发现同一种类型的错误居然犯了好多次，其实我完全有理由避免这类错误，但我的灰心，我那被太多低分吓怕了的神经，使我只想赶紧跨过这些讨厌的"ABCD"，赶紧做完。

的确，每一次考试都如临大敌般地紧张不安，每一回成绩都斤斤计较的话，我们一定会神经衰弱，学习的意志也会在打击中被磨光。后来我试着这么想：这次考试又检查出我好多缺漏，很好，幸亏不是高考才显露出来。我就只关注反映在卷面上的那些错误，不计较分数。当注意力从结果转移到过程以后，心里舒服了许多，成绩也开始慢慢有了起色。

而就在这时，我的母亲患了重病。

记得那天吃中饭，爸爸突然告诉我，妈妈下午要做一个小手术。"不过，现在知道是没有危险的。"爸爸特意加了一句。我很惊讶，在我印象中妈妈与手术是绝对扯不上关系的，怎么会突然就要做手术了？我第一次有了一种要失去母亲的恐惧。"到底怎么回事？妈妈得了什么病？"我的泪早已流了下来。我不敢想令我害怕的字眼，但头脑里却总是闪现妈妈在病床上的情形。

爸爸的眼睛红了，但嘴上却说："没事的，真的。一切都会好的。你最重要的任务是好好学习，你妈妈最放不下的就是你的学习。"我的心更凉了，那一刻的感受我一辈子也忘不了——害怕、愧疚、悲伤，好像世界一下子没有了意义。我无法止住泪水，我甚至讨厌高考——我突然觉得是高考让我只顾学习，疏远了妈妈。妈妈病了这么久，直到做手术我才知道她的病情，我怎么可以这样自私无情？

那段日子，我常常悄悄流泪。从小一直没离开妈妈的我，真的感到手足无措，那种将要失去妈妈的感觉让我的天空只有阴霾。学习有很多机会，但妈妈就只有一个呀。所有人都在担心，只剩两个月就要高考了，这件事是否会严重影响我的成绩。

一次班主任在课堂上发现我神情恍惚，下课后他找我谈话："其实，当我们最亲近的人生病时，我们总是自己吓唬自己。事实上，情况并不像我们想的那么糟。"他跟我讲了他亲人的病情，然后又语重心长地说："这个时候，千万别放弃。想想看，奋斗了一年，付出了那么多，牺牲了那么多，在最后时刻，松了劲，岂不前功尽弃？你担心你母亲，你母亲更担心你的高考呀！平静下来，依然像以前一样，在学习时就专心学习，全力以赴备战高考，否则你母亲也会感到愧疚的。你应该懂得的，是吗？"

我从小没有经历什么风雨挫折，却不想十九年来最重要的两件事竟在同一时间降临到我的世界，我第一次明白为什么那么多人感叹生活的无奈与艰辛，我想我应该接受命运对我的考验，勇敢、理智、从容地面对！

于是，我擦干眼泪，说："我不会放弃的，我会更努力地学习。"——无论是为了妈妈，还是为了自己，或是为了圆满地解答生活给我的难题。

那段日子，我突然间长大了许多，我更珍视朋友的关心，更珍惜和家人在一起的每分每秒。每节课后，朋友们都特意跑来陪我聊天，我用笑脸告诉她们我不会倒下。母亲在病床上笑着说："别老想着往医院跑，专心学习。不要让老妈失望哦！我还等着女儿七月的喜报呢！"我点点头，妈妈，我能行。

于是，我收拾心情，又像以前一样投入战斗。在剩下的两个月里，我依然平静地、有规律地继续我的拼搏之旅——直到高考。我庆幸自己的心很快就能平复，在考场上我脑中只有我所学过的知识和我眼前的试题，没有任何负担，这份平静的心态使我临场发挥达到了最佳状态。

在高考的压力下，我们的心理不可避免地会受到这样那样的冲击，但最重要的是要始终保持静心、安心和平常心。紧张而不慌乱、从容地走完这一年比忙忙碌碌地、焦躁不安地重复每一天，会更让我们受益。我想，高三赋予我的绝不仅仅是一些知识，也不仅仅是七月一个美丽的收获，还有一份心灵成长的经历。我珍视高三这一年的苦、累、成长，还有我最困扰时所感受到的温情。

完善性格

点评

特级教师

赵如云

完善性格

慈颜谊的经历似乎在告诉我们：事实上，高考是从高中一年级开始的，此其一；其二，高考也不仅仅只是考学生，它还是对家长和老师的一次考试；而相对于慈颜谊来说，她的高考甚至从小学就开始了。

当父母知道孩子性格内向、不爱说话的特点之后，细心的父亲便采取与其争论的办法，故意设问题，并做反方来激发颜谊说话。这一方面为孩子步入竞争激烈的社会生活作了很好的铺垫和准备；同时，孩子通过争论，还可以学到在课堂上学不到的许多东西——所以我说，颜谊的高考甚至是从一上学就开始了，即使她的家长从没这样想过，而事实上，他们都是这么做的。

这样做的最大好处是：在孩子眼里，父母本来是管孩子的,这首先就让孩子有了一点儿畏惧心理,如果你再以你的行为,给孩子留下"父母是一种权力"的印象,那么,就会给孩子的心理发展带来震慑。如果父母们都像颜谊的父母那样与孩子相处,事情则会是另外一种样子:原来还可以这样与权力相处!也就是说:父母在一定的时候,要拿孩子当朋友处。

一个普通孩子的成功,肯定不仅仅是孩子的事情,大而话之是学校和整个社会的事情,小而话之是家长和老师的事情,最后才是孩子自己的事情。我们可以生硬地做一个拆字游戏:学生学生,学而生成。跟谁学呢?自然是家长、老师,学校和社会。这样看起来,一个良好的生存环境,是营造一个良好的学习环境的保障。

所幸的是,所有这些都让颜谊赶上了。

完善性格

学习在高三

一直想写写高三，但脑海中对于高三最深刻的印象依然是那些翻了无数遍的书，做了无数遍的题，那一年的学习与高考似乎渗透到了我的血液里，成为了我的一部分。高三，真的可以魔力般地让很多曾经贪玩的大孩子一下子安静地坐在书桌前专心致志地学习，不用家长唠叨，也无需老师催促，大家不约而同地一下子长大了——这是高三，或者说是高考最真实的力量。

高三学习的第一关是要让自己迅速地适应它。如何在短时间内迅速调整好心态来跟上老师的步伐，适应高三全新的学习方式，是高三的第一场战役。就我而言，这个适应过程是辛苦的，最困难的是应付接踵而来的考试。高三，考试是家常便饭，这就要求必须以平常心对待考试。走过适应期，感觉就像火车上了轨，学习的序幕也真正地拉开了。

刚上高三时，很迷茫，希望有个人能指引我，如何组织高三的复习。因为初次接触三轮复习，我们并不清楚这种方法的明确概念，而且也没有对时间的紧迫形成足够的认识。尤其是第一轮复习，要在短时间内较详细地复习完全部的知识点，效率自然是第一位的。但谁也无法保证自己的精力总是高度集中，况且即便全神贯注，也总会有记不住的时候。我在第一轮复习时就常常完不成课堂上的任务，稍有松懈，课后就补不上。结果，不少知识点就这样错过。到了第二轮，我就立刻感到那些被我遗漏的基础知识，真的给我制造了不少麻烦。地基都打不牢靠，如何再去建构上面的房屋？现在看来，那时的症结就在于"贪多"——想把书上的每个字都记住，结果，又像学新课一样，很精细地去背。其实，高三的复习在很大程度上是一种"回味"，把记忆深处的东西再挖掘出来，基础好的同学完全可以先想一遍这一节要复习的内容，挑选记忆最薄弱的环节重点复习，较为熟练的简单看一下即可，这样就较科学地解决了容量大、时间紧的问题。

值得注意的是，一定要制定一份具体的复习时间表。根据自己的实际情况，列出一天从早到晚的作息和学习计划。如果仅仅跟着老师和其他同学跑，面对皓如烟海的复习内容，很容易盲目，虽然每天很忙碌，但头脑里的知识条理不清晰，复习过的东西还是会模糊。我开始的时候就是这种感觉，复习过的知识很杂乱，而且一到自己复习，就将一堆书摆在面前，翻翻这本，忽然又想起另外一科的某个环节有漏洞，于是又拿起另一本，翻来覆去，时间就这样溜走了。

后来发现，真的不能再这样无计划地学习，就给自己定下规矩，给每科安排好固定的时间，例如早上 15 分钟读英语，课外活动做一道政治辨析题，晚上钻研一段时间数学。睡眠、休息也有详细安排，学习和生活都有条不紊地进行。为了不至于一味跟着老师跑，而使学习只有数量没有质量，我在每天晚上睡前，都闭着眼睛回忆今天所复习的内容，每个周末再把一周的知识在脑中串一遍，这么做看似是总在重复，其实若不这样做，前面复习后面就会忘，尤其是文科记忆量大，更需下大功夫，第一轮复习费点力气，在二、三轮提高能力时，就可以

195

完善性格

匀出大部分精力来对知识进行深入分析。

根据不同学科的不同特点，各科的复习方法也有细节上的差别。在高三，我们的语文课在阅读上花了不少时间，老师也费了很多心思，比如办文学报、摘一些优秀文章给我们读，以扩充我们的视野。开始时，我还很认真地写读后感、摘记，到了后来，就只剩下读了，这就是我的遗憾。现在看来，语文还是需要大量阅读的。一些经典的、名家的段落，名句、诗篇，最好背一背，无论是对于高考，还是对于今后的人生都大有益处。

那时我们的语文作业很少，老师留有足够的时间给我们弥补自己的薄弱点。这样一来，又出现一个问题，课后的时间往往被各科作业挤满，语文总是被排在最后，而且很多人都认为，语文很大部分靠灵感、靠运气，不用花太多时间去复习。这些其实都是很错误的。语文的基础知识，也需要大量精力去巩固。我每天晚饭后都会留出 10 分钟翻成语词典，并且对于易用错的词，都会试着造句，毕竟高考的成语题是以句子形式出现的。老师也很注重积累，常总结一些字、词、句方面的问题，要我们牢记。

当然语文的确很需要语感。在平时多读读《语文报》、《语文世界》、《读者》之类的报纸、杂志，增强阅读能力，是非常必要的。此外，我觉得语文考试里，最忌做第二遍，语言理解方面的东西，第一印象极重要，往往再看一次题，就会出现理解偏差。总之，平时一定不可忽视语文，没有扎实的基础，再好的运气也无法帮你，顺利地应付语文考试。

高三时，我是数学课代表，数学老师正好高一、高二都教过我，她的教学思路我比较清楚，这给我高三的数学大复习带来不少方便，因为老师总结的很多题型，在我以前的笔记上都记得很清楚。高三时我的数学学习方法并未改变多少，其中最有益的要数做错题集。记得高一时，老师就建议我们将错题积累起来，这样做会对错过的问题印象深刻，直到高三，我一直坚持做错题集，很多在高一时错的题型到总复习时我依然记得很清晰。英语的学习更要注重积累。在高三，我们都喜欢把词组或语法记在小本上，随课可以拿出来看看。英语考试中最重要的，是仔细，尤其做那些似乎做过的题，也许稍微一点改动就会有完全不同的答案，最忌思维定式。而且，英语是要说出来的，多读多练口语，可以帮助英语语感的提高，而且对今后的英语学习也大有益处。

历史这科最重要的是搞清楚知识的联系，根据每个时期的不同特点，既能从纵向将历史分成不同的时期，又能从横向找出事件间的联系，差不多每一段时期都应从政治、经济、文化等各方面分析特征。要达到这种要求，首先应该掌握扎实的历史史实。高三的历史老师总是对我们说，题目是永远做不完的，做题不可以贪多，而应该求精，因此，他要求每做完一份试题，都要做详细的试卷分析，而且给我们讲解时，每一题都绝不局限于题目本身，而是尽可能联系到与之相关的知识点，所以，我们做完一张卷子，就像又复习了一遍，感觉很充实，这种做法看起来很费时间，但我想效果可能比不停地做卷子更好。

政治是一门让我欢喜让我忧的学科，让我欢喜的是论述题，让我忧的是选择题。论述题，思路其实比较简单，先看问题，带着问题看材料，再将材料对应课本的知识点分层次，最后将答案组织好写出来。对我来说，论述题有很清晰的思路，但选择题就完全相反，我总是找不到确切的思路。老师给我的建议就是多练些题目，找感觉，如果没有方法，那就只有仔

完善性格

细，尽量减少因马虎而产生的错误。

到了最后几个月，政治复习的主要精力就放在了热点、时政上。背热点也要善于总结，从哲学、政治、经济常识去分析，同时，这个时候也不能忽视基础知识的继续巩固。

这就是高三的学习，但每一个人都会有自己的跋涉之旅。尽管说了这么多，我还是认为，自己的路必须自己认真探索——我的路就是在对错反复中探索出来的。所以，高三究竟如何学习，经历了才会真正明白。在这里，我祝愿高三的同学，都会在付出之后得到自己应有的收获。

完善性格

谭彦

我自信我成功

谭 彦（湖南省文科状元，现就读于北大）

父母职业：工程师、教师

父母教育时常说的话：不要把考试看得太重

生日：1983 年 8 月 11 日

爱好：打球、看电视

最崇拜的人：毛泽东

最爱看的书：《平凡的世界》

最欣赏的一句话：

　　没有比人更高的山，没有比脚更长的路

寄语高中生：

　　单调的日子因你们的理想而充实，枯燥的生活因你们的奋斗而精彩——路就在你们脚下

父母教会我坚强自信

　　十八年的成长岁月，点点滴滴都是值得珍藏的记忆。我是一个普普通通的女孩，没有沉鱼落雁的容貌，没有聪明过人的头脑，也没有独特的气质和灵性，就是高考的胜利也只是一场转瞬即逝的流星雨。但我从来不觉得有什么遗憾，因为幸运的我已拥有了太多的东西。十几年的成长经历锻炼了我坚强自信的品格，快乐开朗的个性，还养成了我那不服输的脾气。它们伴随着我长大成熟。在我的生活中已留下了深深的烙印。

妈妈说：对欺负你的人要勇敢回击

　　记忆中，常常会出现这样一幅戏剧性的画面：怒气冲冲的父亲，高高扬起的巴掌，含着泪花的女儿，还有那张咬着嘴唇说"不"的小脸——这就是儿时倔强的我与父亲对峙的情景。从小我就不是那种大人想要的乖孩子。身为女孩子的我却有着男孩子的拼劲和调皮。和男孩子一起爬树，嬉戏甚至打架，做一些让父母头疼不已的事情。

　　小时侯，爷爷家的后园子里种了几棵蜜橘树，每当橘子成熟的季节，一个个沉甸甸的小灯笼甚是诱人。小馋猫的我光吃摘下来的还不过瘾，又动起了歪主意。一天趁大人不在家，我叫来了一帮死党，偷偷溜进了园子，目标直指橘子树。我们兵分三路，比赛谁爬树最快。正当我们得意洋洋地在树上欢呼胜利时，一个"勇士"却因一招不慎，从树上摔了下来，一世英明尽毁。这一下把我们都吓傻了。后果自然可想而知——我挨了爸爸狠狠一顿打。但"暴风雨"过后，当爸爸提出要我去邻居家道歉时，我却死活不肯答应，还振振有词地把错归咎于小伙伴爬树技术不好。于是，开头的场景再次出现，爸爸气得吹胡子瞪眼，却也拿我没办法。是的，男孩子的性格让我养成了这样一股不服输的倔劲，什么都要力争到底。哪怕明知理亏也不肯低头。为了这个坏脾气，没少挨爸爸的鞭子，妈妈的责骂。可打归打，我心依旧。真应了"江山易改，本性难移"的古训了。于是常常引来父母一声长叹。爸爸常开玩笑说，他们总算尝到了自己种下的"苦果"。

的确，我的这份"胆量"说起来还真是爸爸妈妈"纵容"的结果。还记得刚上幼儿园的时候，我胆子特别小。也许是由于儿时跟着外婆在农村长大的缘故，我和幼儿园的小朋友似乎有距离，不敢与人交流，于是常常被班里男生欺负，老师多次警告那几个小恶棍却毫无效果。于是我哭哭啼啼回到家，想让妈妈替我出头。可妈妈却生气地责问我为什么不还手。当我委屈地辩解说打人不是好孩子时，妈妈的回答让我至今记忆犹新："彦子，你要记住。别人对你好，你当然要加倍回报。但对待欺负你的人就要学会勇敢回击。你强了，别人才不敢欺负你。知道吗？"当时我似懂非懂地点着头。第二天在幼儿园，我正式向那个男孩下了"战书"，那个男孩吓得一愣一愣的，仗反而没打起来。就是从那时起，我开始知道要勇于争取自己的权利，也开始获得挑战强者的勇气。也许就是在爸爸妈妈的"默许"下，我的倔脾气才越来越变本加厉吧。

从小我就是在一种很民主的家庭氛围中长大的。爸爸妈妈很少强迫我做什么事情，就是在要求我干什么时也尽量用商量的口吻。这就给了我培养个性的广阔空间和自由。除此之外，爸爸妈妈总是鼓励我勇敢表达自己的意见，甚至与他们争论和辩理。于是家里常常硝烟弥漫，火药味十足，甚至为一个电视剧角色是好是坏我也能和爸爸妈妈争个面红耳赤。但虽说权威被挑战，爸爸妈妈倒也心甘情愿，乐此不疲。

记得小时侯在家里经常和爸爸做脑筋急转弯的智力游戏，而我总会冒出一些稀奇古怪的问题。"树上 10 只鸟，打死 1 只，还剩几只？"爸爸笑眯眯地问我。"9 只。"第一次我不假思索地回答。爸爸皱了皱眉头："那其它 9 只还在树上等死吗？"我吐了吐舌头，知道自己错了。可我的倔脾气和自尊心是不允许我这样没面子的。于是灵机一动，狡辩道："但那 9 只鸟也有可能被吓呆了呀。"爸爸被我的强词夺理弄得哭笑不得，倒也无话可说。我想，在这一次次看似好笑的争执中，问题的答案也许并不重要，更重要的是我知道了要获得真理，就不要轻言放弃，要敢于有自己的主见。这也许才是"倔强"的真正含义吧！

还清楚地记得和爸爸妈妈一起走山路的情景。由于外婆家和爷爷家都在偏僻的小山村，彼此之间不通公路。于是每年春节，我们全家都得靠步行从爷爷家走到外婆家拜年。那是十几里的山路啊。对于才四五岁的我来说似乎有点遥不可及。可我的倔脾气一旦上来，就什么都挡不住了。其实起因就是爸爸的一句话："彦子，你沉得像个小猪哦。"我是真的生气了。于是，挣扎着从爸爸背上下来，非要自己走不可。起初爸妈有点不放心，可一看到我撅得高高的小嘴，只有任我逞英雄了。现在想来，那是一段多么美妙的路程啊！微风轻轻地吹着，不时送来野菊花的香味，林间鸟儿的啼鸣清脆悦耳，还常常拍打着

我自信我成功

翅膀从我眼前飞过……小小的我第一次如此深刻地感受到了大自然的亲和力。爸爸妈妈怕我坚持不住，想了许多有趣的点子。比如说轮流讲故事啦，唱歌啦，甚至停下来表演节目以休息一会儿。路很长，坡很陡，我走得也很累，但内心却充满了快乐。那一次我真的完全靠自己并不强壮的双腿走完了全程，虽说脚上打出了几个水泡，但心中的自豪感是难以形容的，原来这就是坚持的快乐。从那以后，我再也没有让爸爸妈妈背过——而那条路，我一直走到现在。

是的，我在长大。人生路上，我的身体在不断成长，我的知识在不断积淀，但我的倔劲却不曾改变。我依然固执己见，我依然"顽固不化"，但就是这种"初生牛犊不畏虎"的闯劲让我无所畏惧，也让我获得了许多宝贵的经历：还记得为了一个数学题冥思苦想到深夜的情景，也不曾忘记篮球场上不服输的我带领队友冲锋到底的豪情……在一个个挑战面前，我知道，坚持就是胜利。而要有自己的主见，在纷繁复杂的选择面前踩准自己的脚印，则成为长大的我又一次面临的新问题。

高三文理分科时，我就遇到了大麻烦。就我而言，我一直对文科更感兴趣一些。从小我就爱看书，也喜欢文学，对政史地更是情有独钟。可是由于基础打得较好，各科成绩都比较平衡，理化成绩也处在一个比较有利的位置，这就给我的选择造成了一定的难度。在我稍稍透露了一些想上文科的意愿时，各方面的意见就多了起来："我们学校理科实力强于文科，你要慎重考虑。"老师这样提醒我。"理科在社会上更吃得开，前途也看好，别傻了。"朋友这样劝告我。爸爸妈妈也不无担忧："听说文科高考有很大的偶然性，主观性太强。我们不勉强你，但你要想清楚啊！"……我疑惑了，甚至有些看不清前进的方向了。但当我想到了那个倔强的小女孩，那条弯曲的小路时，我释然了。不再迟疑，不再犹豫，在分科志愿表上我坚决地写下了"文科"——不单是因为我的倔脾气，更有我的执著和清醒。选择文科，不仅选择了我的兴趣，也选择了我的优势。另外，我的数学成绩若放到理科班，不一定能出类拔萃，但对文科生而言，却能成为绝对强项，我也因此拥有了高考制胜的法宝。现在想来，就算高考失败，我也不会后悔，我坚持着那一份信念，我没有遗憾。

说这个故事不是想说文科有多么好，只是想告诉也许和我一样面临困惑的朋友们，我选择我的路，倔强也好，固执也好，只要认为是正确的，就要敢于尝试。坚持到底，我们永不言放弃。

爸妈想办法锻炼我的说话能力

也许是由于出生在八月盛夏的缘故，属于狮子座这个太阳星座的我，注定了拥有火一般的热情和太阳般的活力。我是那种典型的乐天派女孩。整天一副嘻嘻哈哈没正经的模样。但我喜欢这种开朗的性格，也愿意保留这种豁达的个性。生活不是一成不变的公式，快乐需要我们去寻找。色彩需要我们去调剂。快乐的我拥有一份好心情，也感受着生活的乐趣。

在家里，我常常扮演着爸爸妈妈"开心果"的角色。讲笑话啦，唱歌啦，我常常会用出其不意的举动引得大家开怀大笑。家里至今还保留着三岁的我"五音不全"的"歌唱专辑"。爸爸妈妈为了锻炼我的说话能力，给我买了不少故事磁带。小小的我不但倾听并记住了它们，偶尔还能即兴发挥。于是，表演故事就成了我强项的强项。最经典的要数"猪八戒吃西瓜"了。那时我长得很胖，这可是表演"猪八戒"的天然优势哟。自然，讲起来是惟妙惟肖。特别是在夏日的晚饭后，全家人坐到一起，看我在大厅里拿着西瓜开始讲故事。当讲到猪八戒把师傅的那几块也偷吃掉了时，我才发现，自己的肚子已开始支持不住了。于是，边往厕所跑边不忘大叫一声："我还没讲完呢!"众人喷饭。这件事现在已成了全家取笑我的话柄。现在，那些属于童年的故事虽然已离我远去，但却成为了我内心深处一份珍贵的记忆。在这一个个也许幼稚可笑的故事里，我向家人传递着快乐，也给了我自己锻炼和成长的机会。

在学校，大大咧咧的我也从来不是那种"一心只读圣贤书"的好学生。追求快乐的我注定了成为那种"另类分子"。学校的运动会上，那些扯着嗓子尖叫呐喊的女孩子中肯定有我一个。曾经有一次为了给班里跑 3000 米的同学加油，我一路跟着跑一边大喊加油。结果同学还没跑完我先累得倒下了，差点没送医院，而嗓子也因此哑了好几天。由于个子高，我毛遂自荐充任班里篮球队队长。结果却是我的球技不敢恭维，又屡屡指挥失误，班级女子篮球赛输得一塌糊涂。更可气的是，我居然毫无谢罪之心，反而大叫友谊第一、比赛第二，于是被群起而攻之，我只能"一笑解千愁"了。

的确，求学路上，生活不再烦闷，日子也不再单调，只因有了我们，这一群快乐的小小鸟。在班里，我是一刻也闲不住的。叽叽喳喳整天说个不停。我是一个铁杆电视迷，对各类电视剧更是情有独钟。由于班里住校生很多，没有电视可看，于是为大家传播电视信息的重任就光荣地落到了我的肩上。记得有一段时间正热播电视剧《还珠格格》。那时候我可成了班里最受欢迎的人物。每天下课铃一响，我便开始了"电视评书"的准点放送。讲到精彩处，常常是手舞足蹈，眉飞色舞，达到忘我的境界。而听众也很给面子，聚精会神地听，喝彩声不断。结果好几次由于造成教室过于喧哗而被老师叫进了办公室，并被扣上扰乱军心的罪名。不服气的我却打着"劳逸结合"和"缓解学习压力"的旗号让老师哭笑不得。于是，电视还接着讲，只是门口又多了一个提防老师的暗哨了。

由于太爱说话，被同学冠以"青蛙"的绰号。谁知我竟愉快地接受，还妙解其义："青蛙有什么不好？毛主席有首诗知道吗？'独坐池塘如虎踞，大树底下好乘凉。春来我不先张口，哪个虫儿敢作声'（《蛙鸣》）。比你们的绰号好多了。"那振振有词摇头晃脑的模样让大家咬牙切齿，却也无可奈何。但在学校的英语晚会上，我却彻底出丑了。和几个同学精心准备了短剧《灰姑娘》，希望能获得"轰动效应"。服装、道具、音乐都是精心挑选，而我对我所扮演的"仙女"角色也是十分满意。谁知一上台就紧张得把魔棒也弄丢了，自己说了些什么也弄不清楚。等到表演结束，着急地想听大家的评价，却被当头一棒："你演的是谁？是那个狠心的继母吗？"天哪，居然我连角色都演错了，真是让我"伤心不已"。可是，一眨眼阿Q精神又来了："也许是大家英语水平还有待加强，没能听懂我们的台词吧！"现在想想，我也真够臭美的。

这就是我，一个快乐活泼的女孩。跋涉在书山学海的日子里，有太多的故事值得诉说，有太多的快乐值得分享。谁说读书苦，谁说求学累，那也是我们自己禁锢了自己。我们需要的不仅是书本，更有我们的青春和活力。在丰富多彩的生活中，我们不但会获得快乐，也会得到前进的动力。求学路上，让我们快乐同行。

我明白了：要解决问题，等待是不行的

有人说"性格决定命运"，不能说这句话绝对正确，却也不无道理。而坚强和自信，正是我最珍惜的品质。人生路上，拥有它们，我就拥有了飞翔的翅膀。

205

我自信我成功

还记得第一次打预防针的故事。面对那白花花晃动的针头，每个小朋友心里都在打鼓，我也不例外。尽管心里像只小鹿似的跳个不停，可一向要强的我却不愿表现出来，还得强装满不在乎的镇定模样。于是，当老师问谁愿第一个上时，我脑子一热就举起了手。可真的站在医生面前时，我都要哭出来了。但硬着头皮还得打。抡起胳膊，闭上眼睛，准备好接受考验时，却发现针已经打完了。我的得意劲儿就别提了。大家的崇拜眼神让我彻底过了一回英雄瘾。的确，其实很多看似困难的事情很大程度是我们想象出来的，鼓起勇气，自信地面对，我们都是强者。

我在家里是独生女，但爸爸妈妈从来没有娇惯过我。妈妈更是信奉"重棍底下出好人"的老观念，对我要求特别严格。但也正因为如此才培养了我坚强的性格和自信自强的品质，并让我受益无穷。

上小学时，家里离学校很远，但爸爸妈妈从来没接送过我，刮风下雨也不例外。于是，我只有背着沉重的书包穿梭于大街小巷，倒也乐此不疲。记得有一次下大雨，我没有带伞，左等右等却不见爸爸妈妈来，于是一咬牙冲进了雨中。

到家时，已成了一只落汤鸡。可妈妈看到我的狼狈模样不但不心疼，反而责怪我不动脑筋瞎逞能。我觉得很委屈，却也无话可说。后来再下雨，我就学乖了。我会选择和有爸妈送伞的同学一起回家，甚至大胆地到老师办公室借多余的伞。在这小小的打击中，我开始知道，要解决问题，等待是不行的，相信自己，勇敢面对才是正确之道。的确，在每个人的生活中都会遇到挫折，都会有许多不如意的地方。是一蹶不振，还是抗争奋起都取决于你自己。我们需要挫折，需要失败的磨砺，一帆风顺的人是经不起考验的。其实正因为我们还有不足，才意味着我们有进步的可能。这种自信所产生的巨大的精神力量，成为我们反败为胜的关键所在。

刚上高中，我也经历过一段苦闷和失落的日子。由于对高中生活不是很适应，九门功课铺天盖地而来让我无所适从。成绩滑坡很厉害。没有经历过什么大风大浪的我陷入了一段最艰难的时期。许多话也开始飘进了我的耳朵，什么女孩子智商不高，小学初中还凑合，高中绝对跟不上之类。而高一数学竞赛时可怜的成绩更是让我掉进了冰窟里，我真的开始怀疑自己的能力。难道我真的比那些男孩子笨吗？我不甘心，一贯的自信让我鼓起勇气，而坚强的个性让我不再畏惧——我打算奋力一搏了。

没有采用疲劳战术，也不愿陷入题海。我只是更加合理地利用时间并提高效率。我成了数学老师的常客和图书馆的"座上宾"。那的确是一段很有规律的日子，虽然有些单调却十分充实。遇到难题我没有气馁，而是充分使用各种数学方法去尝试。即使最终不一定能做出来，但在解题的过程中我已感受到了数学的乐趣。我是对的。高二时我已开始占据年级第一的宝座，而全国数学竞赛也取得了很好的成绩。说出这些并不是觉得自己有多么了不起，只是想表达一种经过努力获得成功的感悟。是的，只要有信心，只要你在努力，你的成功就有希望，而你的生活也将充满阳光。

正是带着这份坚强和自信，我走进了高考考场。没有肩负使命的沉重，没有非胜不可的豪情，只是想证明自己，努力过，拼搏过就不必有遗憾。我也相信：我会赢！

徜徉在燕园的"一塔湖图"之间，我知道，生活又向我展开了新的一页。隐去昨日头顶荣耀的光环，脱下虚浮的外衣，一切又重归起点和平静。我还是原来的我。不管前路如何，我会保留住自己的真本色，在纷繁复杂的选择中找到自己的方向。

点评

高级教师

李
磊

我自信我成功

谭彦的成长经历，向人们展示了一个坚强自信、快乐开朗、永不服输的成功女孩形象。坚强自信，是成功者必备的品格，它可以使人在困惑的时候，坚持到底，永不言放弃；快乐开朗的性格，使人乐于与他人合作，共同感受学习生活的乐趣；永不服输的脾气，使人乐于奋起抗争，为走向成功，扬起风帆。

民主、和谐的家庭氛围

坚强和自信不是与生俱来的，它是后天精心培育的结果。童年时期的谭彦，胆小，害怕与人交流，经常被小男孩欺负。是妈妈的责问和提醒，使她敢于向欺负她的男孩"挑战"，以至于最终从精神上战胜了那个男孩。从此，她获得的是一种挑战的勇气，使她以后受用无穷。

这个小小的事例给人的启示是：孩子坚强自信的性格，要靠引导和培养才能获得。它使我想起了这样一件事：一个从不敢在众人面前讲话的女孩，当老师了解到原因是害怕别人看她之后，就特意在安排她讲话之前，先让班上的学生把头埋在课桌上，当女孩说得忘我的时候，老师和同学一齐为她鼓掌、喝彩，使女孩第一次感觉到原来自己也能行。从此，她完成了一个由卑怯向自信转化的过程。谭彦不也是这样吗？

坚强自信性格的形成，还得益于民主、和谐的家庭氛围。父母从不要求她做什么，只是鼓励她勇于表达自己的意见，给她一个广阔自由的发展空间。坚强与自信让谭彦拥有了飞翔的翅膀，即使是大风大雨的考验，也能够勇敢地面对现实，战胜挫折，充满信心地参加高考。

快乐、开朗的性格

快乐、开朗是谭彦的天性，而感受快乐的能力却是需要培养的。父母准备了不少故事磁带，以锻炼她说话的能力，此外还注意培养她感受生活的乐趣，为她的人生涂抹闪亮的底色。正是这些，使她在学校的集体生活中，敢于承担责任、笑对成败，也正是这些，使她在跋涉书山学海的日子里不感到烦闷和单调，永远充溢着快乐。

性格虽说不一定能决定命运，但乐观、快乐的性格，确是会使人的心灵充满阳光的——感受生活的快乐，会使人得到前进的动力！

209

我自信我成功

高考是河,实力是桥

走在高三的路上,复杂的心情是难以形容的。也许是看多了高三岁月的悲惨故事,听厌了黑色七月的恐怖流言,硬着头皮走上战场时,不免战战兢兢如履薄冰。那种感觉就像在高空走钢丝,绳在晃,心也在晃,想向前冲却迈不开脚步。真有点"壮士一去兮不复返"的悲壮了。但走过之后,回首那挑灯苦读的三百多个日日夜夜,心中更多的却是感慨和感激。沉浸在学海的日子看起来是单调乏味的,但只要我们用心投入过了,就会发现,简单的日子因我们的理想而充实,枯燥的生活因我们的奋斗而精彩。不管最终结果如何,你都已拥有了一段最宝贵的人生经历。

在人生的战场上,带着梦想前行的我们都是胜利者,我也愿将我的财富与大家分享,不是想大谈什么"状元经验",而是想与那些还在艰难跋涉的朋友们共勉——在同一条路上,让我们携手同行。

成功的关键在于踏实和坚持

许多人总是把失败的原因归根于"方法不对头"。其实,学习上是不存在绝对的"捷径"或是屡试不爽的"万能灵药"的。所谓的学习方法问题,说到底还是学习态度和学习习惯的问题。每个人的特点、基础不同，学习方式肯定不一样。但有一点是共同的，这就是恒心和毅力。只有在这个前提下才有可能探索出真正适合自己的学习方法。

不积跬步，无以致千里；不积小流，无以成江海。知识源于一点一滴的积累，能力需要一步一步地提高，而如何聚沙成塔，积少成多，将零散的知识构建成精神的大厦，则是成功的关键。所以说，能否学会积累并坚持下去，这才是最重要的，也是最难的。

拿英语为例。许多人对如何提高英语成绩感到很迷茫，总觉得花了时间却没有成效，后来干脆放弃了。其实，英语学习的成果正在你一点一滴的积累中。你每天学的知识，哪怕只是几个简单的句子，都在潜移默化地影响你、提高你，而语感也正是在你不知不觉中慢慢培养起来的。所以，不必过多计较或期待一次性的飞跃，真正重要的是你每天都在努力，在坚持。

高三时，每天早上我都会利用半小时大声朗读英语，各种类型的阅读材料都有所涉及，而不仅仅是课文。单词的积累也是如此。每天只需十几分钟，但一定要反复记忆，特别是每半个月都最好作一次回顾总结，克服记忆的遗忘周期。高考冲刺阶段，其他科再紧，每天我还是会想办法抽一点时间做一篇阅读理解或完形填空。时间不一定很长，一旦坚持下来效果却是惊人的。阅读速度的提高和语感的增强都将成为你出奇制胜的法宝。

对于许多文科生而言，数学可能是很令人头疼的科目，可是转换角度来看，数学也将成为文科生高考脱颖而出的秘密武器。因此一定要给以充分重视，但这并不意味着要畏惧它。我认为文科生处理数学这一科时首先要注意的是难度。死钻难题对我们是没有任何好处的，高考 150 分数学能否拿高分，不在于你是否做出了压轴题，而在于你是否能抓住整体并少犯错误。 这是应试策略的问题。在平时的学习中，把着眼点放在基本题型上，把基本概念、原理理解透彻，并能举一反三。有了扎实的基础才有可能避免考试中的浮躁情绪，如出现理解题意错误或根本没看清题就动笔的情况。

还有就是要处理好"量"和"质"的关系。我不认为"题海战术"多有效，但一定的题量绝对是必要的。有的同学老是慨叹自己太粗心，而克服粗心的方法只有熟能生巧。做多了对题目自然有感觉。但要使做题更有效率，就需要我们有意识地积累经验和解题方法。数学思维在解题中很重要，一些常见的解题思路，如数形结合、换元、代定系数等要能灵活应用。我从不认为学数学要有多么"天才"的头脑，对大多数人而言，踏实训练、打牢基础，就一定能让你在高考数学考场上游刃有余。

我们都应记住：无坚韧不拔之志，就没有超世之才；成功是量变到质变的过程，坚持到底——我们永不言放弃。

综合科是只纸老虎

和许多同学一样，第一次面对"3＋小综合"模式高考，我刚开始也是无所适从，也曾迷茫困惑，但一路走过，却有豁然开朗之感——综合科只是纸老虎。

摆正心态是我们备战综合科的前提。请记住，不管高考如何改革，大家都在同一起跑线上，机会均等，公平竞争，又有什么可担心的呢？"在战略上藐视敌人，在战术上重视敌人"，对高考也适用哟！

所谓综合，揭开其神秘的面纱，就是"政史地"或"理化生"的一个比较巧妙的拼盘。至于被大肆宣传的"三科一体，相辅相成"，也是建立在各科的基础知识上的。因此，不必在名词上过于深究，结果自己都被自己弄糊涂了。首先，把各科基本知识点弄懂弄通，特别是对于文科综合来说，一定的记忆是必须的。任何能力都是以记忆为前提的，关键在于记什么，怎样记。在现行高考模式下，知识覆盖面的考查正在被逐步淡化，以社会问题为中心考查解决实际问题的能力，成为高考试题的焦点。因此，不必在一些细枝末节上过多纠缠，相反对一些与时事相联系的知识点则要全盘考虑，充分掌握。比如历史的一些年代就没有必要记得一清二楚，但它属于哪个阶段，这个阶段的总体特点则要认真总结归纳，做到融汇贯通。

一方面，要把零散的知识整体化，形成知识树，特别是要重视知识之间的内在联系。在复习时这种整体意识特别重要。我的政史地课本的目录旁就记满了笔记，把相关的知识联系点都注记在了目录旁边，甚至每一课、每一节的标题我都能按顺序说出来。这都是为了能形成属于自己的知识结构，这样记住的东西才不会轻易遗忘。而一些重要专题，如工业革命、法国大革命等重大事件，则要对其进行纵向、横向比较，把它们放到一定的大背景和整个历史阶段中去。

另一方面，由于高考考的是综合能力，因此如何让政史地互相促进，形成良性循环就很重要，这要靠自己在复习中多留心，找到学科之间的交叉点、相关点，把知识学活、学通。如学习区域地理时每一个地区都应考虑其历史背景、当今政治状况等，而历史事件的发生地也总会有它的自然因素和政治经济的影响，这本身就是一种综合考虑了。

另外，由于高考以社会热点为载体，就需要我们成为生活中的有心人。关心社会、关注时事是一项长期的工作，决不是突击能完成的。广泛涉猎各种观点、见闻，有意识地分析问题，会极大地提高我们的思维能力，开拓我们看问题的角度和视野。决不要因为学业任务重而一头扎进课本里——多看看外

我自信我成功

面的世界，生活很美好，而它离高考也很近。

高三路上，快乐有我

有人说高三很累、高三很苦，但其实很大程度上是让压力束缚了自己。不必抱怨课业的繁重，不必烦恼考试的乏味，这是我们自己的选择。我们有梦，我们就有希望，没有耕耘，又哪来收获？

一定的压力是必要的，关键是怎样变压力为动力。这说起来很轻松，但真正到了自己头上，想摆脱却不是那么容易的事情。所以，足够的自信是我们迎战高考的敲门砖。不要被过多的流言所迷惑，更不要认为高考要靠运气，我们无法掌握。我很喜欢一句话："鹰也许有时比鸡飞得低，但鸡永远飞不了鹰那么高。"任何机遇都是凭实力才有可能获得的，相信自己，只要努力，只要有实力，高考考场将会成为我们展示风采的辽阔天地。明确了这一点，就不会对未来迷茫，也不会产生那种"拼搏未必赢"的沮丧情绪。当我们抛除了一切杂念投入到学习中去时，高三的日子将是如此充实，而你从中感受到的将是奋斗的喜悦。

另外，保持一种平稳的学习心态是学习的保障。不必过于在乎某一次考试的成败得失，重要的是你是否在坚持，在努力。哪怕是一点点小小的进步也是值得喝彩的，对自己期望太高，反而会造成不必要的压力。高三一年苦战，必然会经历许多挫折和不如意，你会发现，自己还有那么多的东西没有掌握，还有那么多的知识不懂。其实，只要我们转念一想，学无止境，暂时的落后却也意味着进步的潜力。都知道了又何必学习呢？现在发现问题正是为了高考不出现问题。我们都要学会自我调节，甚至不时学学阿Q的"精神胜利法"。只有充满自信地投入到学习中去，你才有可能在高考中脱颖而出。

要想保持最佳的学习状态，一定的休息与调剂也是必不可少的。"头悬梁，锥刺骨"，"在炼狱中寻找光明"，绝不是高考成功的法宝。谁说高三只有"ABCD"？精彩要靠我们自己去寻找。学习之外未尝没有我们的天地，对课外活动的参与，不但是身心放松的过程，也是另一种学习与积累的过程。眼界开阔、兴趣广泛，才会有多方面的精力和素质，这也是现今高考对我们的要求。高考中，理论联系实际的问题的解决，没有一定的生活体验和洞察力是不可能办到的。在课堂之外，用各种方式给自己充充电，不仅能使我们学到课本上没有的知识，也有助于我们保持良好的心态，以轻松愉快的心情投入学习，发挥最大的学习效率。这也是我们应该追求的学习境界。

走在高三的路上，经过失利的彷徨，失败的泪水，也享受着进步的喜悦和成功的欢笑，请用你的心去感受高三的美丽——高三路上，快乐有你也有我。

面对高考，我自信，我成功

三百多个日日夜夜的紧张与煎熬就是为了那三天。可它真的来临时，却有仿佛置身梦中的感觉。不争气的我却遇到了人生征途上最大的考验。由于考前的疏忽，高考前几天忽然由咽喉肿痛转为肺炎，必须住院治疗。全家人都一下子掉进了冰窟里，十年寒窗，一举成名的神话，在那一瞬间似乎变成了极大的讽刺。摆在我面前的由厚厚的书本突然变成了可怕的针头和吊瓶。妈妈的愁容、老师的叹息，让我心生命运不公的悲凉之慨。可是，路还得走下去，我不甘心，也不愿相信，在向胜利冲刺的最后一刹那自己却跌倒在这里。想到多年苦读，想到儿时的梦想，我重新燃起了自信。是的，高考是一场耐力赛，谁坚持到最后谁就笑得最好，最后几天在知识上是不可能有什么

215

我自信我成功

大突破的，重要的是保持积极的考试状态，以最佳状态特别是最佳的心理状态走向考场。在某种程度上，精神的意志力是可以超越身体的虚弱而支撑起整个人的。一旦想通了这一点，我不再有畏惧，反而感受到了一种一往直前、无路可退的力量。我尽量配合医生治疗，把在病床上的日子看成是上帝送给我的一个好好休息与调整的机会，而在心底则不断给自己打气。现在想来，高考前几天倒成了高三生活中最惬意的一段日子。不再有成堆的作业、看不完的资料，妈妈的唠叨变成了安慰，老师的训斥变成了鼓励，每天看看电视，随意翻翻书本，心中只有一个念头：我要战胜的人只有自己。

走进考场的一刹那，没有肩负使命的沉重，没有非胜不可的豪情，有的只是一份坦然和自信。我不再想着高考一定要得多少分，排到第几名，只是希望高考过后没有遗憾——因为我已尽力，没有功利心的压力，反而更觉得释然了。考综合科目时，由于咳嗽咳得厉害，我担心汗水打湿答题卡，干脆停了将近十分钟没有答题，让心情彻底冷静和平复。而通过那段时间对试卷的全面审视和思考，也使我在后来的答题中更加有信心，更加踏实。现在回首，许多人说 高考会紧张，会脑子一片空白，其实只是你自己吓怕了自己。相信自己，相信实力，高考并不神秘。

我感谢高考，不仅仅因为它带给了我成功和荣誉，更重要的是它让我走向成熟。经历过那场战争硝烟的人在今后的人生路上将无所畏惧。因为我们知道了什么是拼搏，什么是勇气。

高三每一个悲悲喜喜的日子里，我们的知识在积淀，经历在丰富，能力在增长。如果说高考是一条河，我们的实力就是桥，那里有着我们的青春和活力。如果你也走在横跨高考之河的桥上，请珍惜你的每一个脚印。请相信，高三的点点滴滴都会成为你永远珍藏的记忆。

我自信我成功

赵
竞

竞赛生涯

赵 竞(上海市理科状元，现就读于清华)

父母职业： 工程师、教师

父母教育时常说的话： 做什么事都要有勇气

生日： 1983 年 11 月 7 日

爱好： 足球、漫画、电影

最敬佩的人： 父母、老师

最崇拜的人： 爱因斯坦、路易斯·菲戈

最喜欢的作家： 曹雪芹、大仲马

最欣赏的一句话： 一分耕耘，一分收获

寄语高中生： 树信心，有恒心，就会有未来

失 败 的 竞 赛

做什么事都要有勇气

小时候，我认为父母的话都是正确的。那时候父母教育我的事很多，大多数我已记不清了，惟独记得的便是这事儿。

我家附近有个大公园，公园里有个游乐场，游乐场里的一件器械让我至今难忘。我也不知该叫它什么，反正当时觉得它是高高的、长长的铁家伙。人需要顺着梯子爬上去，再沿着中间有空隙的桥向前走，在它的尽头有一根直杆，然后便从桥上跃出，抱住杆滑下来。这种器械大概是为了培养小孩子的勇气而设置的。第一次上去时，我双腿抖得很厉害，总怕自己从桥的空隙中掉下去。等我好不容易来到杆前，却又不敢去抓杆，怕自己抓不住杆直接撞向地面。于是，我急得大叫起来，最终还是一位好心的叔叔把我抱了下来。

而父亲这时却站在一边，笑嘻嘻地看着我。我两条腿哆哆嗦嗦走到他跟前，希望听到他说："我们去别处玩儿吧。"谁知他并没有走的意思，相反把我口袋中的玩具枪拿过去，说："再去爬一次，成功了把枪还你。"我看了看枪，又看了看那高高的铁家伙，最终还是抵挡不住诱惑，又一次爬了上去。

一爬上去，我就后悔了，这一次我的腿抖得更加厉害了。

我走在几个小孩中间，进也不是，退也不敢，后面的孩子又一直在催我向前，我急得直想哭。幸好从小我就觉得男孩子不该哭，尤其在那么多人面前哭更丢人。于是我忍住懊恼与害怕，硬着头皮往前走。就这样，我又来到了那杆前。

脚下已是空空荡荡，眼前只有一根细细的铁杆。站在那一人多高的铁家伙上，我好似面对万丈深渊，大脑一片空白。这时身后的孩子又开始催促我，转身返回已是不可能了。此刻，我犹豫万分，只希望父亲伸手过来把我抱下去。

父亲果然走动了。但他并未走向我，而是向相反的方向走去。父亲要走了！要丢下我一个人在这儿！我情急之下，一跃而出，抓住了杆子，滑了下来。我成功了！

我飞快地奔向父亲，他又一次面带微笑看着我，拍拍我的头，把枪还给了我，说："别的孩子能跳过去，你也能跳过去的，做事要有勇气呀。你瞧，有勇气你就会成功。"

十几年过去了，父亲说的许多话我都忘了。当时连"勇气"都不会组词的我，至今仍然记得这句话。尤其每当我面对困难想退缩时，都会想起父亲的这句话。

后来我渐渐长大，父母对我管得也少了。但在关键时刻，他们总会帮我一把，助我一臂之力。

记得那是初三的时候，离中考只剩下三个月的时间了，我的心态还没有调整好。每次做完题，我回头再看一遍时，总感到一种莫名的恐慌，害怕自己做错了或者是不会做了。有一次考试，我明明考得挺好的，放学回家后，我又拿出卷子看，突然心头一紧，我呼吸急促起来，喘不过气来，我开始怀疑自己究竟会不会做这道题了。嘿，结果还真的在一道题上卡住了。这下我就更觉得气闷了。终于我开始拍桌子、团纸团、扯头发，我几乎失声痛哭。在差不多一个多月的时间里，我就这样自寻着烦恼。后来，我越想控制自己，越想压抑住那种怀疑和恐慌，这种感觉反而会越强烈。万般无奈之下，我把这件事告诉了我的父母。令我至今都十分感激的是，父母在这件事上给予了我巨大的帮助。知道情况后，父母没有大惊小怪，在我的耳边唠叨，增加我的心理负担。相反，母亲拍拍我的肩膀，说："不要害怕，放松就会好了。"父亲也不断地叫我去休息，还陪我散步、谈心，以减轻我的压力。他们给我讲他们大学时的经历，让我明白良好的心理状态有多重要。

那段时间，母亲的工作也很繁忙，但她仍抽出空来，拉着我去找心理专家咨询，接受心理医生的指导。记得心理医生诊断我的症状应该是，中度考试焦虑加精神强迫症。母亲说，知道了问题的所在就有办法解决了。针对我的情况，父母分工协作。母亲开导我说，一个健康的人，应该身体和心理两方面都健康。心理不健康的人什么也干不好，即使成功了，也不会快乐的。他们鼓励我，让我对考试看淡一些。父亲一有空就拉我锻炼身体，打打篮球，踢踢足球，打打乒乓球。一场球打下来，心里的那种疲劳和焦虑的确会减轻许多。在父母的关心、在我们一家人的努力下，我终于克服了这种考前的焦虑，轻松上阵，中考取得了不错的成绩。而这还不是最重要的，让我终身受益的是，这一段的心路历程，使我对心理健康有了更深入的了解，甚至有时还能为自己做一些心理分析。尤其在高考前，那段大多数人看来都十分恐怖的时候，我却经常自我减压。因此在高考前一两个月，我的状态保持得非常好。

此时父母很怕我又出现中考前的情况，他们仍时不时为我减压，常常对我说："不一定要考什么清华，考上海交大就行了。"但此时的我已经完全可以承受高考的压力了。考前一

竞赛生涯

晚，母亲怕我睡不着觉，特意不和我提一句有关高考的话，倒是我提起了第二天的考试。我对她说："这不过是一场考试而已，没什么好担心的。考完后，我可要好好玩一玩呢。"那一夜，我睡得非常好。我高考成绩不错，不夸张地说全仗我的心态平和。在那样一段别人看来郁闷的日子里，我觉得非常快乐。可是如果没有父母当年的指引和帮助，我又怎能走出那可怕的阴影呢?大学能不能考上都说不好，更别提当上状元了。

父母对我的帮助又岂止是这些。我在江苏长大，在江苏学习。我的母亲是上海知青，我的户口在高三时转到上海，要在上海参加高考。就在高考前的半年，需要把我的档案材料全转到上海，还要到上海报名体检。母亲为了这件事可忙坏了，她为了我东奔西跑，在很短时间里，就去了四趟上海。为了我的一张江苏省"三好"学生的材料，母亲不知打了多少个电话。父亲在我填报高考志愿时，天天上网为我查找资料，最后做成的材料，内容之完整，资讯之丰富，让我瞠目结舌。真不知父亲为此花了多少心血!

220

竞赛失败之后

随着年龄增长，许多决定需要自己去做，许多事必须靠自己来完成。这时，小时候父亲多次有意识培养我做事的勇气和毅力，慢慢在我身上表现出来了，尤其在我的学习中发挥了重要的作用。在这方面让我感触最深的便是高中参加竞赛这件事儿。

高二刚开学，我们便参加了高中物理竞赛。由于当时高中物理课还未上完，老师对我们的要求是去见识见识考题。因此，考前我未做任何准备，考时也只是随便做做，其他的什么也没想。预赛结束一星期后，传来一个消息，我们班一位女同学竟一举杀入复赛。又过一周，复赛结束，她竟拿回了一等奖。更难能可贵的是，她取得这一成绩完全靠自学（我所在中学并没有专门的竞赛辅导）。她的成绩大大刺激了我，我痛下决心，一定要在竞赛上有所突破！

而数学竞赛，被我视为了突破口。

此前，我和班上另一位同学一同去浙江大学，参加了一次数学竞赛夏令营。现在回想起来，那时我只把这一难得的机会当作旅游，而未好好加以利用，因此收获并不是很大。当我真正醒悟过来时，距离数学竞赛只有一个月的时间了。真可以称得上是临时抱佛脚，我找了一本数学竞赛读物便开始啃起来。如果一道接一道做习题，时间已完全不够了，我索性丢开习题，只看例题。那个时候，我每天一到学校，便拿出数学书攻读。老师在课堂上讲的数理化我几乎不听了，只是把作业当堂完成，其余时间我全部扑在准备数学竞赛上。如果说我当时不努力是瞎说，但关键是我的努力也太迟了，而且只看书不做题，哪有这样学数学的？结果自然是一败涂地。

更使我遭受打击的还在后面：那位和我一同去浙大夏令营的同学，成功地杀入冬令营！我从小学时便与他认识，有一段时间，他就住我家对面，初中虽然不同班，但天天见面，可以说，他是我最好的朋友之一。好朋友取得了好成绩，我当然应该为他感到开心。但一想到他进入冬令营以后，将走上一条与我截然不同的前途光明的道路，我就感到莫名的失落。那段时间，我每天早晨起床时，总觉得胸口堵得慌，非常郁闷。

好在又有新的竞赛了，化学竞赛，这次我又痛下决心，一心想打个翻身仗。于是在竞赛前的四个月，我便开始准备了，我既看竞赛辅导，又做竞赛题集。每天我在学校马不停蹄，拼命赶作业，放学回家晚上 8：00 - 10：50 专攻化学。这样持续了一段时间，尽管很累，仍觉得挺充实的，同时其他功课也没落下。

不料，一个月后，生物老师找到我，她希望我参加生物竞赛，并且告诉我她帮我准备材料。我一听不由怦然心动（这一心动是我最傻之处）。于是，我就想化学竞赛没人辅导，而生物竞赛却有人辅导，还提供资料，那么，生物竞赛成功的可能性太大了！我想都没想便答应了。

这一决定宣告了我前一个月的努力白废了。尽管后来我又回过头学化学，但是，前一个月看的东西基本上忘光了。不过决定参加生物竞赛后，我还是挺努力的，每天都捧着一堆生物书学着。

许多参加竞赛的同学都有这样的烦恼，全身心投入某一科竞赛，如果没成功，反而还把功课耽误了，岂不是很惨？我也有这样的顾虑。距离竞赛时间已不多了，真想把花在英语、语文上的时间抽出来，但马上就要期中考试了，我还想保住年级第一的位子。真是鱼与熊掌不可兼得。

我把顾虑跟父亲讲了，但父亲却不这样认为。他说：人有时必须要作出选择。你选了竞赛，还想有很大突破，就必须牺牲其他科目的时间。如果你不肯暂时放一放别的功课，在竞赛中势必不能全身心地投入。有时，人做好一件事就很了不起了。不要患得患失，既然你想要在竞赛上有所收获，就一门心思去干吧。

生物竞赛的前一天是化学预赛，我想不参加白不参加，于是我就匆匆忙忙赶到考场随便答了一下题，完事后又赶回家复习生物。第二天来到生物竞赛考场，一见到题我傻了眼，这是我做过的生物竞赛题吗？满卷子都是现象的罗列，除了选择和判断，只有填空，而我却准备了一段时间的大题！

这一战，熊掌是彻底失去了，省生物竞赛二等奖等于没得奖。幸好鱼还在，期中考试我考得还不错。不过也真够懊恼的，当我把堆起来足有半人高的书还给老师时，觉得前两个月所付出的太不值了。当我把这种感觉和父亲说了，他对我说："塞翁失马，焉知非福。这样强化复习，对你高中学习只有好处，没有坏处。"果然，好运降临在我身上，没花多少气力的化学竞赛竟然垂青了我——我通过了预赛。这回我可吸取教训了，再也不三心二意了，一个暑假除了参加了几次非去不可的物理竞赛辅导，其余时间全花在了化学上。

一套大学化学课本，我整整翻了两遍。而先前用过的竞赛辅导书，我把习题又从头到尾做了一遍。还自以为准备工作如此充足，应该万无一失了。

距离化学竞赛还有一段时间时，物理竞赛又来了。虽说我不曾在物理竞赛上下过半点功夫，可却轻松地进入了复赛。实际上，在这时候，我若是放弃物理，全力投入化学中，还会有许多收获。可惜的是，这次我又没拿准主意，稀里糊涂看了两周物理，就去南京了，结果又只得了一个江苏省三等奖，也等于没得奖。

从南京回来，我这才发觉距离化学竞赛只有两周了。匆忙之中我赶紧捧起了化学书。原本可以用来做习题的时间，却被我花在了大学化学课本上。人算不如天算，噩运再次降临。竞赛试题与大学知识毫无关系。真把我气炸了，又一个无用的省三等奖。

我的高中竞赛生涯就这样悲惨地结束了，什么也没捞到，却白白浪费了许多时间和精力。以至于有一段时间，我真是很后悔参加了竞赛。在我沮丧之际，父亲说："你几次参加竞赛，能坚持下来，说明你具备一定的勇气和毅力。但你总患得患失，这说明你的心态不好。任何事情都有好的一面也有坏的一面，你在这几科花了大量心血，尽管没拿第一，这心血不会白费，相反它会为高中学习打下坚实的基础，总有一天你会厚积薄发的。

果然，不久我就发现课本知识学起来越来越轻松了。高中化学课上，由于有些内容涉及大学知识，老师只是大略讲讲，许多同学因为没有接触过而头痛不已，此时，我对大学知识已十分了解了，我学得就很轻松。

不仅如此，竞赛还培养了我的自学能力，它让我明白，如果学得不好就别抱怨老师教得不好，因为学习的主人是自己。

高中对我影响最大的便是这漫长而失败的竞赛生涯。它让我找到了自己的能量，让我从老师的翼翅下走出，让我看到了自学的重要性。竞赛之路是我自己走的，尽管失败了，但我仍很高兴。更何况，我的失败仅限于竞赛的成绩，从高考来说，我非但未失败，反而是绝对胜利。

竞赛需要时间，需要精力，想在竞赛中披金挂银，必须具备一定的勇气和毅力，即使失败了，也不要后悔。因为这是你自己选的路，没什么好后悔的。同时，你还会从竞赛中得到足够的经验，无论是知识的积累，还是方法的运用，会使你在高中学习中游刃有余。不过提醒一句，在参加竞赛前，先考虑一下自己的实力，并征求老师、父母的意见。另外，竞赛再忙，也别把英语丢下。

竞赛生涯

点评

特级教师

赵如云

状元在很大程度上是磨砺出来的，至少赵竞就是这样的。

赵竞是一个成功的孩子，但他在文章中，自始至终一直唱的都是"哀调"。他对于自己的成功过于吝啬了，似乎他最大的成功就是一次次竞赛失败的经历。他屡败屡战，屡战屡败，即便如此，一有竞赛他还是要去。他不怕失败，也许就是因为他有着良好的心理素质，能够正确地面对失败。

但是，诚如他自己说的，事实上正是失败，为他积累了成功的经验。因为竞赛就譬如沙场，而久经沙场的他，正是在一次次竞赛的失利中扩大了视野、增长了见识，把自己锤炼成一副钢铁之身。

225

　　这是一个很了不起的孩子，有着绝好的心理素质、绝好的人格魅力。他不仅敢于直面失败，还有足够的勇气言说失败。如果没有足够的自信，我想他不会有这样平静的心态，像言说他人的失败一样来言说自己的失败。

　　因而我说，一次次失利的竞赛，对于赵竞来说，甚至比成功还重要；兴许——我们不妨假设一下，兴许连续成功的赵竞，不会是今天作为状元的赵竞，而只是一个考上了重点大学的赵竞。

　　我这样说，并非看不见赵竞父母、老师乃至学校的作用——事实上，如果没有这样信任他的家庭和学校，也不会有今天的赵竞。试想：如果在一次竞赛失利之后，以后的竞赛，学校再不派他去参加；父母因为担心他自信心被挫伤，而阻拦他再去参赛；老师也因为他拿不回来冠军而剥夺了他参赛的权利——那么可想而知，赵竞会不会是今天的状元，还用我说吗？可见，信任是多么重要啊！尤其是对于一个成长中的孩子。

竞赛生涯

高三理科怎么学

关于语文

语文是高中阶段最难学的东西。我的经验是：语文从高一，甚至从小学、初中就要抓紧。一篇文章或一道选择题，我做错了，别人做对了，可能他说不出所以然，好像是他蒙对的，但实际上，这里面起作用的是语感。选对答案的惟一理由，也许就是读起来感觉通顺，这就是语感。语感不是一天，一周，或是一个月，甚至一年便可以形成的，它需要长期努力。这种努力的方向可以是阅读，可以是写作，也可以是对生活的留心。语文是慢功出细活，如果想在短期内提高语文的考试成绩，也不是不可能的。养成不断翻字典的习惯；培养诗歌鉴赏能力；仔细研究历年来的高考试卷，均可以有效地提高高考语文的成绩。

关于英语

英语同语文一样，需要长期不懈努力。平时多读、多写、多听、多说、多背，坚持下去，英语的语感一定不会差。不能忽视"背"的作用，背看似简单，实际上极有功效，尤其对口语、阅读、写作均有意想不到的好处。平时要注意词汇的积累，随着词汇量的增多，高考阅读的难度自然会下降。

由于高考的压力，高三阶段英语学习，可将重点放在做题上。高考中拉分靠的是完型填空和阅读理解，要在这两类题型上下功夫。

关于数学

数学是很多同学最头痛的一门课，在高考中也最能拉开分数。其实学好数学的方法很简单，就是多做题，题做得越多越熟练，速度也就越快，正确率也就越高。在学习新课时，就应该大量练习，练习的难度可根据自己的实力来定。先打好基础，再逐步提高，由浅入深。做题时，每道题都力求过程清楚明白，不要得出答案就完事。如果题不会做，也要坚持自己动脑，千万不要一有困难就去问别人，否则永远不会具备独立解决问题的能力。当然，如果一道题动辄花上几个小时，也不值得。一般说来，若45分钟尚未做出来，就可以放一下了，第二天有空时再做。我常常是这样，前一天还毫无头绪的问题，第二天就会做了。有的时候学到后面，前面的问题也能解决。当然了，实在没有办法还是去问老师吧。

高中数学分为两门，代数与几何。代数是以方程、极列为基础的，而几何则重在图形与方程的结合。在做几何习题时，先画图，再结合图形做题。大多数题型老师都介绍过，只需抓住几个典型，学好几何便不是什么难事了。代数给我的感觉是只需多做题，多看书，要学好也不难。

关于物理和化学

物理与化学两门课，学起来比数学轻松，但绝不能轻视。学物理重在平时的思考，多思考方能理清物理概念之间的关系。有空可以与同学展开讨论，有的问题越辩越清楚。有时甚至会出现这种情况：明明自己未搞清的问题，讲给别人听时，居然弄清楚了。做物理题不要图快，物理题中陷阱很多，如果不仔细分析，很可能会中计。在这一点上，我有血的教训，高考物理卷最后一题，就因为我审题不仔细而失分了。

有一点非常重要，即计算能力的培养。高考无论是 3 + 2 卷还是 3 + X 卷，计算量均很大，因此，计算的准确性非常关键。

化学学习中要注重知识的积累，即使书翻烂了也不过分。只要拥有足够的知识作保证，化学试题完全可以应付自如。实验和推断题更需多加练习，因为实验是化学试卷拉开分数之处，搞不好就会搅得你头晕目眩。做实验题是一个积累的过程，平时多看看过去做过的题，对一些相通之处可着重记忆。

高中化学分为无机和有机两部分。无机部分与初中化学有相通之处，因此入门较快，有机化学则需下一点功夫。实际上，在数理化三门课中，化学是最简单最容易学的。

关于生物

生物课已逐渐成为高考科目，虽说分数不多，但也十分重要。学好生物第一步是要看书，书看懂了，知识点就记住了。生物课在高中阶段的学习方法似乎更像英语，而在实验题上又似化学。如果有空，可以在纸上画知识网络图，这样会有助于搞清知识点之间的联系。

最后说说综合科考试。2001 年已有十几个省市考了 3 + 综合卷，有的是大综合卷，有的是小综合卷。我虽说未考综合卷，但在高三一年里，我做了数十、甚至上百张综合卷。其实综合卷并不可怕，它只是各门课的简单相加。并且对于每门课来说，其难度要求均有所降低。因此，对综合卷的恐惧完全没有必要。

关于竞赛与高考的关系

竞赛需要极大的投入，无论是时间上还是精力上，因此不排除因搞竞赛而导致高考失败的可能。但是如果处理得当，就会取得双赢的效果。当然，在参加竞赛前，要有心理准备，即自己是否有这个实力。若是课本知识学起来尚还吃力，那就选择一门加以强攻。若实力很强，则可以来者不拒，全面出击。总之，参加竞赛利远大于弊。

柏青

从容待考

柏 青（陕西省文科状元，现就读于北大）

父母职业：教师、公务员

父母教育时常说的话：

学习是自己的事，要自己努力

生日：1984 年 6 月 30 日

爱好：画画、看书、弹吉他

最崇拜的人：恩格斯

最爱看的书：《红楼梦》

最欣赏的一句话：心底无私天地宽

寄语高中生：

在中学阶段提高知识修养，高考是功夫在课外，但不宜深迷于"闲书"

淡泊心态考出真精彩

高考像一场战斗，你是你自己的指挥员。正如不是拥有了精良的部队、先进的武器，就一定能取胜一样，高考的成败也不仅仅依赖于知识准备等智力因素。而在若干重要的非智力因素中，良好的心态无疑是重中之重，它直接影响了高考三天"临门一脚"的现场发挥。也许我是幸运的，我从没有想过"非北大不上"，却顺利地来到了未名湖畔、博雅塔下。这种更为放松的心态，使我能够正常地发挥出应有水准，考出真精彩。

国　籍

我是中国人，当然了，这和大家一样。但是，也许是爱钻故纸堆，算是受了点传统文化的浸染，洋快餐吃得少的缘故，我还是一个有点传统意识的中国人。我喜爱青花瓷瓶胎的圆润，质地的细腻，配色的优雅；我喜欢水墨画飞白的空灵和慕古的幽情；我喜欢古琴在月下演奏时的清越和隐隐的孤寂……作为一个中国人，我思慕古书中的"不以物喜，不以己悲"的旷达胸襟；向往竹林七贤放达忘我的林下之风；追求"非淡泊无以明志，非宁静无以致远"的情怀。也许，正是由于这些传统文化的影响，使我能在高考中保持一种平和的心态。

城　市

　　我是西安人，如果在汉唐盛世，就是龙应台所谓的"长安人"。西安，从"长安城"这个意义来看，就不再是一个深处西北内陆，经济尚未腾飞的都市，而是一块有着厚重的历史积淀，沉稳的、思索着的土地，是所谓"一抔黄土埋帝王"的土地。与西安相比，深圳、上海等经济发达的城市是略显浮躁的。在西安，人们不像在沪深两地那样行色匆匆，而是有些悠闲地平静地享受着生活。也许面对一块承载了千年历史的土地来说，面对历代君王金戈铁马的征战，鼎铛玉石的豪气，任何野心勃勃、自我奋斗的欲念都显得轻薄而渺小，因此，我们不会你死我活地竞争。正是这种历史积淀，孕育了我淡然面对胜负得失的心态。

家　庭

从容待考

　　我很幸福，生活在一个知识分子的家庭。父母虽都从"文革"中过来，并且他们的父母那时也都受到迫害，但幸运的是，他们都有读大学的机会。我的很多同学在考大学问题上受到家庭的压力，就是因为其父母在那疯狂的年月丧失了读书的机会，遂转而把希望和理想寄托在下一代。在我的家庭中，没有这份压力。我的父母认为家庭教育最重要的目的，是培养一个人格健全的好人。他们严格地教导我种种传统美德：诚实、正直、节俭、礼貌。记得小时候因为我的种种不良习惯，没有少挨老爸老妈的打。印象最深的有两次：一次是在妈妈单位玩，看见一堆簇新的硬币觉得好玩，就放在口袋里玩，结果忘了放回去就回家了。被妈妈发现后，我尝到了平生第一次"跪搓板"的滋味，同时也知道了不能随便拿别人的东西。还有一次是上小学时不太珍惜纸张，经常一张纸写了几个字觉得不满意，便随手一撕揉成纸团塞进抽屉里。积少成多，当老爸发现我的抽屉满得拉不开，而作业本薄得只剩两层皮时，把我叫到写字台前，让我把抽屉卸下，把纸团一个个打开，每发现一个几乎都是白纸的，我就得"赏"自己一个响亮的耳光。那天，我的手和脸又红又肿。老爸很轻地帮我揉了药油，但同时表示会对撕纸这一行为继续严惩不贷。从那以后，我每回做题都要将一张草稿纸正反面全写得密密麻麻的。

　　爸妈对我严格的甚至有点残酷的道德教育一直没有放松，但他们从未因为学习上的问题打骂过我。当我成绩退步或竞赛考砸时，他们只是简单地询问一下原因，让我自己寻找解决的对策。在学习上，他们从未给过我什么压力。记得初一时，我的成绩排第四，妈妈曾戏言："第一轮流坐，何时到我家。"而当我考了第一后，她又说："你和前几名同学都是一个档次的，你的成功是建立在他们失误的基础上；换言之，他们的成功也是建立在你失误的基础上，没有人是常胜将军。"以游戏的心态对待排名之类的名利得失，以冷静的眼光看待成绩的浮动，这是父母教给我的法门，使我在高中以至今后都会受用。

　　爸妈曾说，假如我的头脑不大适合学习或是身体不好，他们不会强迫我上高中或是大学。发挥我的特长、爱好，获得一技之长，轻松快乐地学习、工作、生活，做一个好人，就是他们对我的期望。也许，正是因为没有什么坚固热切的期望，我才能在学习之路上，顺理成章地走过来。

幼儿园

　　那时的我，一副小鬼头模样。因为记性很好，总当老师的"记事本"。但我的学期评语缺点一栏上总有"吃饭较慢"这

233

一条（其实是非常慢，而且不好吃就不吃），参加扣扣子比赛虽然动作很快却往往扣错位。而我的同学，有的会捏很好看的面人，有的会吹双层泡的泡泡糖，还有的吃饭穿衣好利索。印象中面带微笑的老师，总是大声地表扬每一位同学的优点，虽然鼓励却也并不苛求每个人都做得一样好。也许是从那时开始，我就懂得了：每个人都不是完美的，每个人都有别人难以企及的长处，不可能把每件事都做到和最擅长的人一样好。在以后的学习生活中，我遇到各样的对手：有的排名比我前，有的比我后。但面对他们我从未自卑，因为我也有我之优势；我也从不自傲，因为他们身上总有优于我之处。以平常之心对待各式各样的竞争对手，学习生活就会变得快乐轻松。

小 学

我真的是一个幸运儿。妈妈曾说，我就读于区最好的小学、市最好的初中、省最好的高中，现在，又考上了全国最好的大学。

一年级时学校开设美术班，动员大家参加。我也随大流报了名，结果去的第一堂课，两个小时主要进述两个内容：写"一"字；画一个杯子。剩下两个小时自由练习。我不知道那老师是否由"达芬奇画蛋"得到启发，自诩为达芬奇的老师，不过总觉得他的教法实在是乏味且浪费时间。我不能要求老师因材施教，就和几个朋友选择了逃课。在金秋辉煌的阳光中，我们坐在楼顶平台上，画那远处层叠的房子，画蔚蓝天幕中白色鸽群的零散身影。一个学年之后，美术班的期末作业是一组瓶杯罐的呆板组合，而我们交上的却是春夏秋冬的校园组画。这个故事或许和学习心态有点不相干，但我以为，自那时起，在学习以及各种学校活动中，我都能做自己应做的、适合做的和自己想做的事。循规蹈矩，有自己的想法，保持冷静的头脑，不盲从别人，这正是我所向往并努力追求的一种心态。

　　也许是我启蒙较早的缘故，小学时学得比较轻松，成绩一直是全班第一，而且和第二名很有一段距离。老师曾在家长会上说："咱班就漂了她这一个油花花。"于是每次有学生(成绩大多很好)转进班，她都要找我谈话，说又给我找了一个竞争对手。这些"对手"很快都成了与我一同疯玩与谈天的好友，虽然依然没有谁考过我。五年级的下学期，一个平时成绩总在第四、五名的女孩以两分的优势超过我，得了第一名。其实那次我也考得很好，但她的语文发挥得太出色，我输得心服口服。谁想班主任竟在家长会上说，那女孩只是运气好，实力原在我之下。妈妈开会回来后认真地和我谈了话，告诉我不可有"老子天下第一"的思想。现在回想起来，多谢那次考试，让我看到没有常胜将军。而对于那位老师，我虽一直尊敬她，却不能赞同她的话——没有人永远是第一。

初　中

　　能进少年班真是事出偶然。

　　少年班是我们西北五省惟一一个教改少年实验班。这个班是初中两年制，因为离家有半小时车程，偏远，小学时从未考虑过去那里。六年级的下半学期，去开会的爸爸遇见一中的主任，主任给了他一张招生简章(为了限制报考人数，招生报名有严格的限制条件：连续两年区"三好"学生或竞赛获奖等)。爸爸一看我恰好符合条件，就鼓励我考着玩(后来他说是想看一下我的水平)。我在报名处买了一本前十一届的报考题，在临考前一个月每三天做一套。抱着试一试的心态，我竟然在一千余名考生中考了第四名。平和、不经意的心态再一次

235

从容待考

帮了我的忙。在看到一中新盖好的漂亮的教学楼和有着 300 米跑道的大操场后，我决定上少年班。

少年班的两年生活是刺激而疯狂的。一群聪明而且普遍年龄偏小的学生凑到一个管理松懈的学校，被一个不拘小节的班主任领导，总是闹得天翻地覆。妈妈有时说后悔让我上少年班，觉得有些荒废。但我无悔，因为和那样一群同学、朋友、伙伴在一起，学习学得起劲，玩也玩得精彩。这种轻松的学习状态让我们这群人的思维能够得以充分伸展。

还记得那时的各位老师，年过半百的她们能容许我们在新年 party 上向她们身上喷彩带、雪花；也能在课堂上引导我们在有趣的男女生擂台比赛中记住枯燥的英语单词和文学常识。全班四十九位同学亲如一家的关系，使考试、排名，犹如一位诗人所言："朋侪之间的竞争，纵使激烈，却也温暖。"班上一位胖嘟嘟、像小猫一样可爱的男生，前一天还在踢球时弄扯了裤子，一脸羞红地回家去，第二天却能在数学课上面对一堆复杂的算式，用巧妙的技巧以心算在 10 秒之内得到答案。考试时，一个平时只在二三十名徘徊的同学会突然"冲"进前三。因为大家的实力彼此接近，在两年的八次大考中，五次都有同学并列第一。

那时的我们，没有人太在乎成绩排名，只是努力在考试中发挥出最佳水平。期末考试在冬天，假如前一天下了大雪，大家都会抛下书本，投入到热火朝天的雪仗之中，而后带着一身的雪花进入考场，在考试后又继续"战斗"。印象中对名次最在乎的一次是初一的暑假。几位好友相约参加夏令营，去青岛玩，整日冲着我喊"三缺一"。我去"请示"爸妈，他们开玩笑说考了前三就可以去。我傻乎乎地当真，认真准备了考试，并在成绩下来时看到是第五而若有所失；后来发现分加错了，原本应是第二时又欣喜若狂。

少年班的学习生活是轻松愉快的，不仅培养了我良好的学习心态，而且使我养成了注重思考、讨论的学习习惯，以及开朗活泼的性格。

当然，也有不愉快的时候。我曾和一位语文老师有过激烈的冲突。她刚由师大中文系毕业，据说在校时也是品学兼优的好学生，但没有经验，且年轻气盛。她曾因为我们不守纪律，不合她意而在课堂上发脾气、掉眼泪，甚而"罢课"。我在交给她的"周记"中批评她不理智、不成熟，她也以激烈的词句在"批示"中要我"自我反省"。在此后不久的期末考试中，她在语文试卷上莫名其妙地倒扣我三分，我找她询问，她竟然说我在她监考的历史考试中作弊，理由是我答完卷后手托腮休息时跷起三指是给邻座暗示答案。虽如此，但她却没有对我的所谓"作弊"同党给予任何处罚。我与她在课堂上激烈理论，她在其他同学证明那个动作是我的习惯动作后，竟然说："就算是我真错了，我也不会改正的！"几天后，她又以我在课堂看"闲书"为理由，让我在窗下罚站。这是我在初中两年的快乐生涯中惟一一次"挫折"。

事后不久我与另一位关系不错的老师闲谈时，她说那位语文老师是在搞"挫折教育"。这个观点我至今没有认同。经历"挫折"的确是一个人成熟的必经途径，但学习生活中的"挫折"，可以是暂时性的学习困难、考试失利，但绝不应是老师因为私人恩怨而利用职权对学生进行打击报复。

这件事之后，我的确成长了，在某些问题上有了一些新的认识，在处事时变得更冷静，也更加不盲从权威——但我宁愿其他同学不要以这样的方式来获得冷静、淡泊的心态。

从容待考

高　中

　　初入高中的理科实验班时，真是吓了一跳。六十多个不加修饰的脑袋，其中四十多个顶着厚厚的近视眼镜，上课时目不转睛地盯着黑板，手不停歇地记着笔记。没有了初中时同学在课堂上随口喊答案的热闹，老师提问时只见到一片答案了然于胸的眼神和死一般的寂静。老师想活跃一下气氛讲了个笑话却无人发笑。高考迫近的感觉使人人都有了一种紧迫感。课间在教室做题、温书是很多同学的习惯；而住校生熄灯之后在水房、厕所看书的也大有人在。学习不再是快乐的游戏，而是必须完成与必须做好的任务。

　　由于我初中只上了两年，基础并不扎实，加上中考前没有复习，中考不太理想，进班时的成绩只是第二十名。而我的心态又过于放松，不太在乎名次，学习"动力"不足。见到这种情况，父母为我制定了"三步走"的学习计划：高一进入年级前十，高二会考全 A，高三考入名牌大学。这并非他们的硬性指标，只是为我提供一个循序渐进的学习计划。幸运的是，这个计划得到顺利实施了。

　　高中由于功课难度的加深，学习压力的增加，很多同学在心理上都有一些不适应。也许是由于从小养成的不太好胜的性格，在这方面我的问题还不多。有些同学的情况比较严重，一些来自边远农村的竞赛尖子，他们独自一人生活在西安，无依无靠，加上学习压力很重，性格内向一点的就显得闷闷不乐，学习成绩也受到了影响。班主任注意到这一情况后，就在排座位时把他们和一些个性开朗的同学安排在一起，并且鼓励他们平时积极参加集体活动。在同学友情的温暖下，他们终于能够渐渐融入班级生活，心情也开朗了许多。

学习上的不适应老师更是看在眼中。当时教我们物理的是一位特级教师，虽然课教得极棒，但总有一种高不可攀的气势。一次物理考试，我的一个好友发挥失常，考了59分，是班上惟一不及格的。放学时，我们一起回家，在校园里碰到物理老师，他竟然主动打招呼并叫那同学的名字，提出要和她谈谈。后来听她说，老师帮她分析了她考试失利的原因，提了很多很好的建议，给她讲了很多学物理的窍门，又针对很多女生对高中物理的畏难情绪，给她一些心理上的积极暗示。好友的物理成绩很快有所上升，我们都为物理老师负责的工作态度而折服。

高中三年，接触最多的人不是父母而是同学、老师，因此得到同学的认同，找到归属感；得到老师的注意，找到被重视感，是保持开朗心态，从容应对种种问题的一个重要方面。在这点上，高中的同学和老师都令我感动。同学之间的亲密友谊和老师无微不至的关心，使我在高中一直保持了愉快的心境。与初中时代有些轻狂的快乐不同，高中时代的愉快是一种冬日火炉般的暖融融的温馨。

高中时代的珍贵友情至今令我难忘。同学是竞争对手却更是朋友，我一直为拥有这样一群出色的朋友而自豪。我高中最好的朋友，在我高一生日那天送我一盘卡通片《灌篮高手》的插曲原声带，让我在激扬火热的呐喊声中享受青春的激情；高二生日那天正是转入文科班和她分别的时候，她送我"无印良品"的分手专辑《朋友》，让我在紧张的高三生活中，时时回味过去的欢乐时光；高考前夕的生日，她送我《橘子红了》，品味那种"橘子红了，是该收了"的淡淡忧伤和满足感。

"谁能够划船不用桨，谁能够扬帆没有风向，谁能够离开好朋友，没有感伤"（《朋友》）。一份份似淡实浓的友情，弥漫于高中三年，让我在单调的学习生活中，每天都有不同的清新感觉。

239

从容待考

决战前夕

高二下学期面临文理分科，恰逢高二生物竞赛的成绩揭晓，我的笔试成绩在全省前十名，如果在暑假参加实验班的培训和比赛，拿到一等奖就可以保送复旦大学或西安交通大学生物系。但在燕园中沐浴人文的书香是我长久以来的愿望，何去何从，我面临抉择。父母给了我自主决定的权利。我想，如果保送，的确高三就会很轻松，而参加高考，什么事都可能会发生，也许我发挥失常，非但进不了燕园，甚至连复旦、交大也会错失。关键时刻，从小形成的性格影响了我的决定：做自己想做的事——在中国传统文化中浸润十七年的我更倾向于文科；做自己能做的事——从小喜爱历史地理的我在文科的学习中会驾轻就熟，而两年理科班学习打下的数学底子又使我较其他文科生有优势，自信平和的心态也将会使我在高考中正常发挥。于是，我选择放弃竞赛，由理科实验班转入文科班就读。

高三开学时学校组织了一次摸底考试，我由于数学发挥不错，考了第一名。由于我校在 1999 年、2000 年都出了高考状元，而 1999 年的文科状元也是由理科实验班转入文科班的，所以考试成绩公布后，从校长、年级组长到班主任都把目光聚集于我身上，希望能创出"三连冠"。那时曾听同学戏言：学校有项政策，出了"状元"，全校所有教职工均得奖金 1000元。于是乎，据说连传达室老大爷都知我的"大名"，等着我给他赚 1000 元钱。父母听说此事后，有些担心，专程找到校长说我年龄比较小，不要给我太多的压力。高考结束后，我们去学校报志愿时，遇到年级组长，他对妈妈说："我们真是盼了一年了，一直都不敢提（考状元的事），怕吓着孩子。"成绩公布后，我们在街上遇见高一时的计算机老师，她说全校张灯结彩(夸张),个个老师都喜气洋洋,像过年一样,说我为全校带来了欢乐。现在想来,那些许多我未曾谋面的老师所给予我的真诚的关心,令我倍感温暖。

妈妈曾将这种关切视为对我的一种压力,其实那时我只是想在高考中正常发挥,至于当状元,只是可遇不可求的,如果幸运之神降临,也就是一件皆大欢喜的事,仅此而已。也许正是这种没有渴求的心态帮助了我,而高考时我市另一所名校的好几位理科尖子——也是众人一致看好的理科状元苗子纷纷落马,恐怕就是压力太大的缘故,由此可知万事不可强求。

高三的学习让我觉得回到了小学,整整一年的大小考试一直是我在领跑。有一次成绩下来后我屈居第二,查卷子时却发现是一道50分的政治论述题漏改了。说实在的,我并不喜欢这种感觉,我怀念初中和高一、高二班里强手如云时的互相帮助,学习在竞争中提高的快乐。不过,也许正因为没有名次问题的压力,我能够坦然面对每次考试,把它看作是查漏补缺、不断提升水平的机会。这种心态一直延续到高考。

其实考前我虽以北大为梦想,却没有非北大不上的决心。那时父母常拿姑父的事例教育我:他高考考上的是一所名不见经传的师范院校,四年之后考上了交大的研究生,又四年之后考上公派留学,赴英国深造。父母想让我明白,人生并不是一条路走到底的,只要时时努力,纵使有时走上小道,也可通向罗马。所以虽然考完后报了北大,但我一直觉得万一失利,就按第二志愿上西安本地大学,离家很近,可以经常回家喝老妈煲的汤,也是不错的生活。正如那个古老的故事,想寻宝石的人卖掉自己的土地,穷尽一生浪迹天涯一无所获,殊不知宝石正埋在他自己的那块地里。太专注于一个目标的人,往往与它失之交臂,而不经意的人却掘出了宝石。

那时我们年级的二、三名，就令人惋惜。其中一位的父亲是北大毕业，由于她的成绩和北大录取线接近，上北大一直都是她们全家的想法，甚至认为是顺理成章的事。也许是热切的希望有些冲昏头脑，高考发挥并非太理想的她估了一个很高的分，并报了北大的热门专业，而且没有填报第二志愿。成绩出来，离北大分数线还差几十分，于是落榜。

还有一位是重考生，上一年她因非北大不上而落榜重读，今年更是抱定非北大不上的决心，没想到估分后她竟报了复旦，也许是压力太大，无法承受再次失败的打击。可成绩出来，她名列全省前十，上北大应顺理成章。真是令人痛惜！

决　战

其实对经历过"十模"的我们来说，高考只是一次很普通的考试。也许真像一些师兄师姐们说的，身心俱已疲惫的我们那时已没有力气紧张，只是盼望尽快考完，得到解脱，因此，我们可以以完全放松的心态去考。

话虽如此，我还是因为兴奋而失眠了。但第二门考完后，七月七日晚上我对自己说，原来等了十七年的高考如此平凡，仅此而已，然后安然入梦。尽管我的心态较放松，但要说完全不在乎也是不可能的。记得数学考完后，觉得题很简单，心想应该能得满分。结果下午在家中复习英语时，鬼使神差地将一道大题重算了一遍，发现在移项中出现错误，白白丢分。当时我真是好懊恼，完全没有心情再看英语。老爸见状对我说，想没有任何遗憾是不可能的。伟人也会犯错误，有时甚至是大错。何况平凡的我面对一个普通的考试。老爸又主动提出和我一块看我关心的国力对申花的现场直播球赛。紧张的赛场气氛使我将乱成一团的数字、公式全抛在了脑后，晚上，我带着对国力奋勇追平的满意结局睡熟了。

同学和老师们也好可爱。那入考场前的短暂而又漫长的等待时间里，尽管人人心中都不免紧张，却都微笑着谈论起电视剧，"同一首歌"晚会，或是对王菲新歌的感受。记得在报上曾看到一个如何考好的诀窍，说是去考点时看见老师说"老师好"，看见同学说"早上好"，坐进考场时对自己说"我一定能考好"。我照做了，真的觉得心情很好。

事业尚未成功

由于陕西省是考后估分报志愿，所以说志愿填报的准确合适与否，在一定程度上比考试本身更重要。像我上文提到的两个同学，若是交换报志愿，则会皆大欢喜。当时班上的第二名，估分后并不太高，便报了中国政法大学。根据他平时的成绩，校长和班主任拼命鼓励他报中国人民大学，老师们自然一片好心，但报中国人民大学的确会冒风险。真佩服这位同学沉得住气，他坚持了自己的选择。成绩出来后，他由于作文分数偏低，成绩并不理想，中国政法大学真是明智之选。所以我想，有一个清醒的头脑、坚定的心，不轻易为人所动，是非常必要的。

那时班上有些"班对"都在考前相约北大、清华，报考时一人估分较高，另一人便冒险相随，最后结果往往是北京西安"两两相望"。我佩服这份情感，却不赞成这份执著。但无论如何，这是个人的选择，不便评说。此刻惟有真诚地盼望他们明年再聚。

精 彩

我是从这千军万马踏过的独木桥上过来的，平和的心态让我走得轻闲。然而我也佩服几位同学，他们有更棒的心态，考出一份份别样的精彩。

其中一位在高三时一直名列前茅，但她打算毕业后直接出国留学。高考前夕她办好了一切手续，只等加拿大那边开学。按理她不必去经受七月流火的煎熬，但她却觉得高考是一次不错的人生体验，十八年才等来这一回，便决定参加。整个六月份一直为出国办各种手续、体检而繁忙不堪，压根没有碰过书本的她，以类似于玩的心态去考，却拿到了全省外语类的第二名，还被北大英语系录取。在我们都被高考这个沉重的十字架压得喘不过气的时候，她轻巧地在天空飞过，是不是"有心栽花花不开，无心插柳柳成荫"呢？

还有一位是学校有名的才子，校刊的主编，校网站的制作者。他高三时参加北京广播学院电脑特技专业的招考，专业课在全国各地的几百名考生中考了第一名，平时成绩又很棒，一直是我们心目中认为的前景最十拿九稳的人。孰知高考成绩出来后竟比他估的低了 200 分。查卷后发现是文综二卷漏改了。在朋友们的担心中，他消失了。一个月后再出现的他轻描淡写地告诉大家，他通过因特网联系了法国巴黎一所大学，呈送了简历并参加了考试，现已被录取并拿到全奖，秋天就会飞往那个金色的香都去学习电影。此时，北京邮电大学向他寄出了通知书，而北京广播学院也表示可以破格录取，但他只是轻轻付之一笑。那个夏天，他成了大家心中难忘的传奇。

当我坐在燕园中"钻研"微积分时，我想到了巴黎的他和多伦多的她。齐豫的《飞鸟和鱼》不经意地传入我的耳中。是的，当鱼有了冲破水的牵绊，不畏坠落的勇气，当鱼将所谓影响人生的高考举重若轻时，鱼就成了飞鸟，找到更为宽大的、任意翱翔的天空。

点评

高级教师

李　磊

　　以平淡的心态对待生活、对待学习、对待考试，在今天这竞争激烈的社会，对于一个十七岁的女孩来说实属不易。正是这样的平常心态，使她"临门一脚"的现场发挥极为出色，使她以文科状元的头衔打开北大的校门。让我们每一个关心孩子的老师和家长，去追寻一下柏青十七年成长的足迹吧！

传统文化与家庭环境

　　古城西安有着厚重的历史秩序，以及沉稳思索着的土地。这里没有沿海发达地区的浮躁，和人们的行色匆匆。这里没有你死我活的竞争，一切是那样的悠闲、平静。正是这样的环境氛围，孕育了柏青淡然面对一切的心态。

当现在的家长把孩子看作是自己的"惟一"，忙于为孩子设计未来，逼着孩子在学习上必须如何如何的时候，柏青的父母除了对孩子的道德教育严格得有点残酷外，却从来没有因为学习上的问题打孩子，甚至有点迁就和放纵。让孩子参加实验班的考试，也只是想看一看孩子的水平。当学校把柏青作为创三连冠的培养目标时，她父亲却专程找校长说不要给孩子压力。柏青的父母便是以这样的心态善待孩子，使孩子在宽松的环境中成长，培养了孩子的良好心态。

良好的育人环境

幼儿园时，懂得每个人都是不完美的，以平常心态对待各种竞赛。

中小学生活轻松愉快，丰富多彩，做自己想做的事，玩得起劲，学得轻松，没有人太在乎排名成绩。

高中学习生活有了很大的变化，但父母对学习没有硬性的指标，同学间的亲密友谊和老师的关怀帮助，使柏青保持愉快的心境，即使是高考的决战时刻，也觉得如同一次普通的考试。平常的心态，得到的是精彩的回报。

如果说柏青以平淡的心态对待一切，是她获得成功的重要因素，那么良好的学习环境就是她获得成功的丰厚基础——这才是完整素质的体现。

高考只是人生一段路

高考的路上，我们这些人留下的或轻或重的脚印很快就会消失，自有后来人踏上这征程。相同的路，因为不同的人，怀着不同的心境，映入眼帘中自然是不同的风景。但"在路上"的感觉是一样的。之所以用这个标题，是源于对自己高考经历的一种感想。我不赞成有人把它比喻为登山，因为高三生活并不只有"无限风光在险峰"的残酷的美；高考成功也不是"会当凌绝顶，一览众山小"的自得和空虚；高考失败更不是"一失足成千古恨"那般悲壮。在我看来，它只是一段路程，是中国的莘莘学子的一段平常的必经之路。路上当然也会有落英缤纷，亦或泥泞满地；你也许会跌倒，但也能够爬起来。走路总不是一件太难的事情吧。

漉尽黄沙始到金

我不是在夸口自己是高三生活中淘出来的真金，更不敢把别人贬为泥沙。我指的是高三的三百余个日日夜夜，它们看似忙碌，平淡而琐碎，像泥沙一般；但它们是恒河之沙，每一粒都受着知识的浸渍，其中闪烁着金灿灿的得失与感悟。

知识

也许有人觉得为了应付高考而进行的高三一年的复习难以

使人获得真正的知识，我说不然。像我自己，因为陕西省今年首次实行"3＋X"高考，久已尘封的初中地理课本，又被我拎出，"孜孜"攻读。这是很多同学为之烦恼的一门学科。古怪而繁琐的国名，"星罗棋布"的陆地(岛屿)，"翻云覆雨"的气候，"蛛网般"密布的铁路线，要想全部记清，是要花些心思。但高考完后的今日，当我在新闻中听到摩尔多瓦领导人访华的消息不会像很多人把头转向非洲地图；当我能熟练地解释着"一层(阵)秋雨一层(阵)凉"并及时添加衣物；当我在火车上能清楚地知道火车开往何方，身处何地之时，我感到了拥有知识的喜悦。是的，正如好的宝石在阳光下从不同角度看会有不同的光彩一样，在你捧书阅读时，想想正是为使自己成为博学的人(或者至少是有常识的人)，在给自己的知识体系添砖加瓦，而不是为了那几张高考试卷，心情和劲头都会大不一样。

友情

这是高三带给我的最温暖和美好的东西，之所以要谈它，是希望让大家看到：高三生活只是一段平常的路，你还是在过着正常的生活。高三的朋友，也许不再是秋游时的玩伴，球场上的战友，因为生活的核心转向了学习和考试。但他们是这样的人：能在和他们的讨论中加深对知识的理解；能在向他们讨教问题时获取知识；能在回答他们的问题时开拓思路；能在和他们的闲聊中缓解压力；能在和他们的竞争中更上一层楼。这样的朋友，如果没有，是高三生活的一大憾事。所以，在埋头于书山题海中时，别忘了睁开一只"心眼"，看看身边的人和事。

不破楼兰终不还——记高考三天之路

这不是说我们对于高考的期许——不考上清华、北大誓不罢休，诸如此类。而是讲如何在高考三天之中达到最佳状态。高考的目标是大学，但高考本身何尝不是一种目标，将这个过程做到最好，就是一种成功。

在这里我只想说几点经验：

如何保证睡眠

我一直自认为心理素质不错，但面对真正"扑面而来"的高考时还是有些紧张，结果一直是晚上 10 点半睡觉的我在七月六日晚上失眠了，真正的辗转反侧。真是要感谢我的父母，他们先是安慰我，告诉我一晚不睡对精神没有什么影响，保持适度紧张有利于充分发挥；又在七日晚上坚持让我吃了一片"安定"片，结果我睡得很好。说实话，如果说一晚上没睡好精神没太多影响的话，那么两晚不睡就比较严重了。高考结束之后，我问父母为什么敢让我吃"安定"片，而不怕影响我第二天的精神（吃了头会发昏），他们笑着拿出药瓶子让我看，原来只是维生素片。原来一切只是我的心理作用啊！

所以，保证睡眠的方法很多，各人有各人的奇招，殊途同归。但只要有利于高考，大可各取所需。

如何克服恶劣环境

有人说我们这届考生运气不好。连续四五年西安都在高考时下雨，而今年却出现了 40℃ 的高温。碰上了这样恶劣的外部环境，如何应对就成了关系到能否正常发挥的一个重点问题。

就我个人而言，方法有二。一是考试时尽量集中精神，俗语道"心静自然凉"。二是在考前保持尽量好的身体状态，不要变成"带伤上火线"。身体和心理上都做好了准备，就像经过了长期厉兵秣马的军队，整装待发。再加上多年积累的知识和一年来的高考适应与训练，楼兰焉能不破？

菊花须簪满头归——记考后发榜之路

因为我校是连续几年出状元的省一流名校，我又一直是文科稳定的第一名，所以学校一直把我作为冲击"状元"的种子选手。而当我得知自己成功的消息后也并不是特别激动。正如我前文所述，我并不把学习生活看作是登攀的过程，好像成了状元是攀上了山顶。在我看来，它只是我人生旅途中的一段路，幸运的是它比较平坦，沿路风光比较美，仅此而已。

有人也许不大相信，高考后我没有接受任何采访，出席任何报告会，摆任何宴席。于我而言，这段路我已坦然走过，但我依然在路上。我做主页，画水粉画，学吹埙，做一切想做而由于高三的忙碌而不能如愿做的事。做这些事让我有脚踏实地的感觉，而不是在山顶上那样容易踏空的感觉。簪满头的是菊花，因为它是丰硕的，喜悦的；又因它是预示着肃杀，令人清醒的。

平等　理解　关爱

　　女儿以陕西省文科第一名的成绩步入了心仪已久的北京大学。作为孩子的父亲和母亲，的确是备感欣慰的。

　　女儿就读的是陕西省教育厅惟一的直属重点高中，又在年级惟一的理科实验班学习。高一、高二两年各科学习成绩均衡，稳定在年级前几名。高三文、理分科时，家庭中出现了两种不同的选择取向。女儿想学文科，母亲希望女儿学理科，父亲认为这件事应该慎重考虑再定。在家庭的多次讨论中，女儿谈了自己的理想，分析了自身的强项和弱项；母亲从社会的需求和就业的难易程度谈了自己的看法；父亲强调要考虑女性从业的社会认可程度。最终在平等、互相理解的基础上形成了共识——我们按孩子的意愿选报了文科。

　　我们一直认为，合作精神的培养对独生子女来说是尤为重要的，可以帮助孩子克服自私、孤僻、冷漠、动手能力差等性格缺陷和能力缺陷。我们经常鼓励孩子参加集体活动，以增强她的合作精神。一次春季期中考试后，学校放一天假，孩子很高兴，提出想和同学去郊游看樱花，中午再到我们家做自助餐。我们痛快地答应了。那天，孩子们过得很开心，既减轻了学习的压力，又获得了生活体验。每年孩子过生日，我们都鼓励孩子邀请同学到家里来玩，同学过生日，也支持她参加。学

251

从容待考

校、班级组织的活动，我们都非常支持孩子参加。从实际效果来看，孩子的合作精神、团队意识得到了加强，心胸比较开阔，关心同学、乐于助人，珍惜同学之间的友谊。

孩子最常遇到的挫折是学习上的失败，这时，孩子最需要的是家长、老师的理解和关爱。我们也关心孩子的考试情况，考得好了要求她总结经验，考得不好要求她查找问题根源，制定补救措施，一般不批评，尽量减轻心理压力。孩子也逐步认识到，失败并不可怕，可怕的是找不出失败的原因，摆脱不了失败的阴影，无法振奋精神重新走向成功。就考试而言，它可以看成是学习中的竞赛，有一定的规则要求，对人的心理形成一种压力。因此，父母要尽量帮助孩子学会控制情绪，调整心态，使孩子正确看待考试中的得与失。

孩子有时也被老师批评，心情不好。我们通常是鼓励孩子放下包袱。当老师的批评出现偏差时，我们也引导孩子首先认识老师的动机是对的，应该学会有则改之，无则加勉。

高考成绩揭晓后，一时间，报纸、广播、电视、学校，甚至一些商家和企业都开始热炒"高考状元"。本着对孩子的关爱，同时也是孩子本人的意愿，我们谢绝了所有的采访，目的就是要使孩子保持一颗平常心。我们和孩子一起设计了"学学外语、玩玩电脑、跑跑步、游游泳"的方案，使女儿在充实而平静的生活中度过了中学阶段最后一个假期。女儿在谈及高考体会时，由衷地感慨到："平平淡淡才是真。"

通过教育孩子我们逐渐体会到，所谓"家是避风的港湾"的真义。一个家庭成员间的平等相待，互相理解、关爱，对家庭教育氛围的形成具有十分重要的意义。

柏青父亲　**柏续洲**　母亲　**魏焱**

潘伟明

寒窗点滴

潘伟明(黑龙江省文科状元,现就读于北大)

父母职业：工人

父母教育时常说的话：取人之长，补己之短

生日：1982 年 6 月 12 日

爱好：玩游戏(《轩辕剑》、《天之痕》)

最爱看的书：

　　金庸小说、余秋雨和张爱玲的散文

最向往的生活：云淡风清、闲云野鹤

寄语高中生：

　　努力吧，美好的大学生活就在你身边！

梦，需要你的汗水去灌溉

生在别人家,我不会成状元

> 我若生在别人家不一定成为状元,别的孩子若生
> 在我家一定会是状元。
>
> ——题记

有人说过"时光如水"。有时我觉得,人生也如水:有源头,有归处,有坎坷不平的痛苦,也有奔流直下的得意,而河道的选择对整个河流具有莫大的影响。令我庆幸的是,从小父母便为我选择了一条正确的河道,并用他们全部的精力与心血规范我的流向,防止我的河水受污染,使我的河流一直流得畅通而顺利……

在妈妈的故事和对书的向往中入睡

无论是江河湖海,还是瀑布温泉,它们的源头总是一脉明净清澈的溪流,便如我们大多数人的童年。而我童年的溪流,除了自在地流淌之外,好像还多了一点什么……那就是我的爸爸妈妈用柔情和细心对我的指引,在不知不觉中,他们已经影响了我人生的流向。

小孩子总是喜欢故事的。小时候的我每天晚上都依偎在妈妈怀中听她讲厚厚的书中的故事,于是,我在妈妈柔和的声音

寒窗点滴

和自己对书的向往中甜甜入睡。

妈妈的故事里有许多善良的公主，勇敢的王子和许多聪明可爱的小孩子。当我愤恨加害白雪公主的王后时，我知道了嫉妒的丑恶；当我被匹诺曹的长鼻子逗乐时，我知道好孩子是不可以骗人的；当我听到"没头脑"和"不高兴"焦头烂额的故事时，我知道不能做一个任性的孩子。他们的故事在不经意间告诉了我，什么是对什么是错，在听妈妈讲故事时形成的正误观念对今天的我影响极大。

我会担心忠诚的约翰的命运；我会为勤劳的灰姑娘嫁给王子而欣慰；我会为人鱼公主变成泡沫而伤心落泪……在我还很幼稚的时光里，是那一个个美丽的故事教我认识了真善美的魅力，让我知道，善良忠实与牺牲是会打动人的，而往往最终胜利的正是这些动人的力量。

稍大一些，当我需要学着区分现实世界与梦幻世界的时候，工作繁忙的爸爸也会抽时间来给我讲故事。爸爸的声音没有妈妈柔和，但只要爸爸有时间，我总是更爱缠着爸爸给我讲故事。因为他讲起故事来更加绘声绘色，不是照书上念的，而是装在肚子里的。

爸爸故事里的主人公不是公主、王子或者小红、小明，而是李白、苏轼、诸葛亮和秦始皇，他们的故事总是更加曲折离奇，更加扣人心弦。但爸爸却总是在讲到情节的关键处时顿住，让我乖乖睡觉，等第二天晚上再讲。于是我在入睡时常常担心着："乌台诗案"后的苏轼会不会真的自尽呢？司马懿有没有攻入诸葛亮的空城呢？岳飞在接到十二道金牌之后真的回京了吗？有没有被秦桧害死呢？再大一点之后，被故事的发展深深吸引住的我不再满足于每天晚上爸爸讲故事的进度，便自己找书看了起来，而这，便是我阅读的开始，且使我受益至今。

从那以后我开始试着用稚嫩的目光去追寻书籍的踪迹，而我成长的脚步也便随着阅读的延伸而不断前行。在安徒生童话和格林童话里，我读到如妈妈的怀抱般的温馨，那是只有童年时才能体会到的单纯与美好，却使我在以后的十几年里（我相信也将是一生），无论受到什么样的打击与欺骗，都固执地相信人性的善良，乐观而又宽容地去爱惜生命、关爱他人、爱这个世界。《西游记》、《水浒传》连环画以及《唐诗三百首》更是让我在爸爸的故事之后进一步领略了中华文化的美丽。而我相信，中国古典文化的鲜活灿烂将是我这一生中最诚挚的热爱。这些也许就是我的语文老师常常惊讶于我的文字功底好的原因吧，爸爸妈妈精心的引导也使我从小到大从未为写作文而发愁过。

更重要的是，那几年爸爸妈妈用没有看过一部完整的电视剧的代价在我心里埋下了对书和文字深深的向往与热爱，我想，这是会影响我一生的。从小到大，无论何时何地，文字总是最能吸引我的目光。以至于有一次我去医院看奶奶，临走时却定在了门前读倒贴在门玻璃上的旧报纸，站了许久都浑然不觉。常常，本打算出去玩耍的我，临走却被一篇文章吸去了注意力，便忘了自己本来要干什么，也常常因此气得小朋友不得不上家里来找我。也正因为此，从小家里人就常亲昵地叫我书呆子，不带一丝贬义，却满带着欣慰。

直到现在，文字的色彩与张力对我仍是极大的诱惑，读书也便因此成为我最大的娱乐。我往往会被一段文字的美感动得无法呼吸，那是极幸福的体验。记得三毛有一段描写："这儿没有防波堤，巨浪从来不温柔，它们几乎总是灰色的一堆堆汹涌而来，复仇似地击打着深黑色怪形怪状的原始礁岩。每一次冲击，水花破得天一般的高，惊天动地地散落下来，这边的大海响得万马奔腾，那边的一轮血红的落日，凄艳绝伦地静静地

寒窗点滴

自往水里掉。"那样壮阔又凄凉的景致被这样的文字描绘下来，当读到这儿时，我便只有屏息而沉默了。

余秋雨的语言总是令我叹服："色流猛地一下涡漩卷涌，当然是到了唐代。人世间能有的色彩都喷射出来，但又喷得一点儿也不野，舒舒展展地纳入细密流利的线条，幻化为壮丽无比的交响乐章。这里不再仅仅是初春的气温，而已是春风浩荡，万物苏醒，人们的每一缕筋肉都想跳腾。这里连禽鸟都在歌舞，连繁花都裹卷成图案，为这个天地欢呼。这里的雕塑都有脉搏和呼吸，挂着千年不枯的吟笑和娇嗔。……人世间最有吸引力的，莫过于一群活得很自在的人发出的生命信号。这种信号是磁，是蜜，是涡卷方圆的魔井。没有一个人能够摆脱这种涡卷，没有一个人能够面对着它们而保持平静。唐代就该这样，这样才算唐代。我们的民族，总算拥有这么个朝代，总算有过这么一个时刻，驾驭那些瑰丽的色流，而竟能指挥若定。"本不应该引用这样一大段的文字，但总是为它的美丽所惑，舍不得割爱，引了这长长的一段，也算是为了充分体现我对文字的痴迷。

数饺子、数花生与学习兴趣

数数是每个孩子都不陌生的经历，那"1、2、3、4、5……"的数字，自己并不知道是什么意义，却必须记得牢牢的。小孩子数数儿在每个大人看来都应是可爱而值得欣慰的吧，但恐怕很少有小孩子也会有同感。不过，我小时候却蛮喜欢，因为我数的不是"1、2、3……"的数字，而是圆溜溜的花生、胖嘟嘟的饺子，或是甜丝丝的糖块。

记得刚会数数的时候，爸爸妈妈最头疼的便是怎样才能让我把心中的数字同实物联系起来。他们想了好多办法：有时他们让我把一个碗里的花生转移到另外一个碗里，同时必须数出一共有多少个花生；有时爸爸让我和他玩打手板的游戏，只要我能数清楚爸爸打了我多少下，我就可以打爸爸多少下；有时和爸爸妈妈一起出去散步，他们便让我数路边的树……在这些生动又多彩的教具的帮助下，我觉得数数真的是一件蛮有意思的事，数字对于我来说也充满了亲切感。

给我印象最深的是小时候数饺子。从小我就特别爱吃饺子，每次包饺子时，即使我什么忙也帮不上，也总是要站在妈妈爸爸身边看着他们包，用垂涎的目光盯着饺子。于是，父母便让我数饺子。当时，我那又白又胖的手指数着同样又白又胖的饺子，总是逗得爸爸妈妈哈哈大笑，而我也是兴致盎然。妈妈总是说，我能数出多少个饺子，就让我吃多少个，于是，即将到口的美味使数字也变得可爱起来。以至于上学以后其他同学很头痛的应用题我却最喜欢，因为那总是使我想起小时候笨拙地用手指拨饺子数数儿的情形……

像很多家长一样，在我小时候，父母也曾想发展我多方面的特长，很支持我对任何事物的兴趣。

上幼儿园时老师说我的手形很适合弹琴，问我愿不愿意跟他学弹电子琴，年幼好奇的我当然兴致很高。爸爸听了也很高兴，二话不说就花两千多元给我买了一台雅马哈电子琴，这在当时对于工人家庭来说可不是一个小数目。刚开始，我练习的兴趣特别高，于是每天爸爸妈妈下班以后都会很高兴地"欣赏"我当天练习的"成果"。可是学了不久，我发现往往自己费力练了好久的曲子过了半天就生疏了，而老师弹出的不同旋律我也常常分辨不出它们在情感上有什么区别。班级里大多数小朋友都比我强，慢慢地，我对音乐的兴趣一点点地减退，直至完全消失，练习也不那么起劲了。爸爸也觉得我在学习乐器

257

寒窗点滴

方面没什么天赋，便一点也没有责怪我，只要求我能够尽量去欣赏音乐，能够在听音乐的时候领悟到那也是一种美丽。

我也曾经学过书法和国画，但学了几年也没有什么长进。只记得那时老师是义务给我们几个他喜欢的学生上课，我们十几个人在老师的办公室里气氛融洽地闲谈、上课：有时欣赏老师画册里的《蒙娜丽莎》和《最后的晚餐》；有时不自量力地品评挂满四壁的颜柳欧苏风格各异的字幅；有时兴高采烈地跟老师学怎么样手工做新年贺卡，做完之后不由分说便塞到老师手里……每晚下了课之后我们十几个人——老师和同学——一起慢慢地往家属区的方向走回家，边走边谈，在暖黄色的路灯下，踏着一地的白雪，这一直是我记忆中最宝贵的珍藏。然而令所有人失望的是：我只是喜欢欣赏书画中的美丽，却无论如何也沉不下心来去创造那份美丽。尽管如此，爸爸妈妈也没有说过一句责怪我的话，只是鼓励我多接触一些中国古典文化的精髓。因此，现在我虽然不会写书法或画国画，但却对中国的书画艺术欣赏有一定的了解，若与诗词联系起来，我的感悟则更深。

从小，爸爸妈妈对我业余爱好的支持与包容就告诉我，我尽可以自由自在地去涉猎任何一门我感兴趣的知识，有没有天赋，能不能深入钻研都不重要，重要的是去欣赏它的美丽，而了解任何一门知识的美丽都是幸福的。

童年总是很美好的，而我聪明的父母则在我的童年里用巧妙的方法告诉我，知识也是美好的。因此，在我以后的学习中，无论遇到什么样的挫折打击，我都没有厌恶过知识本身，兴趣也便成了我学习的永远动力。

父母有意识地培养我的学习习惯

刚上小学，便如同溪水刚刚学着流淌，有石缝，有水草，有许多无法预料的事物会改变溪水的流向。但爸爸妈妈细致的关心和教导却给我指出了一条正确的流向……

我的反应并不快，往往说话做事都会比别人慢半拍，但做功课、答卷子现在却总是要比别人快上一点。很多熟悉我的人都奇怪：这是为什么呢？我觉得答案只有一个，就是专心。而培养一个孩子集中精力则是令很多家长和老师都头痛的问题。那么我的父母是如何解决的呢？

三年级时，有一次我和妈妈在路上遇见了班主任老师。天真的我对自己在学校的表现很满意，便缠着妈妈去与老师攀谈，要听老师口中对我的夸奖。妈妈去了，听到的却是老师抱怨我上课时总不能和其他人一同按时完成课堂作业，好像跟不上似的。妈妈回来并没有批评我，而是同爸爸一起，仔细地观察我的学习习惯，分析原因，最终发现出现这种情况的根本原因是由于我的不专心。于是，妈妈非但没有强迫我学习，反而叫我放学后尽情去玩，作业等妈妈下班回家后再写，但条件是必须在她规定的时间内完成。由于要在妈妈规定的时间内完成，我就必须专心致志。于是从那以后，我做功课不再东张西望，写字的速度也快了许多。专心不仅可以提高速度，还可以提高做题的准确率。对一个小孩子来说，这不仅是完成试卷或作业的保障，更是一种强烈的骄傲与自信。而且直到现在，我在听课或者自习时都极少走神，做作业的效率也比较稳定。小时候的习惯实在令我受益匪浅。

刚学数学时，我最讨厌的就是一遍遍地做加减乘除的四则运算，不仅因为那无聊的重复，更因为笨笨的我总也做不到最快的那一个，十分灰心。爸爸妈妈发现了这一点，于是他们设计了一个训练我做数学的方案。每天晚上，我都要和爸爸进行比赛，算100道加减运算或九九乘法表上的乘除运算，由妈妈

259

寒窗点滴

掐表，5分钟以内做完，我和爸爸谁做得快谁就赢了。每天爸爸妈妈下班后，一个做饭，一个出题。吃完饭，我们三个人围坐在一起，我和爸爸热火朝天地比赛，妈妈铁面无私地掐表。起初几天，我无论是速度还是准确率都和爸爸差很远。但不久以后，我的速度就和他差不多了。再过一段时间，我做题竟能比爸爸做得快好多！我小小的心里充满了进步的满足与得意，对数学也就充满了兴趣。

小学时，参加竞赛是初中择校的惟一方式，于是那些刁钻古怪的题目便是我高小时最大的挑战。但我知道，我永远不会是"孤军奋战"。每天吃过晚饭后，橘黄色的灯光下，总会有爸爸妈妈陪我一同"啃"那些习题。他们从不给我讲解应该怎么做，而是一遍遍地给我讲解题目的含义、原理，由我自己去想出解法。

那时他们最常说的一句话便是："明明真聪明，我们还没看懂题呢她就做出来了……"那时的我往往因此很兴奋，坚信自己什么题都做得出来。长大后才明白父母的良苦用心……现在，每当面对挑战时，我总是回忆起小时候晚饭后橘黄色的灯光和爸爸妈妈鼓励的笑容，甜蜜的回忆也算是我力量的来源吧。

溪水总是清澈而活泼的，正如童年总是天真而快乐的，然而爸爸妈妈的细心与耐心，却使我在快乐的同时，走上了正确的方向。回忆童年，点点滴滴都是父母的关爱，与无尽的温暖……

背着我，说服老师增加竞赛名额

上初中了，便如泉水在山涧，跌宕起伏，不时有难测的挫折与变故，而我这个过于敏感又性情激烈的孩子便像是最湍急的泉水，让爸爸妈妈极为费心。

刚上初一时，我以前从没有学过英语，成绩也不突出，以至于有一次老师挑选参加英语竞赛的选手时，班级里选了十来个人都没有我。我觉得自己的信心受了极大的打击，偏偏我这个人一点也没有迎难而上的骨气，一旦发现自己并不出色，便不愿再投入努力，任自己沉浸于灰心丧气的情绪中。妈妈对我的情绪变化总是特别敏感，几乎是立刻发现了我的反常，并问出了原因。然后背着我，她偷偷地去找老师，说服老师为我增加一个参赛名额（天知道一向不善言辞的妈妈是如何说动老师的）。之后，爸爸妈妈便一边督促我好好准备竞赛，一边在不知不觉中鼓励我，增强我的信心。

终于，在那次竞赛中，我发挥得非常好，得了特等奖，从那以后，我的英语成绩突飞猛进，一直是班里的第一名，直到现在，英语也是我最稳定的强项。我想，这样的成绩可以说大部分是爸爸妈妈的功劳。

我从小到大，成绩一直很稳定，跌得最惨的一次，是初一第二学期的期中考试，一下子考了第十二名。除此以外，我整个初中都没有出过前三名，更不用说小学时的成绩了。于是当时，我几乎觉得天都要塌下来了，不知道怎么办才好。这时，爸爸妈妈谁都没有责怪我，他们温柔地安慰我，平静地帮我分析原因，又在家长会上提前到场，与老师充分沟通。当然，在之后的考试里，我又是那个成功的第一名。然而现在看来，是不是第一名已不那么重要，重要的是我深深感到，以后无论有什么困难挫折，爸爸妈妈都会在背后支持我，鼓励我，和我一同分担一切。

人们都说，初中的孩子处于叛逆期，就像泉水在山涧跳跃，极其不稳定。但爸爸妈妈的爱却一直在守护着我，使我在心境最不稳定的时候也能有稳定的依靠。我知道，无论何时，都会有爸爸妈妈的爱来支持我。

尽管无奈，父母仍尊重我的选择

上了高中，开始学着去做我自己，便如河流已经冲刷出自己的河床，虽然尚嫌清浅，但毕竟是属于自己的道路，于是在作决定时，便多了几分坚持与韧性。而此时的爸爸妈妈不再决定我的流向，而是向我提供充足的选择余地和详细的分析，让我自己选择奔流的方向。他们只默默地在两边美化我的河岸，保护我的水流，无声地支持我。至于在向前奔流的过程中有多少坎坷与冲击，都必须由我自己承受。因为他们知道，这是成长路上所必须的。

我从小便喜欢文学，因此一上高中便打定主意要学文科。尽管考高中时我的理化成绩相当出色，但性情一向偏激的我从上高中起便完全放弃了理化。所以，虽然我的数语外三科成绩可以在年级排前五名，我的总名次却总在五十到一百名之间变化。甚至有时理化还会不及格，我却毫不在乎。

面对这种情况，爸爸妈妈当然很着急。在和我深谈之后，得知我这么做是因为我已经决定学文，不想把大量精力放在自己不喜欢的功课上。为此，爸爸便四处询问，查找资料，分析比较学文与学理的利弊之处。之后，爸爸觉得还是学理将来的出路会更好些，因为选择的机会更多。尽管他们并不同意我的想法，但也没有强迫我，而是反反复复地向我分析各方面的因素，可固执的我一旦下定决心便不肯改变。爸爸妈妈没有办法，只好支持我的选择。他们没有因为我们意见的分歧而给我任何的压力，但是我清楚地记得，那几天爸爸妈妈的眼中时常写满了无奈。

然而不久，我学了文科以后，爸爸妈妈便已经完全接受了

寒窗点滴

我的选择。他们一边向周围好奇于我的理科很好却为什么学文的亲朋好友解释，一边为我留心新闻联播和焦点访谈上的热点问题，一边又不断地分析出我学文的优势，增强我的信心。因此，尽管我在学习的过程中也曾有过挫折，但我从来没有后悔过。

高二下学期时，有一次重要的竞赛。老师说在那次的竞赛中如果能获得全国范围的奖项，会考就可以免试，成绩还可以全优，而会考全优的人是有保送资格的。我决定要全力争取这个好机会，于是就几乎把全部精力投放到这上面，对其他科有些忽视了。爸爸妈妈一方面支持我的准备，另一方面又时时叮嘱我不能太轻视其他科目。正是在他们的督促下，我的成绩才能够保持基本的稳定。

然而没想到，在我的竞赛成绩取得之后，国家教委竟然宣布说今年文科生取消保送制度。这时已经是高三下学期开始了，一直都很轻松的我从这时开始紧张起来，不免有些手忙脚乱。一连几次的模拟考试或测验成绩都不理想，我不禁追悔莫及。一向脾气急躁的爸爸在这个时候却一直在安慰我，我一点也感觉不到他在这个关键的冲刺时刻作为父亲必然会有的焦急。直到高考之后，妈妈才告诉我，那时候爸爸经常睡不着觉，对他没有严格地督促我而使我松懈非常自责。听到这些，我许久许久说不出话来。直到这时，我才体会到我一直以来是多么幸运。

如果说，幼时的我应该感激父母对我的指导，那么高中时的我最应该感激的便是他们对我完全的理解与包容。正是他们的努力与细心，才使我这条小河流淌得更加自信，更加自然而愉快……

时光如水，美丽的罗马不是一天建成的，一个人的人生也

寒窗点滴

不是一两件大事便能铸就的。成长的故事也许很幼稚，很平淡，但正是它们奠定了我一生的基础，影响了我生命的轨迹。而父母，也是我一生中最感激的人。

寒窗点滴

点评

高级教师

李磊

家庭教育从来没有像今天这样，牵动着千千万万个家长的心。学校、家庭、社会、公共场合、亲朋聚会，人们谈论最多的也是子女教育问题。特别是在那些素质教育的场所，到处都留下了家长们的身影，让人真真切切地感受到了"可怜天下父母心"。

潘伟明的成功之路，印证了家庭教育在孩子成材中的重要作用，同时，也为人们如何教育好孩子提供了一份真实的案例。

父母用柔情和细心指引孩子

父母用柔情和细心指引孩子对外界的感知，差不多都是从故事中得来的。故事使他们知善恶，懂得同情和关注他们的命运。更可贵的是当他们知道父母的良苦用心和为此付出的代价时，心中对文学和书的深深向往之情，成了影响他们一生的动因；文学色彩与张力的诱惑，使他们一生享用无穷。同时，孩子们的性情也得以塑造。

用直观去理解抽象

数字本身是抽象的，如何把孩子心中的数字与具体事物联系起来，还真得下些功夫。而伟明的父母却做到了，这为她后来对别人厌烦的应用题却十分感兴趣打下了基础。

尊重孩子的选择

伟明对电子琴从喜欢到退出，家长并没有一丝责怪，学习书法和图画，不见什么长进，父母仍然很宽容。他们尊重孩子的选择，并指导她领悟音乐的美妙，把书画同诗词联系起来，则感悟更深。这些收获超越了单纯的专业学习。

专心和自信的养成

专心和自信是成功者的必备素质。伟明这种良好品质的形成，得益于父母的细心观察、巧妙引导和精心呵护。这使她在童年的快乐中，走向了正确方向。

变挫折和压力为动力

挫折和压力，这在孩子成长过程中，都会遇到的。伟明父母的聪明，就在于他们能正确地把握时机，采取有效方式，把挫折和压力变成动力，使孩子获得鼓舞，体会到爱的支持。

让孩子自己"流向"

孩子不能老是在大人的庇护下成长。上高中的伟明开始学着做自己的事，父母则尊重孩子的选择，教给她一种平常的心态，提供充足的选择余地和详细的分析。让她学会承受前进过程中的坎坷与冲击。

伟明成功了，她成功的背后，是父母十几年如一日的辛勤耕耘的汗水，这些看似平淡的过程，却奠定了孩子一生的基础，影响着孩子的生命轨迹，值得我们学习和借鉴。

好习惯是高考"敲门砖"

人们都说十年寒窗苦，如今作为寒窗之后的成功者，再回忆起当年的点点滴滴，怀念之余，只希望能给仍在窗旁的学子们提供一点帮助或参考，使寒窗内多一些温暖。

学习习惯

不愿意说介绍学习方法，因为方法因人而异，无所谓优劣，而好的学习习惯却总是多少会给人以帮助的。而且，习惯是不经意的，不必刻意去做，往往效果却是最好。

培养稳定的生物钟

生物钟对人的精神状态有着深刻的影响，一个习惯晚睡晚起的人在上早课时必定效率不高。我以前高一时也总是爱睡懒觉，一到周末总得 10 点多才起床，相应地晚上也是过了 12 点才能睡觉。久而久之，每天早上第一二节课我总是会打瞌睡，而学校里早上的课总是最重要的，时间长了，损失非常大。一到晚上，又总是特别兴奋，睡不着觉，第二天早上就会更困。这样恶性循环下来，对身体和学业的损害都非常大。

上了高二，我决定改变这一作息习惯。在假期里，我强迫自己早上 7 点钟准时起床，白天无论多困都强忍着不去睡觉，晚上 11 点钟准时睡觉，即使非常清醒也要静下心来躺在床上。一个假期下来，我的作息时间就变得非常规律了。这对我学习的帮助非常大。养成这样的习惯之后，我可以保证一天在校学习都精力充沛，而众所周知，专心听讲是学习中最重要也是最有效的环节。因此我学习起来就事半功倍了。而且身体状况也有所好转。调整好生物钟确实对身心都大有好处。

制作完备的错题本

记得曾有一个老师这样对我说过："要想学习好，题海遨游不可少。"足量的习题是学习过程中必不可少的环节。但是没有哪个同学愿意整天淹没在题海中，那么怎样才能使最少的题发挥最大的作用呢？

第一，要减少重复。以前，我常常有这样的经历：做完一本练习册后，总觉得里面有的题自己还没有掌握，但又不记得是什么题。犹豫了很久之后，只能再从头做做看，结果做了大量的重复劳动，效果也不明显。后来我想到，不如把第一次做时做错或不会的题记下来，整理到一个本子上，这样以后复习时就可以只看本子上的题，节省了大量的时间和精力，还能够更有针对性。

第二，要从有价值的题中吸取尽量多的经验。什么样的题算是有价值的题呢？答案因人而异，但我想对于每个人来说，错题都是很有价值的吧。这样不妨在错题本的每一道题之后都附上备注，记下自己做错或者卡住的原因。对于学文科的学生来说，数学是极重要又极不好学的科目，偏偏考试之前又总是不知道该如何复习，没有什么需要背的内容，临考之前做题又没什么效果，但不复习心里又很不安，考试前就会觉得没有把握而紧张。但如果有一个完备的错题本的话，考试之前就可以只看一下上面的备注，这样只需花很少的时间就觉得很有收获，考试时也不会太紧张。

制定详尽的学习计划

学习计划既要有短期的计划，又要有长期的目标。计划不是定死的，还要根据实际情况来不断补充和更正。譬如说，每天对当天所要做的事制定一个计划，哪些我今天做完，哪些我今天必须做一部分；哪些无论有没有时间都必须做，又有哪些今天可以先不做等等，这些最好都想一想，并安排一个顺序，什么时候干什么。这是最短期的计划。稍长一点，如一周或一月，也应有个计划。如把一个月内遇见的英语生词整理一下，过一遍，又如把一个月的错题都订正一遍等。这样的计划实施的时间不是很长，又有一定的灵活性和积累性，尤其应重视。这段计划实施得好，可以使学生对学习有一个整体的把握，学得更扎实，更有后劲。半个学期一个学期的计划可作为长期计划，其中目标的成分多一些。譬如，在这个学期里，随着数学的学习要自己完成一本同步的参考书，从而使自己的成绩提高10分，等等。

举个例子 —— 一份较详尽的计划

当天计划：今天作业有语、数、外、历四门，数学作业是大题，利用中午的整段时间做。历史是张卷子，可以用下午自习课的时间做。外语是选择题的练习，充分利用课间空隙做一会儿，剩下的回家完成。语文是阅读理解，是弱项，要回家好好想想，不急于做完。预计到家9：00可以完成作业，可以把今天的数学笔记复习一下，用45分钟够了。上回的历史考卷发下来了，要用半个小时订正一下。还剩下一点时间，把政治参考书拿出来做几道题。加上休息时间，11点之前可以睡觉了。

中期计划：这个星期还有不少东西课后没有巩固。语文古文似乎学得不行，要再把以前学的也复习一下。数学函数一章讲完了，要在2-3天内把这一章的脉络理一下，不用花太多

269

寒窗点滴

时间细看，一个小时足够了。

长期计划：哲学上半学期没学好，下半学期的东西许多都涉及到它，一定要在下半学期抽空把唯物论一章的书、笔记、习题、测试卷都看一遍，争取期末的政治可以上 110 分，总成绩前进 5 名。

当然，以上计划大多数是不用写下来的，只要想一想，心里有数就行了。我只是每天早上边吃饭边想想一天该做的事而已。而且情况千变万化，计划不一定都能做到。如果哪天功课很少，空余时间闲着，再安排一些事；如果时间太紧，就把任务推一推，保证休息。总之，计划是灵活多变的。

再说复习计划。学习中就包含着复习，上面的计划中就有复习的内容。只是考前复习有些不同。此时安排复习计划要考虑用最短的时间达到最好的效果，因此优先复习弱项，优先复习完成得较快的内容，优先补缺补漏，优先改错答疑，先复习理解性的，临近考试时复习记忆性的。时间安排上要充分利用考前这段时间，每段时间完成哪些内容都应有周详的计划，一丝不苟地完成。"佛脚"也应该争取抱得最有效。

养成经常与同学交流的习惯

人是交流的动物，学习之所以被人认为很苦，很大程度上是因为独自学习时的寂寞，而这个情况是可以改变的。当遇到难题时，尤其是历史或政治的一些有争议的问题，不妨多多地询问同学，和同学讨论，一定可以使自己获益匪浅。在讨论大家都不是太清楚的问题时，可以带动起一大片的记忆，理清思路，形成知识的网络。但同时尽量不要和别人进行比较，不如和自己比较，想想怎么在保证原有水平的基础上再进一步。因为人各有所长，交流是为了吸取别人优秀的思想，而不是暴露出自己的短处打消信心。交流更大的好处是可以提高人学习的兴趣，不至于因学习过久而厌烦。

高考之前

临考前的一个月里，我的生活与学习日程仍然和高三第一学期乃至高二时一样，按照原来的节奏运行着。该努力学习的日子已经过去了，该做的题也做得差不多了，这时最容易滋生松懈的情绪，我的经验是不要让自己的头脑中有一种大功将成的空白感与空虚感。一方面，与时间争夺效率，争夺正在遗忘的记忆，不断地修补各科知识。定期将各种知识体系、解题思路与技巧在脑海里梳理、过滤一遍。记录在案的"陷阱"与思维误区也不放过。语文基础知识的考点、英语语法、历史书每日作适当温习。试卷、分类讲义有时间的时候，可随手翻翻。综合测试、英语阅读理解则每天要按时练习，以适应考试，培养语感。

另一方面，调整心态，化压力为动力，充满激情地迎战高考。看着划满红杠杠的日历，每一个考生都难免焦灼与忐忑不安，要善于将这种既想逃避又想早日接近的感觉化解。那段日子里，闭上眼睛的时候，我时常想，几个星期后的今天，我就会坐在某个考场里，面对那几张决定命运的试卷，会是什么情形呢？那密密麻麻的题目中，有哪个知识点正在我手中这本书的这一页上、这道题里？我会不会因为现在匆匆跳过去的几个字失去一道填空题？那道我迷迷糊糊的题会不会就恰恰出现在那几套试卷里？全国那么多的考生，同时间同样地填答同样的试卷，头脑里会出现同样的解题思路吗？会有同样的解题方式吗？会得出同样的答案吗？这样一想，我便很庆幸高考还没有来，我还有时间和权利，心安理得地看那些可能出现在"那几套试卷"上的东西。于是，继续幸福万分地投入到紧张的复习中去。

271

寒窗点滴

高考到来的前几天，一目十行地翻翻讲义，实际上脑子里已经装不下什么实质性的东西了，但对我却很有必要：越是临近高考，越是要不停地寻找一种感觉，一种在战场上挥洒自如的感觉。我认为高考前这几天，关键在于把身心调整到最佳状态，可以把以前做的题特别是做错了的再看一遍，把平时没有注意的漏洞找出来，也可以按高考的顺序做一些模拟的卷子。当时，我的心态很轻松，始终保持信心，以一种乐观的态度面对高考。

考前几天，我做题时没有追求数量，只求彻底弄懂吃透。并不抱着猜题碰题的侥幸心理，高考试题是灵活多样的。在做题后，我很重视自己暴露的缺点和不足，并在下一次练习时有意识地注意并改正；而且我以考试的形式训练解题：在平时练习时，将自己置于考试的场景之下，限时限量完成。我所规定的做题时间比实战时间稍短，这样才能强迫自己加快解题速度，提高准确度。

而且，最后这几天关键是调整好生物钟，使兴奋点集中在上午 9：00 到 11：00 和下午 15：00 到 17：00 这段考试的时间。这时不能使自己的压力太大，但也不能过分放松，要把握好度，保持和平时差不多的学习量。这样，在考试时才能发挥出最出色的水平。

参加考试

养兵千日，用在一时。十二年寒窗苦读的成果要在短短的三天内展示出来，有一点差池都是莫大的损失，因此，考试时有很多重要的方面需要注意。

心态要稳

我认为，考场上保持心态平稳的关键，是不要奢求自己每一道题都会。尽自己所能，将所有能够做的题做对就行了。我常想，自己不会做的题，别人也不一定就能做对。考场上不妨多给自己一些宽慰，错一两道题其实无所谓，问题是不能因此而患得患失、急躁不安。考试时最重要的是稳，稳中取胜才能保证成绩。考试节奏也不要一味加快、快而不稳。

思维要活

作为文科考生，答题思路不应局限在某一章某一节中。有很多题目本身即是对综合素质的全面考察，我认为答题时不妨将思路放开，多个侧面、多个层次展开论述，甚至其他科目的相关知识也可以勾连起来。对我来说，高考的几张试卷就是展示自己的平台，有什么想法、有什么样的情感都不妨酣畅淋漓地展示出来。不一定要将考场看作龙潭虎穴，高考又何尝不是脱颖而出的竞技场？

胆大心细

考试时，胆子要大，相信自己，抱着必胜的信心答题，遇到难题也不害怕，知难而上；同时又要谨慎小心，遵循特定的规律，先易后难。运算过程、书写过程也不能掉以轻心，答完卷后，再认真检查一遍，力争将失误控制在最低点。考试时最重要的是发挥出自己正常的水平，而不是追求什么超常发挥。只要一切正常，就是胜利了。

273

寒窗点滴

为女儿插上腾飞的翅膀

谁不希望自己的孩子健康成长，谁不希望自己的儿女长大成材，但是在孩子的成长过程中，我们做家长的做了些什么？每个家长都非常喜欢自己的孩子，并对他们寄予了极大的期望，但是否在孩子很小的时候就开始培养他们良好的学习习惯，迫切的求知欲望，是否让他们懂得了书是知识的源泉，是否为他们插上了腾飞的翅膀了呢？

我的女儿潘伟明是 2001 年黑龙江省高考文科状元。她所以能取得这样好的成绩，主要在于她自己的努力和老师的培养，但有一点特别需要指出的是，潘伟明是一个小女孩，自小也是非常好动、淘气，并且上课爱说话，做作业速度慢，"爱美"、"追星"、"爱梦想"……可以说一切淘气小女孩的特点她都有。但是她思想活跃、善于思考、记忆力非常好，这也是她的优点，如何将她的淘气、拖拉、好动的特点转变成她的优点呢？如何让她养成良好的学习习惯和迫切的求知欲望呢？这就是我们做父母的必须考虑的问题了。

让她明白书是知识的源泉

书是智慧的宝藏，书是每个人成长的阶梯，只有读书、爱书，才能在知识的海洋里游刃有余。如何让孩子爱书呢？这个问题也许每个家长都会遇到。其实它非常好解决。每个小孩都有好奇心，并且爱听童话故事，不妨买一些童话故事书和画报，并且经常给他们讲故事，告诉他们所有的故事都在书里，就连那些好看的电视剧、电影也是由书改编成的。

要养成一个好习惯

每天晚饭后和孩子一起看一会儿书，讨论一下书的内容和写作手法，慢慢培养兴趣。另外，读小说也可以增加孩子的阅历，有人也许说没有时间，但千万不要忘记，语文知识都是平时积累的。读书没有破万卷，无论如何不会下笔如有"神"的。小孩坐不住、好动，这是天性，说明好奇心强、思维活跃，千万不要责怪他们。如果束缚了他们的思想，将是非常可悲的。

如何培养孩子集中精力？首先要在做功课上下功夫，和他们约定在一定的时间内做完功课。如果完成得好，给点奖励，如可以看小说、出去跳绳、跳皮筋。家长是孩子的第一任老师，要让孩子从小就懂得，玩就好好玩，放开去玩；学习就认真去学习，不可以有半点分心。这样就能使孩子养成好的习惯，这种习惯养成了，会使孩子具备非常好的性格，对孩子学习，甚至以后的工作都特别有益。

要培养孩子的自信

记得初中时，有一段时间，我女儿对英语失去了信心，她觉得自己英语底子差，不可能学好了。那时，她非常矛盾，想成为一个有知识的人，却又对自己的成绩不满意。怎么办？在生活中，谁都可能遇到困难，谁都可能遇到挫折。这时，我们不是给她找补课班，不是请家教，而是想办法让她树立起自信

275

寒窗点滴

心。鼓励她，关心她，那怕取得一点微小的成绩，也给予充分肯定。让她懂得"我行"、"只要我努力一定行"，这比任何辅助教学都有用。通过我们的鼓励，她的成绩不断进步，在转变过程中，她越来越自信了。就这样，从初中到高中，女儿英语成绩一直名列前茅；初一、初三获得全国中学生英语竞赛哈尔滨赛区特等奖。高三上学期，她参加"托福"英语考试取得620分的好成绩。

谁不望子成龙，望女成凤，但是在你关心他、爱护他的同时，你是否真正尊重过他、理解过他、帮助过他？他是你的孩子，但他也是有喜怒哀乐、有隐私的人。你是否像对待知心朋友那样对待他、尊重他，从不偷看他的信、他的日记以及他的读书笔记，甚至不翻动他的书桌？因为只有这样，他才能相信你、理解你，有事才能告诉你，才能和你无话不谈。如果你给孩子充分的理解和信任，又给他良好的学习条件，这就等于给他插上了腾飞的翅膀！

潘伟明的父亲　**潘天铎**

匡伟佳

直面高考

匡伟佳

（内蒙古自治区文科状元，现就读于人大）

父母职业：公务员

父母教育时常说的话：我们相信你

生日：1982 年 12 月 13 日

爱好：篮球、摄影、读书

最崇拜的人：父母

最爱看的书：金庸、王朔的小说

最喜欢的职业：证券投资分析师

最欣赏的一句话：我是天才，我怕谁

寄语高中生：

　　读高品位的书，做高品位的人

父母用行动告诉我

父母教给我直面生活的态度

我父母亲这一辈人，可以说是与共和国共同成长的一代。他们的成长历程记录了共和国的风雨沉浮，永不停息的历史车轮给他们一生打下了深深的印记。历史和时代对于他们好像是不公平的：该长身体的时候，他们遇上了三年自然灾害；该学知识的时候，他们赶上了十年"文革"；该为国家大显身手的时候，却发现自己既缺乏专业知识，并且也已经失去了学习的时间与机会。家庭和子女的负担，工作与就业的压力，使他们不得不面对时代所造成的困境。但时代也如同滚滚而去的江水和火红的熔炉，淘去了沙粒，炼出了真金。

我的父亲和母亲是那个年代中平凡普通的两个人，他们的命运与时代息息相关。他们两个都是兵团知青。刚刚初中毕业就和很多同学一样，在"滚一身泥巴，炼一颗红心"和"广阔天地大有作为"的口号感召下，来到了内蒙古的农场。本来该坐在明亮的教室里听老师传授知识的他们，却在军代表的带领下，扛着大锅去开沟挖渠，操着锄头去犁田耙地。虽然父母和他们的兵团战友在向我谈及那段生活时，总是强调一些有趣的事情，像打野鸭、杀猪之类，但我可以想象当年他们的生活是多么艰辛，那时他们只是十五六岁的孩子啊！当我随同父母参加兵团30周年纪念而来到他们生活过的农场时，我还是被当地恶劣的自然条件震惊了：什么也种不活的盐碱地，咸涩的地下水……而当父母和他们的战友们兴奋地指着当年住过的土坯房给我看时，我感到更多的是辛酸。他们那一代人就是把生命中最珍贵的青春留在这片荒凉的土地上，而且毫无怨言。

几年的兵团生活结束后，母亲选择了回城上班，而父亲则进入了东北工学院（现东北大学）学习。四年对于两个忙于自己事业的年轻人来说是很快的，转眼间我的父亲就行将毕业了。那一年，辽河大坝由于地震出现了裂缝，因此所有的毕业生都得去抢险筑坝。作为班长，父亲每天都要和大家一起挖土方、运沙子，在大家休息以后，他还得继续在昏黄的灯光下总结一天的工作和安排第二天的计划。辛苦的劳动和冬天湿冷的寒气使身体本来就不算健壮的父亲旧伤复发，得上了一种非常棘手的病——右腿股骨骨瘤，而治疗的方法也只有一种，就是右腿高位截肢。

现在的我，还很难想象，父亲当年由一位即将走上工作岗位的风华正茂的大学毕业生，到一个有可能一辈子靠领残疾救济金度日的人，由一个生龙活虎的小伙子，变成一个连独立行走都很吃力的残疾人，在心理上承受了多大的痛苦和压力。也许他也曾经绝望过，但是就如我现在所知，他坚强地挺了过来。

当时母亲和父亲还只是朋友关系。父亲生病动手术的消息传来，很多"好心人"劝母亲离开父亲，但善良的母亲毫不犹豫地离开家来到沈阳照顾父亲。在父亲卧床的近两年中，爷爷、姑夫、母亲三个人轮流去给父亲陪床。也许正是家人无微不至的关怀使父亲重新燃起了对生活的希望之火，或者也许父

278

亲从未放弃过自己、放弃过未来。由于手术后必须打石膏固定，所以父亲在病床以仰卧的姿势躺了整整一年多。在这一年中，他自学了日语，还翻译了一本英文科技作品。

治疗结束以后，本已经被分配到北京的父亲只能回到家乡，托关系才找到了一份工作。在新的单位里，尽管同事们很同情这位戴着假肢的小伙子，但大家对他都没有抱什么希望，一个残疾人又能做些什么呢？但父亲却用行动证明了自己存在的价值。他拄着拐杖，拖着非常不方便的假腿不停地在市区各处取样调查，一天下来，与假肢接触的皮肤常常是血肉模糊。他在以后的一次考试中更是取得了全单位第一名的成绩……父亲任劳任怨地工作和扎实的专业知识，赢得了同事的信任和尊敬。他多次在论文和科技成果的比赛中获奖，还拥有了政府津贴和全国环境系统先进个人的荣誉。

父母很少向我讲述他们自己的事。他们的经历大多是我从亲戚和他们的战友、朋友以及报刊那里知道的。父母只是随时代大潮起伏的众多普通人中的两个人，不同的是也许他们承受了更多的考验和困难，但他们两个人身上无时无刻不洋溢着的那种直面苦难，积极向上的人格魅力和生命的潜力，却深深地感动着我。

随着年龄的增长，我慢慢地体会到一些为人父母的艰辛，虽然在父母眼里我永远是个孩子。每当我看到五十多岁了还要靠一条腿行动的父亲，看到为全家操劳而两鬓日渐斑白的母亲，我总有一种深深的责任感。我一定要让父母过上幸福的生活，不仅仅因为他们给我以生命并且辛勤地养育我长大，更重要的是因为他们以自己的行动告诉我什么是一个真正的"人"，什么是坚强，什么是善良，什么是责任感。我从没有在口头上向父母表达过我是多么地爱他们，因为我已经习惯于用自己的行为来表达一种更深沉的爱，我绝不能让父母失望，我也相信自己有这个能力，因为父母已经教给了我面对生活的态度，我会努力做得像他们一样出色。对于我而言，努力首先体现在学习上。

父亲说，我不要求你争名次

那是几年以前的事了。我在上初三的时候，市里组织了一次寒假前的期末考试，我由于准备不充分，在提前一周进行的两门副科考试中发挥特别差，成绩被别人远远地甩在后面。在随后的几天里，我感到失落和压抑。在主科即将开考前一天的政治课上，坐在教室最后一排的我突然感到自己正在慢慢地下沉。一瞬间，我觉得很累，很想放弃。但就在这短短的一瞬间，突然我自己的"声音"在耳边强烈地呼喊："喂! 你是匡伟佳，你怎么可以放弃呢?!"昏昏沉沉的我像是被惊醒了一样打了个冷战，感到从未有过的清醒。是呵，我怎能如此轻易地放弃呢? 还有六门课呢，怎么能就丧失信心呢?

尽管那时距现在已经很久了，但那句曾在我耳边响起的话却一直很清晰地印在我的心中，并不时地鞭策着我。除此之外，它还留给我一个我一直都没有找到答案的问题：我当时的那种自信到底来自哪里?长久以来尽管我很想找到自己在那一瞬间由即将绝望变为满怀希望的原因，可一次次的思索总是徒劳无功。不过虽然找不到因，我却直接体验了果。在那以后，我变得非常乐观、自信，即使面临比那一次考试成绩还差的困境，我也从未想过放弃。有人说性格是一种难以捉摸的东西，我很同意，还想加上一句，性格的形成也许更难以把握。人们的性格是天生的，还是周围环境造就的，或是两者都有? 从呱呱坠地至今十九年的时间里，是什么决定了我的性格是这样一种积极向上的，而不是自闭忧郁的呢?我很难说出来这是怎么回事，但也许可以从我和我身边的人对待生活的态度和行为，尤其是父母的为人品质中，找到些许答案的痕迹。

刚刚考进重点高中的我，可谓"少年得志，意气风发"，沉浸在中考的胜利中。高一开学后的一段日子里，经常没事儿就找同学聚个会、出个游什么的，过得很潇洒。但不久后我突然意识到自己有麻烦了。先是发现自己在竞争中的优势没了:英语，有同学比我记的单词多、口语比我好;数学，有同学做题比我快，什么题都难不倒;语文，有同学作文比我好……之后又发现自己的学习也有些力不从心了:文科，干背，理解不了;理科，上课听得明明白白，一做题就犯蒙。

终于，所有矛盾和弊端在第一次期中考试里爆发出来，我的成绩由原来的年级前五名"一跃"成为年级三十多名。这个成绩以前的我是不可想象的。我开始怀疑自己的实力，难道我真的上了高中就不行了吗?

低沉的我，带着满腹疑问，还有一张揉皱了的成绩单，回到家里。妈妈正在做午饭，我没有像往常问一句"吃什么?"，只是低低地说了一句，"成绩出来了，第五。""年级?"欣喜的声音。"没有，班里。""哦……"尽管没有别的话语，但这简简单单的一个叹词也让我听出了几许失望。在饭桌上，我发现我几乎已经无法抬起头来面对我的父母了，他们对我抱有那么大的希望，可我……哪怕"猛批"我一顿也好，为什么一句话也不说呀?我一个劲儿专拣大而无味的白菜帮子吃，好像这样的"惩罚"可以让我心里好受一点。母亲拿起桌上的成绩单若有所思地看了一会儿，终于开口了，但却不是我想象中的"暴风骤雨"。"文科这几门考得还不错，不过还不是你的真实水平;理科，唉，怎么也应该说得过去吧，好歹你爸也是东工(东北工学院)毕业的。""我没有理科头脑。"我小声嘟囔着。"嗯,什么?"一直沉默的父亲终于开口了。"你怎么把白菜全吃了,明知道我就靠着它降血脂哩……"父亲的话让原本"肃杀"的气氛活跃起来。之后,谈话在愉快的气氛中进行。一家三口人共执一成绩单讨论一番后得出结论:成绩不理想的原因在于有优势的文科发挥不佳,而原本就是弱项的物理化学却发挥 "正常"———如既往的差。

最后,父亲用淡淡的口气对我说:"你作为我们的儿子已经够让我们满足的了。我们并不要求你一定要争什么名次,只希望你把自己的潜力都发挥出来,别让自己后悔就行了。"说他们对我的成绩很满意当然是违心的,我明白他们是不愿再给面临失败重压的我增添负担。预想的责备变为了鼓励,而预计的压力也就变成了动力。我开始拼命学习,茶不思饭不想,甚至连篮球都不打了。

"学习的失败"与"失败的学习"

狂学几周后,我发现学习效率还是不够好,我又陷入了新的怀疑危机:为什么努力了却没提高?那时的心情可以用一句话来概括:最近比较烦。班主任老师也看出我的情绪有点不对头,主动找我谈话。在我一连串的问题和抱怨之后,老师微笑着点了点头示意我坐下。"觉得高中和初中有什么不同吗?""呃,压力小了很多,但课业量好像变大了。对,由六门课变八门课了嘛!""你觉得自己有什么变化吗?""这个嘛,没什么变化吧……""哦,知道主客观和内外因的作用吗?""主观……"在我要卖弄读参考书得来的知识时,老师打断了我的话。"都知道吧?好,那就没什么可说的了。回去好好想一想。你,没问题!"静静地坐在操场上,我的心中充满问号,

直面高考

变化?学习?我?主客观?内外因?……忽然间一个灵感闪电般滑过脑际,难道这就是启发式教育?难道老师的意思是说,我的思想和态度应当随着已经变化了的学习而做出相应改变吗?没错!那"内外因"呢?内因是关键,外因是条件……嗯,她原来要告诉我别人的支持和帮助是有限度的,要想真正战胜困难还得靠自己的努力。老师真可谓用心良苦,如果她直接把这些告诉我,也许我会不在意,很快就忘掉,但她却给我问题让我自己去思考,这样我就会牢牢地记住答案。我不仅满怀信心,而且异常清醒地走向教室。

果不其然,我初中时一些不良习惯,如不预习、不复习、上课不专心、不喜欢做练习,是完全不能适应高中学习的,而我在老师的启发下"移风易俗"之后,成绩果然慢慢追了上去,而且趋于稳定。现在看来,那时我所面临的困境,表现在学习成绩下滑,实际是学习方法和态度不恰当。这可以称为"学习的失败",是一种对待学习思想上的失误。这是非常严重的一类问题。幸好当时有老师的指引、父母的鼓励,再加上我自己的领会与努力,才没有把"学习的失败"演化为"失败的学习"。

老师说,高考就这么简单

在高一高二两年的厉兵秣马和整整十一年的漫长等待之后,我终于被永不停息的时间洪流推到了高三。即将步入高三的我,心中除了很少一点点对新阶段的兴奋和证明自己的冲动外,更多的是疑惑。高三真有别人传说中那样恐怖吗?神经衰弱,精神分裂,自杀……诸如此类的字眼儿常在我的耳边和脑海里飘来飘去。高三生活在我心目中就好像一个飞速运转而没有安全设施的过山车,我随时有可能被甩得脱离轨道,根本没有机会重新再来一次。我怀着战战兢兢的心情开始了高三生活，每天沉陷在书山题海之中，惶恐地等待着那些噩运的不期而至。

"天下的高三一般黑，天下的学生一般累。"学习负担对于一个高三的学生来说是天经地义的。刚上高三，不知何故好像十几年来大家对于教育制度的"义愤"集中爆发了。社会舆论、教育专家、家长、学生纷纷摆事实讲道理，力陈"应试教育"的危害，大声疾呼实施"素质教育"。我也曾为"减负"而欢欣鼓舞，认为马上可以"农奴翻身把歌唱"了。可没过多久就发现它好像离我们很遥远，依旧是一天一大摞的卷子，依旧是上到晚十点的晚自习。

国庆节三天长假之前，老师说为了避免大家那几天过于清闲，就发几张卷子"热热身"吧。同学们望着已经发到手的卷子，大呼"减负"。老师没急反而笑了，问："我们这是'应试教育'吗？""当然！""还用问呀！"老师笑着摇了摇头："错。我们这不是'应试教育'，这叫'应试'。应试能力是现代社会竞争所不可缺少的能力，也是综合素质的一个重要内容。我们正是在培养大家的应试能力啊，是在搞'素质教育'啊。而且，'应试素质'的培养是高三素质教育最重要的内容！"

看似牵强，但细想一下还真有那么点道理。反正高考也没被取消，应试素质还是很重要的哩！为了提高应试能力，学校还特意独辟蹊径地使用了"轮考"制度，也就是利用每个周六周日把"3＋X"考一遍。在我们学校经常可以听到老师喊"这次十二模大家考得不错"之类的话。尽管在一轮轮模拟考试之后，我发现自己丧失了一部分关于考试的感受，比如面对一份试卷的激情和发挥好坏的直觉。可是我也发现自己面对考卷已不再像以前那样紧张了，而且可以很平静地跳过不会做的试题。

可以说，轮考使我形成了高考前的一种心态——能在考场上合理清醒地处理试题，而心静不慌。老师也本着"战术上重视，战略上蔑视"的原则，有意无意地减少我们对高考的"敬畏"。老师常常在黑板上写一小题，在她的启发引导下和我们一片"噢、噢"声的心领神会之后，猛地把手里的粉笔头扔向"小题"，轻轻一句，"高考题，就这么简单！"高三的学习压力固然很重，但却也是充实而令人满足的。多次轮考积累的经验和老师用语言和行动给我们的鼓励，使我感到离梦想的距离越来越小了。

相对于学习负担，高三学生的心理压力似乎更大。虽然生活学习很累很忙，但有时停笔的一刹那或是老师说话的间隙，我也偶尔会想：难道我一生的命运仅靠那一次考试就决定了吗？万一考不好，十二年的苦功可不是白废了，父母、老师会多么失望，我自己也接受不了！万一考不上或考得太差，去哪儿复读？

高考的重要性和深远影响是越想越让人生畏。一旦想到未来的失败和压力，总是感到气血不足，心跳加速，呼吸困难。与其让这种悲观的念头占据头脑，还不如去找一些更有意义更有利于身心放松的事儿做。读一段精致的散文，听一曲轻灵的音乐，都可以舒缓疲乏的身心，而我选择的方式是打篮球。每天下午三节课后我都会在 5: 05 准时出现在篮球场，不论对手不论比赛，都是一个小时酣畅淋漓。灭掉对手回到书桌前，我又变得兴奋而专注。

保持面对高考的平常心，仅靠自己一个人是不够的，一个好的家庭氛围也非常重要。我的父母自然希望我考出好成绩，

直面高考

但他们尽量不把自己的紧张情绪传递给本来就已经很疲惫的我。不论是早上 6：00 走，还是晚上 10：30 回，家人总是以亲切的笑脸和可口的饭菜让我体味到浓浓的情意。在饭桌上常能听到母亲的叮嘱："学习别太紧张，只要正常发挥，我儿子考个重点没问题！"我总不服气地回答："怎么老这么说？正常发挥算什么？俺要超常！"

父母尽力不让高考的到来使我感到来自生活中的压力，尤其不让我察觉到他们对我更甚于以往的关注。在高考前两个月，他们两个同时出差，在以前这是常事，我一个人在家靠外卖度日。这一次他们也没有说因为高考所以必须留下和我"共同战斗"的话，家人一如既往的平常心也淡化了高考的压力。七月七日早上，他们问我是骑车去考场还是打车去。"老爹，老娘，好歹我也是要高考的人了，何况外边还下着雨啊！"他们俩商量了一下决定让我打车去。当我孑然一身行至考场时，放眼望去皆是"上阵不离父子兵"，我很自豪，因为我可以平静地一个人面对高考。而父母的到来很有可能只给我带来压力，而不是鼓励。

打篮球培养了我做事的专注

如果有人问我在高中最大的收获是什么，我会说是打篮球；如果有人问我在高中最正确的选择是什么，我会说是加入校篮球队。不论何时何地，每当我经过篮球场，身体里总会腾起一种不可遏制的冲动。球场似乎在召唤我，耳畔好像响起了那熟悉的哨声与助威声……因为，篮球场是我和队友用汗水乃至泪水与鲜血写下过历史的地方，是铭刻着我们的青春与荣耀的地方。

篮球对于我来说，已不仅仅是一种简单的运动，而是意味着一种生活，一段人生，因为它留给我的东西实在是太多太多……我正式的篮球生涯其实并不很长，因为我在高二才加入校队。当时的动机很简单，就是希望在时日无多的高中生活结束前，打一次市里的比赛，为自己的篮球生涯画一个漂亮句号，然后全身心投入高考复习。但加入篮球队这个决定，竟使得我那本来平凡的高三生活变得流光溢彩。为了准备高三开学后不久就要举行的比赛，我们进行整整一个暑假的集训。

尽管训练很紧张，但我喜欢那种充实的感觉，因为我感受到自己每天都在进步。在训练间歇，看着自己大滴大滴的汗珠打在地上，我似乎看到了成功与荣誉在向我们一步步地走近。所有的队友都很认真地做着每一次练习，虽然大部分人最终上不了场甚至进不了十二人名单里，但谁都毫无怨言，因为只要在球场上，只要能听到球与地板接触时发出的美妙的声音，我们就感到一种实实在在的快乐与满足。

功夫不负有心人。在那次比赛中，我们先是以每场净胜对手六七十分的绝对优势，小组出线，然后又赢得了几场有惊无险的循环赛，以不败的战绩迎来了最后一个对手。生活是富有戏剧性的，在冠军奖杯唾手可得的时候，我们前进的脚步却停止了。那天上午，当我们准备开最后一次赛前准备会时，教练用低而沙哑的声音告诉我们：由于有一名队员超龄，我们的成绩被取消了，一切辛苦白费了，一个暑假的汗白流了……整修球馆的嘈杂的机器声一下子从我耳边消失了，我的大脑在一段时间内停止了转动，取消？取消！取消……奇怪的是我的脑海中映出一幅景象：假期训练时我低着头看着自己身上的汗一滴一滴向下掉……

是队友的抽泣声把我拉回现实。我不知道这些即使在球场上摔得鲜血横飞也不吭一声的硬汉，为什么会如此脆弱。我惟

287

一可以肯定的，就是我的眼中也滴下了咸涩的液体……泪水包含的情感是复杂的，但我知道这绝不代表后悔。我第一次感到自己的命运竟不在自己手中，为什么我们付出了那么多，却一无所获？

教练安慰我们说来年四月还有一次比赛，问我们还愿不愿意坚持下去。教练理解我们的苦衷，因为我们毕竟已经高三了。我加入篮球队就是为了给自己的高中生涯留下一些值得回忆的东西，但我要的不是失败，更何况是这样的失败！面对高三的压力，我也曾犹豫过，但对篮球的执著指引着我，选择了坚持下去。其实，我做出参加校队的选择，不是逞一时之勇，而是经过了一番成熟的思考。当时我的成绩在文科班虽然不是最好的，可考试也从没出过前三名，而且我觉得自己还有相当多的潜力可以挖掘，即使加入篮球队成绩也不会下降。

我明白"坚持"两个字对于一个高三的学生意味着什么，就是必须比别的同学付出多得多的汗水。父母和老师的态度是左右我抉择的一个重要因素，我的父母，当然希望我在高三能够把全部的时间、精力都投入到高考冲刺当中去。那天，当我告诉他们已发生的一切后，我说如果不能在高中赢得一次冠军，我的一生都将生活在它的阴影下。父母明白了我的不甘心，他们只给了我一句话："自己选的路，就一定要走下去……"

我的班主任老师尽管希望我能在高考中有所突破，但在我很恳切地与她进行过一次谈话后，她说她相信我的能力和选择。每当我清晨6：00离开家的时候，父母都会更早地起床为我准备早餐；每当我因为训练太忙而无法完成老师布置的任务时，老师总会投来谅解的目光。父母和老师采取了一种更为科学的非强制的方法，他们并没有要求我必须做什么选择，而只是以生活经验更为丰富的长辈身份，帮我分析我会遇到什么困难，有什么好处，有可能出现什么结果，然后让我自己决定；而一旦我决定了，他们就会毫不犹豫地支持和相信我的选择，并最大程度地帮助和鼓励我，同我一起面对困难和挫折。

家长和老师的信任与鼓励，使我的肩上多了一份责任感，我知道，我不可以让自己对篮球的梦想破灭，更不可以辜负父母、老师对我的希望。我想，师长与学生之间也许就是这样一种互动的关系，一方的选择应当得到另一方的尊重。正是我与老师、家长间形成了这种良性的互动，才能使我在布满艰难险阻的人生之路上走得更远。

随后的比赛是缺乏悬念的。还是那块场地，还是那些对手。我们比一年前少了一份激动而多了一份冷静，少了一份紧张而多了一份成熟。比赛结束后，当我手捧着本该半年前就拿到的奖杯，理应激动的心情却格外沉静，这座早应该属于我们的奖杯来得太晚了……在那一刻，我忽然认识到，原来自己所追求的，并不是这个奖杯，也不是这个奖杯所代表的荣誉。我们所追求的，正是在实现理想过程中的那种快乐，是那种源自于篮球运动本身的享受。只有在球场上，我才可以自由挥洒出狂放率真的自我，球场上的我才是最真实的我。在那里，没有做作的谦恭，没有虚伪的掩饰，拼的只是实力，这与高考何其相似。

不可否认，篮球队的训练使我与其他学生比起来少了很多学习时间，但我的成绩却没有下降。特别是在高三训练的那段时间，由于疲劳怕影响第二天听课，回家后早早就睡了。而此时其他同学却抓紧每一秒钟学习，有的竟开夜车至凌晨3点。令人不解的是，尽管如此，我的成绩却是稳中有升，甚至为了比赛连续一周没上课后，参加全市第一次模拟考试，我还得了全市第二名。细想起来，我觉得打篮球使我做事情比以前更加专注了，仅此而已。做事专注，讲求效率，可谓事半功倍；

直面高考

而靠疲劳战拖时间，只能是事倍功半。认真的态度才是成功的基础。不论对于学习，还是篮球，只有专注对待，才能取得成绩和进步。

很多时候，我觉得篮球与生活是相通的。在充斥着沉重压力和艰深内容的高三生活面前，我经常感到力不从心。篮球训练告诉我，当面对挫折和困难时，勇气、坚忍不拔、执著和自强不息才是通向成功的道路。每当我感到绝望时，就会想起，教练对训练得筋疲力尽而倒在地上的我大声喊："困难是用来战胜的，而不是用来妥协的！坚持下去！"这时我就会从内心中涌出不屈的斗志和信心。

乱按快门被打事件

没有画家那细致而灵动的画笔，所以我不能在画布上自由描绘美好的生活。但我却拥有一双善于发现美的眼睛，可以用Canon把我认为有价值的瞬间凝固下来，使之成为永恒。

与相机第一次亲密接触是在我四岁的时候。有一天，年幼的我忽然发现桌上放着一个黑色金属物，上面还装有一个望远镜片（镜头），它的顶上还有凸起的按钮。求知欲和好奇心促使我用手指轻轻地按了一下。"咔嗒"一声（快门），对于年少的我，竟如天籁之音般美妙。我于是不停地按，相机不停地"咔嗒"、"咔嗒"，一卷胶片很快就浪费了。于是乎，我被闻声赶来的父亲"毒打"了一顿。望着眼泪汪汪的我，父亲似乎一闪念间了解了我对相机的兴趣，当即给我讲了一番相机原理。四岁的我当然搞不清速度、光圈、焦距，更弄不明白什么小孔成像、氯化银……

这次"乱按快门被打事件"，使我知道了相机可以记录下一些东西，而且快门不能随便按。当然，还有我摄影史上最早的作品——几张模糊不清的自己的大头照，至今仍留在我的影集中。随着年龄的增长，我对摄影的兴趣越来越浓厚。父亲对我这个爱好非常支持，经常向我介绍一些摄影知识，还给我买了很多经典照片集，让我揣摩成功的摄影家是如何寻找所拍景象的内涵与灵魂的。父亲还在我生日的时候，把一部相机作为礼物送给了我。虽然那只是一部"傻瓜"，但我已经很满足了，因为我终于可以将理论应用到实际中去了。多年以后，我才明白父亲当初的苦心，一方面"傻瓜"比较便宜，折腾坏了也无所谓；另一方面，由于构图是整个摄影过程中最基本最重要的，对于我这个初学者来说，利用"傻瓜"机进行取景构图最简单有效。

中学的劳技课上，我终于幸运地遇到了我"专业摄影"的启蒙老师——吕强老师。吕老师的出场就极富震撼力。那还是一个夏秋之交的午后，天气比较炎热。当全班同学趴在课桌上等待劳技老师出现时，门被踢开了。一位一袭黑衣脚穿一双军靴的小伙子闯了进来，径直走上讲台，提起粉笔写了两个大字——吕强！原来是老师啊！又见此人从黑色挎包中掏出一皮革制立方体小盒子，低沉地说了一句："这学期我们学摄影。"那个盒子里装的就是在二三十年代影片中出现的 120 型相机。

小吕给我带来了一学期不平常的摄影课。在劳技课上，我系统地学习了摄影的理论知识，了解到如何运用光圈和速度获得自己想要的效果。每一次上课，我们都像过节一样，丁香丛中，新疆杨下，甚至院墙上，都留下了我们的欢声笑语，还有那美妙的快门声。父亲见我的摄影技术越来越成熟，感到一部玩具般的"傻瓜"恐怕再也满足不了我的需求了。一天，他郑重地递给我一部 Canon 和一个 28mm 的镜头，他对我说了很多，其中有一句话深植于我脑中。"有很多东西是转瞬即逝不可挽留的，我们可以做的，就是把它完整而真实地记录下来。"

读了《我钻进了金字塔》和《我从战场归来》两本书，唐师曾和他的偶像罗伯特·卡帕成了我追求的目标。卡帕那句醍醐灌顶般的"如果你照得不够好，是因为你离前线不够近"深深地打动了我。我开始认识到我应当走出去，离我所追求的更近一点。

家人对我的想法很支持，在假期里，我横跨半个内蒙几千公里路程来到了呼伦贝尔大草原。面对这自然的奇观，我才明白自己生活环境的乏味和狭隘。雪白和乖巧的羊群，机警的牧羊犬，粗旷豪放的牧人，雄健的骏马都一一展现在眼前。远处曲折而来的河流好像源自天上，雨后的青草在夕阳下泛着柔和的光。醉人的景色和动听的快门声，使我感到自己的灵魂都融入了大草原。回到家里，我自豪地对家人说："我把草原给你们带回来了！"

上了高中以后，课业负担越来越重，业余时间相应减少了很多。因此我扛着 28mm 的 Canon 闲逛的机会也几乎没有了，摄影已慢慢变成了一段美好的回忆。但一有机会，我还会牛刀小试，施展技艺。比如，在联欢会啦，郊游啦……就在照高三毕业像时，我忽然对摄影师使用的老式相机产生兴趣，因为我从来没见过富士滤光镜头。谁想竟与摄影师越聊越投机，最终盛情难却，接受了他让我给同学拍照的邀请。但是班主任要求我必须出现在照片里。这能难倒我吗？调好焦距，按下"self"（自拍）后，我得意地回到同学中，等待着那一声"咔嗒"……

有了摄影这段经历，我偶尔才能从题海中抬起双眼，去掉呆滞拥有几许灵动，才能在纷繁芜杂的社会中，少了手足无措，多了几分冷静观察。摄影不只是单纯记录一些东西，更可以让我们发现一些东西。"生活其实有滋有味"，只要你用心去观察。

直面高考

点评

高级教师

李 磊

　　传统意识，使人们一提起状元就无比艳羡，但同时，一些主观臆想出来的偏见，则把他们看作是被神化了的"天才"，或者是不谙世事的书呆子。从匡伟佳身上，我们看到的并非如此，他或许能帮助我们重新认识状元。

　　伟佳首先是一个人格健全的人。他的父母经历坎坷，但他们直面苦难、积极向上的人格魅力却给他备上一份珍贵的精神财产，使他对待家庭、对待学习，有一种深深的责任感。"我要让……"这是一种发自内心的源动力。正是这种动力，启动了他那强大的主观能动性，去努力追求要达到的目标。

　　伟佳同时也是一个追求多彩人生的人。尽管高三的学习生活那样紧张，时间那样宝贵，他却把加入篮球队当作最正确的选择，并且有要为自己的选择付出汗水和努力的思想准备。对于他这种选择，更多的人也许不理解。但是，家长理解，班主任老师理解，因为他们最了解他。伟佳追求的实际上是一种有意义的生活，是用汗水和鲜血写下的青春与荣耀。他追求的是运动过程本身带给他的那种冲动，那种实现某种目标过程中的快乐，那种热血沸腾、壮怀激烈的感触。到这儿，我们应该明白了，有这样生活体验的人，还有什么困难不能克服，还有什么目标不能达到呢？状元的桂冠，是这样得来的。

伟佳的生活确实是丰富多彩的。他从与相机和摄影的第一次亲密接触到劳技课的实习生活体验，从一般的摄影爱好到对更高生活目标的追求，使他体味到摄影过程给自己带来的那份荡涤灵魂的感觉，使他产生追求美的冲动，去发现那种有滋有味的生活。摄影的经历，更使他在高三的题海中多了许多灵动，在社会面前多了几分对现实的冷静观察。

伟佳也是一个幸运的人。他的父母、老师、同学给予他的是理解、帮助，以及用心良苦的启发和诱导……

伟佳的经历，向我们展示了他多彩的学习生活，正因为有了这些，最终才成就了他的事业。如今，当人们把萝卜白菜都一古脑地往素质教育这个大筐里猛装的时候，请冷静地看一看伟佳的经历，这不会不对人们有所启发吧！

培养孩子,尊重孩子

从小培养孩子的自信心

匡伟佳小时候不爱去幼儿园,有时宁愿把自己一个人关在家里。但自从上了小学,一下子就懂事了。记得小学一年级期中考试,匡伟佳数学、语文都考了一百分。那几天他放学回家写作业时都哼着歌儿。可是有一天,我下班回来看到匡伟佳眼圈红红的,写作业一声不吭,我很纳闷,就问他是不是做错了什么事,让老师批评了。匡伟佳"哇"地一声哭了,边哭边说:"今天我们班有好几个小朋友戴上红领巾了,我考了双百却没戴上。"我一听是因为没戴上红领巾而哭了,就对匡伟佳说:"别哭了,明天我去问问老师是怎么回事。"

第二天我去了学校,把匡伟佳因为没戴上红领巾而哭了的情况向班主任老师讲了。班主任说匡伟佳这次考试成绩很好,但他有时上课说话。晚上回家后,我问匡伟佳是否有上课说话的现象,匡伟佳一听又哭了,说:"我上课从来没有说过话,老师看错了(匡伟佳从小个子高,座位在最后)。"我一看匡伟佳哭了,很委屈的样子,就想如果当着匡伟佳的面肯定老师看错了或者责备匡伟佳老师怎么会看错,都会影响他对老师的信任感。

于是我采取了激励的办法，对匡伟佳说："既然能考双百，说明你学习认真，如果上课说话，怎么能考双百呢？妈妈相信你，下一批戴红领巾的肯定有你。"果然没过多久，学校又有一批小朋友戴上红领巾，匡伟佳是其中之一。

从小培养孩子的同情心

匡伟佳上小学一年级时，有一天我路过学校门口，看到校园里贴着一张全校师生为农区一位患病学生捐款的名单，上面没有匡伟佳的名字。晚上回家我就问他："你们学校捐款你为什么没有捐？"他回答说："妈妈我不认识他（指被捐款人）。"我一听明白了。孩子可能觉得自己不认识他，就算帮助了他，他也不知道。于是我就详细地给他讲了他爸爸上学期间做高位截肢手术时，许多认识和不认识的老师和同学给予了大力帮助。正是这些人的帮助，使爸爸度过了人生最困难的时光。爸爸的亲身经历启迪和教育了他。从那以后，每逢学校有捐款捐物之事，每当同学有困难之时，匡伟佳都极具同情心并积极帮助他们。记得上初中时，匡伟佳刚学会骑自行车，有时放学回来晚了，我非常着急，但一问原因，不是同学的车锁坏了他帮着修，就是帮助丢自行车钥匙的同学找钥匙。

从小培养孩子的良好习惯

从小学开始，匡伟佳就养成了自己掌握作息时间的习惯，从未依赖父母叫床。可以说在这一点上我们非常省心。而且也培养了他的责任感，自己的事自己操心。生活上也非常有规律，即使到了高考前的最后一周，匡伟佳依然按部就班地按正常作息时间去学校学习。下午第四节课雷打不动地去操场上打篮球。七月份正是高温酷暑季节，特别是下午2点左右，更是烈日当头，我说反正是复习就在家学习也行吧，但匡伟佳说去学校学习既不完全放松也不至于太紧张，能够使自己保持一种良好的状态。

在学习上，匡伟佳从小养成了独立思考的习惯，我们也没有给他太多的压力。上小学时，对他的要求就是放学后第一件事写作业。作业写完后，可以随意看电视、玩耍，从没留过家庭作业，这样他从小就对学习感兴趣，而不是把学习当成负担。初高中时也没请过家教。记得初中时，有一道数学题很晚了他也做不出来，我就说睡觉吧，明天去问老师。结果第二天早晨一起床，匡伟佳大喊说那道题做出来了。问他怎么回事，才知他在床上琢磨了一晚，直到找出解题方法才入睡。

1996年"五一"节，我和他爸爸外出，匡伟佳一个人在家。姑姑打来电话说奶奶家做了许多好吃的东西，姑姑、叔叔、姐姐、妹妹都到了，让他也去热闹一下。正在上初二的匡伟佳接到电话却说："我不去了，马上要期中考试了，我要在家复习。"过后我出差回来，姑姑见面就说匡伟佳真自觉，要是换上别的孩子，爸爸妈妈过节都不在家，早到奶奶家热闹去了，可他却一个人在家学习。那次期中考试，匡伟佳考了全年级第二名。

在生活上，匡伟佳养成了该花的钱就花，不该花的钱一分钱也不乱花的习惯。虽然我们都是工薪阶层，工资收入有保障，但从小在花钱上严格控制，平时基本上不给他零花钱，只是在我们都外出时给他留一些生活费。但就是这些钱，匡伟佳很精打细算，省下来买自己有用的书和磁带。他的一个铅笔盒上面的漆已经脱落，盖已经掉下来，用铁丝连着，几次让他换新的，他都说还能用，从初二一直用到高中毕业，用了五年。

要尊重孩子的选择

　　匡伟佳从小爱玩篮球，但真正参加校队训练并参加比赛是在上了高二以后。当时我们特别担心影响学习，但匡伟佳说自己会处理好学习与打篮球的关系。那么作为家长我们就尽量做好后勤工作，注意给他调节饮食。结果表明，通过参加篮球训练比赛，培养了他的团队精神、荣誉感以及人与人之间的合作与信任，这些都将成为他今后踏上人生之路的宝贵财富。

　　高二第二学期学校开始分文理科班，按我和他爸爸的意见，坚持让他学理科，因为我们觉得男孩子学理科选择面比较宽，但是匡伟佳坚持要学文科。在谁也说服不了谁的情况下，匡伟佳最后说，我已经长大了，这是我自己的事，应该让我自己决定，而且还分析了自己学文的优势。我们一听孩子这样说，说明他长大了，已有自己的主见。于是我们尊重了他的选择，并和他一起分析学文科应在哪些方向努力。结果表明，匡伟佳的选择是对的，也就是在这件事上，由于家长尊重他的选择，培养了他对自己的理想所持的执著精神。

匡伟佳的母亲　李岩松

298

直面高考

附录

高中生百问状元

编者按：为使本书对中学生、家长和老师更具有针对性和实用价值，2001 年 11 月我们在北京几所中学的高中生中广泛调研，回收了近一千道问题，总结提炼出一百道后，交由十省高考状元解答，并由本书收录。

这份问答录，是来自近千名中学生最鲜活、最真实的心声，也是状元们在中学时代曾经遇到并很好地解决了的问题。

1. **成绩大起大伏，考砸了怎么办？面对失败感到自卑，如何走出沮丧、低迷的困境？**

答：成绩起伏大多是由于基础知识不扎实、知识掌握不全面造成的，因为每一次考试考的侧重点不同。不如把每一单元的知识总结训练题做一遍，找出薄弱环节着重补习。考砸了吸取经验，下次考好就是了，不要给自己太多的心理压力。自卑是和别人比出来的，再强的人也会遇到比他更强的人，靠跟别人比来获得自信是没有意义的。应该和自己比，比自己每一分的进步，这样你会觉得自己一直都在进步。

2. 学习需要开夜车吗？你的作息时间怎样安排？每天各科学习时间如何分配？双休日怎么安排？寒暑假如何安排？

答：学习不需要开夜车。我每天晚上 10：00 – 10：30 左右睡觉，早上 6：00 起床。各科学习时间随课程和知识难易程度而变化，并不十分固定。双休日和寒暑假安排的原则是一致的：首要任务是学习，虽然可以玩游戏、看电视、读闲书，但它们都是为学习服务的，是为了让我更好休息。

3. 要上补习班吗？请家教有用吗？

答：对于落下的课或某些薄弱的课，可以考虑上补习班或请家教，否则就不必了。上课不注意听讲，指望补习班或家教，本末倒置。

4. 如何使知识系统化？如何提高学习效率（在课内、在课外）？

答：思考、寻找规律。把握书本知识的线索，以及各章节的内在联系，用精辟的语言总结、归纳，建立知识树。在课内提高效率，老师讲的你懂了，可以不听，可以适当超前；在课外，休息好了再学习，不要硬撑；预习和复习一定要做，书要读透。

5. 学习的动力来自哪里？如何保持？

答：来自目标。只要始终想着自己的目标，就会不停地鼓励自己学下去。这样，自然就不需要费心保持了。

6. 一边高喊要保证睡眠，一边又催着要成绩，在夹缝中我们怎么做？

答：两者并不冲突。保证睡眠，有利于提高听课和学习效率。专心致志地做一个小时功课，远胜于昏昏欲睡地做三个小时。记住，保证睡眠是为了白天精力充沛，所以你必须珍惜清醒时的每一分钟。不要在精力充沛的时候玩耍，而到昏昏欲睡时再撑着学习。

7. 题海战术对吗？你是做题机器吗？狂做题好，还是做经典题好？你的知识能灵活运用到生活中吗？

答：题海战术有可取之处。我不是做题工具，我是分析和总结的电脑。做经典题比狂做题好，但只做不思考不好。一些物理和化学知识可运用到生活之中，哲学和语文本来就来源于生活。

8. 你考试作过弊吗？成绩的真实性受到怀疑怎么办？

答：作过弊。贵在知错能改。有时候，不作弊才奇怪。当成绩的真实性受到怀疑时，如果问心无愧，就坚持自己的，然后再凭以后多次取得的好成绩来证明自己。

9. 英语怎么学，有没有捷径？

答：多听、多说、多读、多写，增加背景知识。没有捷径。

10. 学习没兴趣怎么办？

答：学习没兴趣很难办。想想自己对什么有兴趣，再把兴

301

趣转移到学习上；或想想自己什么时候对学习感兴趣过，为什么；或回忆学习给自己带来的美好过去。

11. 如何选择课外参考书？推荐几本读过的好书？

答：大致有两条原则，一是权威性，二是针对性。我个人认为针对性更重要，依据自己的学习水平选择适合自己的书。我比较喜欢的读物有：《语文报》、《英语辅导报》、《英语周报》、《时事政治报》、《英语1+1》，以及志鸿优化系列，还有各省的高考模拟题集。

12. 都说考上大学会要半条命，确实如此吗？怎么才能不丢掉这半条命？

答：当然不是，我觉得我活得很完整。学习不是拼命，效率第一，健康第二，用功努力至多排第三，你不拼命自然不会丢命。

13. 如何处理偏科问题，对某些科目没兴趣怎么办？

答：集中精力攻弱科。我不喜欢睡觉，因为浪费时间。但我每天都睡足八个小时，因为我知道睡眠时间充足，学习才有效。对没兴趣的科目也是如此，你可以不喜欢它，但你必须要学它。

14. 是否要经常总结笔记？各科学习有哪些技巧？

答：经常总结当然好。学习没有技巧，但你可摸索适合自己的方法。总结笔记是一件很有意义的工作，需要经常做。学到一定程度，就会有技巧了。技巧就是基本知识的排列与组合。

15. 何时意识到学习的重要性？何时确立人生观、理想、价值观的？

答：没有确切的时间。什么时候意识到并不重要，能问这个问题，就意味着你已经意识到了它的重要性，只不过在等待证实和肯定。

16. 好成绩如何保持？怎样胜不骄、败不馁？

答：好成绩需要每一次去争取，而不是保持。我不认为考好是胜，考砸是败，因为考好了也有不理想的地方，考砸了也能发现进步的地方。

17. 学习快乐吗？是享受吗？

答：有时是快乐的。晚上洗漱完毕，在灯下做喜欢的科目，如同躺在床上看电视般惬意。但也不会永远快乐。学习不是享受，我认为习题没有美食对我的吸引力大。人不可能每天都在享受中度过，挥霍享受的结果是再也找不到享受。

18. 平时会做的题，考试时一点思路也没有，怎么办？

答：两个原因：①思路不熟练，才会卡壳，加强练习就好了；②心理太紧张。可以采取各种方式减轻紧张感，我个人比较喜欢深呼吸。

19. 有时几个小时坐在那儿发呆怎么办？

答：不如利用这几个小时睡觉，醒来后继续学习。我的经验是利用发呆的时间睡觉，在精力充沛的时候做题。

20. 怎样克服忘记？

303

答：背十遍课文后没有人会忘记。

21. 学习思维应该怎样训练？

答：从模仿中训练：①认真听讲，模仿老师；②认真看书，模仿课本。

22. 为什么能够成为状元，成绩一直很优秀吗？

答：状元是"撞"出来的，有运气更要有实力。初中时是优秀生但不是尖子生。高中时一跃成为尖子生，高处不胜寒，惟有更加努力。

23. 高中生应该全面发展，还是只专注于课本知识？

答：高一高二，要全面发展；高三，专注于课本知识。

24. 高考前一天怎么安排？

答：和平常复习时的作息一样，不要在潜意识里跟自己强调这次考试的不寻常。我个人喜欢考前一天早睡，大约9点钟睡觉。如果不能保证睡着的话，不妨仍按平时的习惯睡。

25. 在时间不充足的情况下，如何掌握更多的文化知识？

答：不要渴求太多，只要能把遇到的知识掌握了就行。眼下知识爆炸，选择你最感兴趣的，选择最重要的。

26. 上课如何听讲、笔记两不误？老师讲的重点怎么听？

答：老师讲的重点是可以听出来的，如：加重语调，"重点是……"这些重点都是知识的骨架。听讲、笔记是互补的。笔记不要做得太细，最好只记重点，其余的在复习时补充进去。做笔记还有另一功效，即防止听课走神。

27. 每天，我们晚上6：30到家，11：00就要睡觉，减去吃饭、休息的一个半小时，如何在这么短时间里合理安排做作业、预习、复习、做习题四个环节？

答：我每天晚上7：00到家，10：00睡觉。吃饭洗漱各占半个小时，休息半个小时，剩下两个小时。首先做作业，然后预习。学校的自习时间不妨多做习题，复习可以集中在月末来做。

28. 对父母有意见，与他们无法沟通怎么办？

答：与父母和睦相处，尽量不要发生冲突。有意见可以给他们写纸条沟通，避免你说明时受训斥。也可采取别的方式，比如他们也许不赞成你玩电子游戏，但应该让他们同意，你每周要有几个小时完全属于自己。

29. 家庭环境对学习有影响吗？平时吃补品吗？

答：影响很大。因为你的性格是家庭塑造出来的。在成长的每一刻，家庭环境都在影响着你。我从不吃什么补品。

305

百问状元

30. 男女之间能正常交往吗？有异性朋友好吗？对学习有帮助吗？中学生可以谈恋爱吗？会影响学习吗？有什么好的经验？

答：男女之间当然要有正常交往。有异性朋友很好，我的几个异性朋友直到现在还很照顾我。交朋友无论同性异性都与学习无关，交朋友是因为喜欢那个人，而不是为了促进学习。还是不谈恋爱的好。爱上一个人总是会牵扯精力的，能躲就躲吧。

31. 如何调整学与玩的关系？怎样玩、学两不误？

答：学为重，玩是为了调整学习的心情。玩心还是要收的，玩、学两不误不太可能，玩是为了快乐地学。

32. 心情不好紧张时，父母唠叨怎么办？
答：告诉他们自己要做功课了，不希望别人打扰。

33. 考前最能帮助你的人是谁？
答：我自己，心病终须心药治，解铃还须系铃人。

34. 朋友多吗？人际关系怎么处？有没有因为成绩好而瞧不起别人，以至于孤傲？
答：朋友很多，知心朋友不多。人际关系要真诚去处。成绩好没什么了不起，不能因此而瞧不起别人。

35. 报志愿与父母和现实发生冲突怎么办？
答：如果志愿就是你要追求的理想，遵照自己的意愿；如果你只是想找一个生存的职业，就按照他们和现实的需求。但不管怎样都要听听他们是怎样说的，父母的经验毕竟比我们多。

36. 同学是朋友还是敌人？
答：当然是朋友，又没有什么国仇家恨，怎么称得上是敌人？

37. 受到挫折和心烦时向谁倾诉？
答：三个对象：父母、老师、朋友。如果是生活问题，找父母；如果是学习问题，找老师；其他问题，找朋友倾诉。

38. 学习上父母帮过你吗？他们有怎样的教育方法？

答：父母并不能具体指导某一科的学习，只是从小有意识地培养我，使我养成好的学习习惯。他们鼓励我、信任我，但不放纵我。

39. 高考前父母是如何配合你的？

答：①平稳情绪，鼓励信心，不施加任何压力；②帮助执行作息时间表；③料理日常生活。

40. 好老师对你的一生起多大作用？你常与老师沟通吗？讨厌、害怕某个老师怎么办？

答：好老师给我的学习生活带来巨大帮助。尽量多与老师沟通。学习是面对知识而不是老师，不要因对老师的好恶而影响学习。把自己的命运放在一个讨厌的人手中，未免太轻率了。

41. 有没有让老师和父母绝望的时候？

答：没有。我的父母对我永远都充满希望，因为他们爱我。对老师来说，我是他众多学生中的一个，他没有必要对我绝望。

42. 成绩优异或许要承受孤单和寂寞，没时间交朋友怎么办？

答：成绩好坏与孤单寂寞没有必然联系。在学校，每时每刻都可以交朋友。成绩优异不是只埋头学习换来的，可以不玩游戏，但不能不交朋友。

43. 遇到情感问题怎么办？

答：不要让情感战胜你的理智，对未来、学习、情感做一番冷静分析，自然你就会做出正确的决定。

44. 外界因素对成绩发挥有无影响？

答：外界只会给你一个机会。我高中老师曾经说："你拥有考第一的实力，可你并不是第一，因为第一只有一个，而拥有实力的人很多。"所以外界因素会影响成绩的发挥，但不影响实力。

45. 面对来自学校、家庭、社会三重压力，怎样缓解？

答：想一想压力来自哪里，为什么会有压力，其实这些压力都是自己的心理在作怪。压力都是被自己一个个不切实际的想法逼出来的，不妨把心放开，尽自己的全力去学，哪还会有什么压力呢？

46. 对老师和家长产生逆反心理怎么办？

答：我们都很冲动。容易对固有的东西产生逆反心理，不喜欢别人约束自己，这是事实。逆反源于双方的不沟通，不交流，各自按各自的去想去做，能不产生矛盾吗？逆反的主要责任不在我们，但我们是有责任的。

47. 玩电脑、上网聊天吗？每天多长时间？"星际"、"半条"是中学生都爱玩的，影响学习吗？

答：玩电脑，也聊天。时间不固定，看心情的好坏和时间是否允许。不能长时间玩游戏，它对学习有影响。

48. 一边学习一边吃零食吗？注意外表会影响学习吗？

答：这一定是某个美眉的问题。爱吃零食是女孩子的"特权"，我也干过边吃零食边写作业的事。不过为了集中精力，也为了不让老师怒目相对，还是做个专注的学子。学生在衣着上大大方方、干干净净就可以了。

49. 音、体、美对学习有用吗？

答：音、体、美对学习有好处，对形成健全的人格，过充实的生活有很大的益处。

50. "减负"和学习冲突吗？

答："减负"是为学生营造自主的空间，可以发展自己的特长和个性，但不要忘记学生的任务就是学习。

51. 3＋X 怎么考？

答：巩固三大科，再增加 X 科的综合能力，3＋X 与 3＋3 都是考试，不必太紧张。

52. 平时做一些研究性的学习吗？

答：还未达到这个程度，只是做一些探索性的学习，如：研究心理学、历史、宇宙科学等。

53. "素质教育"是什么？

答："素质教育"简单说就是提高素质的教育。如果让我再说下去，我也不清楚，因为"素质教育"至今未有定论。

54. 性格与学习成绩有关系吗？什么样的性格和心理状态有利于学习？

答：性格与学习方法有关系。不过，什么样性格的人都能学好，否则北大都是同样性格的人，岂不太可怕了？！平稳安定的心理状态有利于学习。

55. 外面的世界如此精彩而现代，学的知识却陈旧又乏味，请给我一双慧眼吧。

答：学好了陈旧又乏味的知识，才能有慧眼去充分领略外面世界的精彩和现代。学习不仅仅是任务，更是机会和资本。

56. 玩的时间比别人少吗？如果是这样，会不会心理不平衡？

答：我不知道是不是比别人少，别人没告诉我他玩多长时间。我只是在睡觉少的时候才会觉得心理不平衡。

57. 在学校担任社会工作好吗？入党有用吗？

答：如果有兴致的话，参加社会工作总有好处。入党是一种信仰，不能由是否有用来决定。

58. 如何培养好的学习习惯？非智力因素重要吗？

答：学习习惯应当从小培养，而且要有恒心，好的学习习惯是成绩优异的关键。非智力因素非常重要。如果后天因素好的话，不知道要有多少天才沉默，有多少人变成伟人。

59. 爱看哪些电视，常买哪些刊物、报纸、杂志，什么时间看？

答：电视剧很让人喜欢，但不可沉迷。新闻包括娱乐新闻，还有动画片，都值得一看。"今日说法"、"焦点访谈""快乐大本营"、"娱乐无极限"，都是我喜爱的；《青年文摘》、《读者》、《半月谈》、《南风窗》、《演讲与口才》等都不错。

60. 对成功而言，聪明和刻苦哪个重要？

答：聪明而不刻苦，不行。刻苦而不聪明，还有希望。

61. 如何面对失败？

答：努力争取下一次成功。每一次的失败都是一次经验，每一次的经验都是财富。

62. 对高考的态度怎样？学习是兴趣所至，还是局势所导？哪种因素更长久地促使你进步？

答：高考，就是无数次考试之后比较重要的一次。说不上是兴趣所至，不过学了之后还蛮有兴趣的，局势所导是必然的，识时务者为俊杰是有道理的。

63. 如何把持自己？明知道是错，但还是想去做怎么办？

答：为自己立一条规则：错误的事绝不做。虽然这样做很累，但却能教你把持自己。

311

64. 你接受新鲜事物吗？与学习发生冲突怎么办？

答：如果吸引你的是"新鲜"，那么浅尝即可，否则便不新鲜了。如果只是浅尝的话，就应该不会与学习冲突。

65. 怎样增强自信心？

答：善于从每一次小小的成功中获得快乐，多夸奖自己。

66. 你对生活的态度怎么样？你有完美的人格吗？这对成功有用吗？性格就是命运吗？

答：珍爱自己，活得开心。我没有完美的人格。我不相信世界上有完美的事物，完美的人最大缺陷便是他的完美吧。性格不是命运，但性格与命运密切相联。只要热爱生命，你就不会屈从于命运。

67. 受到类似调座位这样的事情影响，老师又没办法解决怎么办？

答： 如果不能改变客观现实，那就让客观现实改变自己。

68. 怎样战胜最大的敌人——自己？

答： 很多成功者一辈子都没能彻底战胜自己。

69. 惰性怎么克服？贪玩怎么办？

答： 惰性和贪玩，要靠毅力和良好的习惯慢慢克服，不再贪玩才有利于成长。

70. 怎样集中精力学习才不走神？在家学习总走神怎么办？

答： 我从小养成的习惯就是集中精力，很少走神。可以尝试做笔记，抄东西时精力会相对集中一些，另外，要跟着老师的思路走，不要自个儿想问题，即使是与课本有关的问题也不要在课堂上研究。找出走神的原因，是什么东西吸引你？去掉它就是了。

71. 课外都读哪些读物？

答： 读书店里的新书。

72. 考前一个月怎么安排复习、饮食和休息？

答：考前一个月，最重要的是保持积极的考试状态和轻松愉快的心情。考前一个月，对大多数人来说，希望在知识的广度和深度上突飞猛进不切实际。所以，此时疲劳战术或题海战术会适得其反。在学习方面，主要是查缺补漏，总结经验教训，看看以前做错的题和复习提纲很有帮助。要在头脑中形成一个清晰的知识结构图，高考时才会有回忆和思考的线索。还有一点就是要有足够的自信，相信自己。饮食和平常一样，考前最重要的是休息和调整。睡眠一定要充足，我比较喜欢每天睡八个小时。复习时，要把自己的兴奋点调到考试的时间，比如，上午 8：00 - 12：00，下午 2：00 - 5：00。

73. 参加奥赛有用吗？
答：非常有必要。

74. 好学生是不是就有权利不交作业？
答：不是的，作业是每个学生都必须完成的。作业可以检测出你对这门功课的掌握程度，以便及时发现错误。另外，也是对老师的尊重。

75. 当你心浮气躁想偷懒时，是怎样约束自己的？当时的想法是什么？
答：我会静下心来想一想自己的理想和目标。一想到偷懒会让我松懈下来，会让我面临失败——以前的心血都将付诸东流，我就有了危机感，就督促自己振作起来。

76. 能否推荐几本可以增长课外知识的书或杂志？
答：《钢铁是怎样炼成的》、《新华字典》、《老人与海》、《青年文摘》、《读者》、《金庸全集》、《新概念英语》、《文化苦旅》、《围城》、《红楼梦》、《史记》、《唐诗选》、《宋词选》、《古文观止》、《张爱玲文集》、《平凡的世界》、《三毛文集》、《曾国藩家书》。

77. 考试期间父母对我太殷勤怎么办?

答: 天下父母总是一心一意为子女着想。我们应该理解他们的这片苦心,接受他们的"殷勤"。如果感觉不舒服,可以和父母好好谈一谈,让他们知道你的想法,千万不要因此产生压迫感。

78. 你和父母争吵吗?争论时怎样与父母说清自己的看法?

答: 有时会争吵。我会等到大家都冷静下来的时候,再说明自己的观点。这样就会容易接受对方的意见,也会减少不必要的矛盾。

79. 良好的睡眠有助于学习,你的快速入睡方法是什么?

答: 睡前不要胡思乱想,不要听激烈的音乐,也不要与人发生口角或有类似的言行。睡觉前喝一杯热牛奶也有助于入睡。

80. 你认为我们考不上大学会有出路吗? 你考不上大学怎么办? 你认为你有前途吗?

答: 条条大路通罗马。考大学不是惟一出路,比尔·盖茨不是也没大学毕业吗?如果我没考上大学,我也不会一蹶不振,我会努力去开发自己的才智,好好地度过每一天。

81. 你是否参加家务劳动?你觉得这对你与家人的交流有好处吗?

答：参加。能促进与家人的交流。另外，家务劳动可以松弛紧张的神经。

82. 考试时你父母在学校门口等你吗?你愿意他们这样吗?

答：我本不愿意让他们等，但他们非要等。这样做，家长很紧张很累，在无形之中也加重了我的心理负担，这种形式上的东西很没必要。

83. 成为状元是不是很意外? 你想过会成为高考状元吗?

答：成为状元很意外。我从未想过能成为状元。只要我尽了全力，名次已不是我考虑的内容了。

84. 你认为高考状元和一般学生不同在哪里?

答：比较有理想，有自制力。

85. 假如遇到不会做的题，你通常怎么办? 如果思考不出结果，你还会继续思考下去吗?

答：先思考，如果实在做不出来，我会到学校去问老师或同学。如果经过努力，我自己可以思考出来的话，我就不会轻易放弃。因为这样费劲做出来的题，留下的印象也比较深。

86. 你认为高考题出得怎么样? 能检测出我们的实力吗?

答：高考题毕竟是专家反复研究后才确定的，能考查出我们的学习能力。但是，高考也有它的弊端，即不能全面考查一个人的实力。一个人的实力包括多方面，除学习能力外，还有心理承受能力、应变能力、交际能力，等等。

315

百问状元

87. 如果落下的课很多，是先学新的，还是补旧的？

答： 新功课要学好，不要新账旧账一起算。有空时要抓紧补旧的，不要欠太多的账。

88. 当厌学情绪产生后，最多不能持续多长时间？

答： 最好不要超过一个月。时间一长，厌学就会演变成放弃学业了，最好能及时克服。

89. 你是怎样处理考前以及考试时的焦虑心理的？

答： 做一些自己感兴趣的事，比如唱歌，写日记，和朋友聊聊天，和父母交流，参加一定量的体育锻炼。

90. 你每天睡眠够八小时吗？如果不够，假如把睡眠时间增加到八小时，你还能有这样的好成绩吗？

答： 不够。睡眠长短因人而异，只要觉得自己第二天精神状态良好就可以。好成绩不是靠时间堆积起来的！

91. 如果让你重来一次，你最想怎么过？你在学习和日常生活中有什么遗憾吗？

答： 过得更加多姿多彩，多做自己喜欢的事，活得更加自由，更加洒脱。遗憾的是因为学业而放弃了在艺术方面的深造。

92. 害怕上自己的弱课怎么办？怎么让自己喜欢起来？

答： 对任何科目都不要有畏惧心理。不能因为自己的好恶而放弃对某一科目的学习。喜欢不喜欢没有用，为最终的胜利而奋斗才是最重要的。

93. 你是怎样充分利用课堂 45 分钟的?

答: 不走神!

94. 你认为最有效的休息方法是什么?

答: 做自己喜欢做的事。

95. 分在重点班, 自己资质却不好, 压力很大, 怎么办?

答: 全力以赴, 好好努力。见贤思齐, 迎头赶上!

96. 学习的科目很多, 怎么处理好各科之间的关系? 怎样合理安排, 不忙乱又把各科都学好?

答: 每门课有每门课的特点, 特点决定了怎么学。对每一门课都要公平对待, 自己强的一定要巩固, 自己弱的科目更要多多努力。

97. 你对高考有畏惧感吗? 如果这次失败了你会怎么想?

答:肯定有啊。如果这次失败了,我会很难过,但不会气馁。我会振作起来,好好再努力。

98. 你在学习的同时,是否注意自己其他方面素质的培养?

答:先把学习搞好,别的东西自然会来的。

99. 你父母经常唠叨吗? 你怎么跟他们说?

答:有时候他们不唠叨还真挺不适应的。

100. 你怎样看待"减负"?

答:参加高考的人会真正"减负"吗?